I GRANDI TASCABILI
BEST SELLER
534

Hanif Kureishi

THE BLACK ALBUM

Traduzione di Alberto Pezzotta

BOMPIANI

Titolo originale
THE BLACK ALBUM

Traduzione di
ALBERTO PEZZOTTA

ISBN 88-452-2993-9

© 1995 by Hanif Kureishi
Published by Faber and Faber Ltd., London, 1995
© 1995, 1997 R.C.S. Libri & Grandi Opere S.p.A.
Via Mecenate 91 - Milano

I edizione "I Grandi Tascabili" aprile 1997

A Sachin e Carlo

1

Una sera, uscendo dal bagno comune del suo piano, Shahid Hasan aveva richiuso la porta con una corda, e si stava abbottonando sotto una lampadina fioca, quando si aprì la porta della camera accanto alla sua e ne uscì un uomo con una cartelletta in mano. Era magro, portava una camicia col collo aperto, scarpe marrone e un vestito che non era né cammello né di qualche colore preciso.

Shahid ne fu sorpreso. Il college gli aveva trovato una camera in un pensionato vicino a un ristorante cinese di Kilburn, nella zona nord-ovest di Londra. Africani, irlandesi, pakistani e perfino un gruppo di studenti inglesi affollavano sei piani interi. Passavano il tempo a suonare dischi e fumare canne, e riempivano i tetri corridoi con la puzza di dopobarba da quattro soldi e di montone bollito: odore che, in particolare, faceva arricciare la tappezzeria come un'antica pergamena. A ogni ora, anche se di preferenza di notte, litigavano in svariate lingue, sgridavano i loro cani, elogiavano i loro canarini, e facevano pratica con la tromba. Ma fino a quel momento Shahid non aveva sentito un suono dalla stanza accanto. Pensando che fosse libera, temeva di avere fatto ogni genere di rumori, e adesso ne era imbarazzato.

La lampadina si spense: l'illuminazione di ogni rampa di scale era gestita da un interruttore accuratamente programmato per farti mancare la luce prima che raggiungessi la tua destinazione, per quanto veloce fossi. Nell'oscurità, l'uomo ammiccò a Shahid e sembrò bloccargli la strada. Shahid stava per scusarsi, quando il vicino gli disse una parola in urdu. Shahid rispose e l'uomo, come se avesse avuto la conferma che cercava, fece un altro passo, gli tese la mano e si presentò come Riaz Al-Hussain.

Shahid, in un primo momento aveva avuto l'impressione che Riaz fosse sulla quarantina, ma quando sentì la voce di quell'uomo olivastro e mezzo pelato dai modi affettati e dagli occhi miopi da topo di biblioteca si rese conto che aveva al massimo dieci anni più di lui.

Ma l'aria compita era certamente ingannevole. Riaz doveva avere in sé qualcosa di eccezionale poiché, mentre scambiava convenevoli con Shahid, confermando che studiava anche lui nello stesso college, lo scrutava con la massima attenzione, come per guardargli dentro: il che fece sentire Shahid lusingato da quell'interesse, ma nel contempo vagamente agitato e privo di difese.

Riaz prese una decisione. "Andiamo."

"Dove?"

Riaz gli mise la mano sulla spalla. "Vieni."

Senza capirne bene il motivo, Shahid si lasciò guidare giù per le due rampe di scale. Passarono davanti alle biciclette e ai mucchi di posta non ritirata nell'ingresso, e uscirono in strada. Riaz fiutò l'aria, si voltò e gli disse, premuroso, di andare a prendere una giacca e una sciarpa, se ne aveva una. Sembrava li aspettasse un lungo tragitto.

Shahid ridiscese imbacuccato, e si incamminò con Riaz il quale gli parlava come se da tempo non si imbattesse in una persona che gli piaceva così tanto e con la quale si intendeva così bene.

"Hai mangiato? Quando mi metto a pensare e a scrivere passano delle ore prima che mi ricordi che devo mangiare, e poi di colpo mi viene una fame da lupo. Capita anche a te?"

Shahid che, durante le settimane dall'inizio dei corsi, era riuscito a malapena a scambiare un sorriso con qualcuno, cominciava a sentirsi a suo agio. "È da un po' di giorni che mi sogno del buon cibo indiano anche di notte, ma non ho idea di dove andare."

"Capisco che ti manchi la nostra cucina. Siamo compatrioti."

"Be'... non direi."

"Sì che lo siamo. È da un pezzo che ti ho notato."

"Davvero? E che cosa facevo?"

Riaz non rispose, ma tirò avanti diritto e di buon passo. Per tenergli dietro, e per evitare di scontrarsi coi gruppetti di irlandesi fuori dai pub, Shahid doveva saltellare su e giù dal marciapiede. La strada ormai gli stava diventando familiare; per il momento, gran parte delle sue idee su Londra erano maturate lì. Di giorno era frequentata per i suoi negozi di rigattieri, che schieravano sul marciapiede mobili malconci. Negozianti squattrinati se ne stavano seduti fuori in poltrona, dietro un tavolino di legno marcio, a leggere giornali di ippica all'ombra dei paralumi frangiati di lampade anni quaranta; attorno, come sacchi di sabbia, erano ammucchiati materassi macchiati, con pozze d'acqua sul cellophane del rivestimento.

Riaz non sembrava interessato a ciò che accadeva intorno a lui. Shahid si domandò se stava cercando di risolvere qualche problema filosofico o se, magari, era in ritardo a un appuntamento, e gli aveva chiesto semplicemente di accompagnarlo.

Prima di arrivare a Londra, quando se ne stava nella campagna del Kent a immaginare il caos e i pericoli della metropoli, suo fratello Chili, per prepararlo, gli aveva passato le cassette di *Mean Streets* e di *Taxi Driver*. Ma erano film ricchi di azione, lontani dalla miseria quotidiana che avrebbe incontrato. Il primo giorno aveva visto una poveraccia, sandali di plastica ai piedi, trascinare tre bambini da un lato all'altro della strada, e poi prenderli a ciabattate sulle braccia.

Si era anche domandato se di recente avessero chiuso qualche manicomio nei dintorni, visto che la High Road brulicava giorno e notte di esibizionisti e di folli che farfugliavano o urlavano per strada. Uno con la testa rasata se ne stava tutto il giorno a borbottare contro un portone, coi pugni stretti. Giovani senza tetto – Shahid in un primo momento aveva creduto che fossero studenti – stringevano lattine di birra come fossero bombe a mano; più tardi li aveva visti privi di sensi negli androni, tra pozze di liquami, come se un cane gli avesse pisciato addosso. C'era una ragazza che passava la giornata a raccogliere legna da ardere da cantieri e bidoni della spazzatura.

In ogni caso, Shahid era felice di sentire gli odori di cibo indiano, cinese, italiano e greco che uscivano dalle porte, come la prima volta che aveva fatto quella strada, pieno di sogni e di attese, le valigie in spalla. Tra un ristorante e l'altro, però, molti negozi erano stati chiusi e sbarrati con assi; o erano stati trasformati in botteghe di roba d'occasione o centri di assistenza sociale. Shahid aveva creduto che i londinesi fossero particolarmente generosi, finché il proprietario del pensionato – un pakistano anche lui – gli aveva spiegato, ridendo, che l'origine di tali negozi era da cercarsi più nella crisi che in qualche virtù.

Quando Riaz riaprì la bocca, non guardò Shahid ma disse: "Ovviamente stai lavorando duro. Come tutti noi che siamo qui. Ma ti dedichi anche a qualcosa di serio."

"Io?"

"Non ho dubbi circa la tua serietà."

Shahid preferì non mettere in dubbio le certezze di Riaz. Quello che lo stupiva era il tono confidenziale. Forse, negli ultimi tempi, aveva frequentato troppi inglesi riservati.

"Sì, mi sono deciso a darci dentro con lo studio, perché..."

"Questo è un buon ristorante. Cucinano in modo semplice. Ci va gente normale."

"Lo terrò presente," disse Shahid.

"Non ne dubito."

Tra un parrucchiere giamaicano e una trattoria romena – dietro le tendine sporche si vedevano file di semplici seggiole bianche e tavoli senza tovaglia – si trovava una tavola calda indiana, in cui Shahid seguì il suo nuovo amico.

"Ti sentirai come a casa."

Come faceva Riaz a sapere che si sarebbe sentito come a casa in un posto con cinque tavoli di formica e sedili ribaltabili rossi fissati con le viti, il tutto illuminato da un neon accecante, come la cella di una stazione di polizia?

Il cibo era esposto dietro un bancone di vetro, in vassoi di inox rettangolari; su ognuno c'era un cartellino col nome, scritto in un inglese di fantasia. Su uno scaffale c'erano due forni a microonde, e alla parete era appesa una targa d'ottone recante versetti del Corano. Un ragazzo, che Shahid immaginò fosse il figlio del padrone, sedeva a un tavolo a fare i compiti.

Riaz, forse per paura di essere stato un po' imperioso col suo nuovo amico, vedendolo esaminare il cibo gli disse con un tono più suadente: "Anche se hai già mangiato, magari potresti farmi compagnia. O è un fastidio troppo grande?"

"Niente affatto."

"Capisci, non è solo allo studio che mi stavo riferendo. Tu stai cercando qualcosa. È vero?"

"Non sono sicuro," disse Shahid pensieroso. "Ma può darsi che tu abbia ragione."

Shahid si sedette mentre Riaz si avvicinava al padrone, che aveva i denti rossi a furia di masticare *betel*. Ricevuta l'ordinazione l'uomo versò il cibo in piatti di plastica, che mise nel forno a microonde. Shahid sentì Riaz che gli chiedeva qualcosa riguardo all'altro figlio, Farhat.

Denti Rossi chiamò il ragazzo e gli disse di servire i clienti.

"Dov'è tuo fratello?" gli sussurrò Riaz mentre si sedeva.

Il ragazzo lanciò un'occhiata a suo padre, come per assicurarsi che non stesse ascoltando. "Hat è sopra. Sta studiando. Stasera non può uscire. Papà è molto arrabbiato."

Riaz fece un cenno. "Digli che lo vedrò domani."

"Ok."

Dopo questa strana conversazione, Riaz e Shahid attaccarono i *chapati*, scottandosi le dita, e inzuppandoli nel *dhal* e nel *keema* oleoso. Quando Shahid alzò gli occhi e vide Riaz mangiare in quel modo – di rado aveva visto qualcuno ingozzarsi così in fretta, come se stesse facendo il pieno a un'automobile – pensò: che colpo di fortuna! Finora, in attesa che la vita universitaria iniziasse sul serio – intendeva impegnarsi intellettualmente e in ogni altro modo possibile – non aveva fatto altro se non leggere e scrivere, frequentare le lezioni e passeggiare. Era andato al cinema, a teatro – nei posti più economici – e una sera aveva partecipato a una riunione socialista. Era andato a Piccadilly, e per un'ora e mezzo era rimasto seduto sui gradini di Eros, sperando di incontrare una donna; aveva vagato attorno a Leicester Square e al Covent Garden; era entrato in un bar "erotico" dove una donna si era seduta accanto a lui per dieci minuti e un uomo aveva cercato di estorcergli cento sterline per una bottiglia di acqua gassata, prendendolo a pugni quando si era avviato verso l'uscita. Non si era mai sentito più invisibile; in qualche modo, quella non era la "vera" Londra.

"Lo sapevi," disse Riaz con la bocca piena, "che il *chili* è stato scoperto in Sud America? Era una parola azteca, ed è arrivato in India solo durante il medioevo."

"Non ne avevo idea. Ma mio fratello lo chiamiamo Chili. Gli si addice."

"In che senso?"
"Gli va a pennello e basta. Dimmi che cosa stai studiando, Riaz."
"Legge. Per molto tempo ho dato consigli legali e di ogni altro tipo alla gente povera e semianalfabeta della mia zona. Facevo tutto quello che potevo per aiutarli, ma da dilettante che aveva letto dei libri. Adesso mi sono messo a studiare seriamente."
"E di dove sei?"
"Di Lahore. Le mie origini, intendo."
"'Origini' è una parola grossa," disse Shahid.
"La più grande di tutte. Sei d'accordo, no? Sono stato portato in questo paese a quattordici anni."
Shahid venne a sapere che Riaz aveva vissuto e lavorato "con la gente informandola dei suoi diritti", in una comunità islamica nei pressi di Leeds. Il suo accento era una mescolanza di entrambi i posti, il che spiegava perché sembrasse un incrocio tra J. B. Priestley e Zia Al Haq. Ma il suo inglese era corretto e senza tracce di gergo; a Shahid sembrava di vedere la punteggiatura che scandiva le sue frasi.
Riaz gli fece venire in mente uno dei suoi zii, un giornalista che viveva in Pakistan e che una volta era stato messo in prigione da Zia per avere scritto contro la sua politica di islamizzazione, e che amava ripetere che oggi gli unici a parlare un buon inglese sono indiani e pakistani. "Ci hanno dato la lingua, ma siamo solo noi a sapere come usarla."
Questo zio, nella cui casa Shahid e Chili passavano l'inverno, sdraiati sulle amache sotto i manghi del cortile a discutere di politica, amava divertire i nipoti con i suoi paradossi. Diceva che adesso, in Inghilterra, i pakistani dovevano fare ogni cosa: i campioni sportivi, gli annunciatori del telegiornale, i commercianti e gli uomini d'affari, e per di più scoparsi tutte le donne. "Il vostro paese è finito in mano ai musi neri!" Lo definiva: "Il fardello dell'uomo scuro."
Da ragazzo Chili, il fratello maggiore di Shahid, aveva fatto propria tale idea; poi aveva sposato l'incantevole Zulma, e il video del loro matrimonio, più lungo del *Padrino* (parte prima e seconda), era diventato di visione obbligatoria in tutta Karachi, e addirittura a Peshawar. La mattina, a colazione, entrando impettito in cucina dopo l'ennesima conquista, pro-

clamava: "Adesso che siamo qui dobbiamo fare tutto, *yaar*![1] È il nostro fardello, ma per conto mio sono disposto a accollarmelo!"

Shahid si impose di non parlare troppo a Riaz della propria vita privata. Ma neanche Riaz si sbottonava molto, e Shahid sospettò che stesse per chiedergli un favore. Ma scacciò questi dubbi; non voleva chiudersi in se stesso.

E così, qualche minuto dopo, Shahid stava raccontando a Riaz che i suoi genitori e suo fratello avevano un'agenzia di viaggi. Un quarto di secolo prima la madre di Shahid era solo una segretaria, e suo padre un impiegatuccio. Adesso, anche se papà era morto da poco, la famiglia possedeva due agenzie a Sevenoaks, nel Kent.

Riaz stette a sentire, e alla fine chiese: "Hanno smarrito se stessi quando sono arrivati in questo paese?"

"Smarrito se stessi?"

"È quello che ti ho domandato."

Era una strana domanda. Ma dopo tutto non era per questo che si era iscritto al college, per allontanarsi dalla famiglia e anche per riflettere sulla loro vita, sul motivo per cui erano venuti in Inghilterra?

"Forse hai ragione. Forse è proprio così. Il lavoro della mia famiglia è sempre stato far viaggiare gli altri per il mondo. Ma loro non sono mai andati in nessun posto, a parte Karachi, una volta all'anno. L'unica cosa che sanno fare è lavorare. Chili, mio fratello, ha un modo di pensare meno... rigido. Ma lui è di una generazione diversa."

"Spero che non sia uno di quei dissipatori."

"Un dissipatore?" Shahid rise a quella parola enfatica. "Che cosa ti dà il diritto di dirlo?"

Per un attimo la passione avvampò sotto la tranquilla ostinazione, e Riaz picchiò il pugno sul tavolo.

"Volevo dire, in fondo che cosa ha dalla vita questa gente, la nostra gente?"

"Almeno non hanno preoccupazioni e hanno uno scopo."

"Però hanno smarrito se stessi."

"Come?"

[1] Termine confidenziale, all'incirca "amico". (*N.d.T.*)

"Se non hanno nient'altro nella vita, è logico che si siano smarriti!"

Shahid si guardò le dita, che il cibo aveva tinto di color nicotina. Riaz stava cercando di provocarlo. Si pentì di essere stato tanto ingenuo. Ma la discussione non gli dispiaceva.

"Certamente avranno perso qualcosa," ammise. "Per esempio non sono capaci di apprezzare un'opera d'arte. E poi disprezzano il loro lavoro, e ridono pensando che i loro clienti fanno migliaia di chilometri per arrostire i loro brutti corpi su qualche spiaggia e andare in un bar col karaoke."

"Parole sacrosante! Nessun pakistano si sognerebbe di comportarsi in modo così idiota, almeno finora. Ma presto – non credi? – andremo in giro dappertutto a esibirci in bikini."

"Mia madre e Chili non aspettano altro. Che anche gli indiani comincino a fare viaggi organizzati."

"Scusami se mi permetto – so che non ti offenderai – ma mi sembra di capire che la tua è una famiglia piuttosto distinta."

"Be', direi di sì."

"In tal caso, perché ti hanno lasciato iscrivere a un college così poco prestigioso?"

Con la sua aria timida, tanto diversa dalla spacconeria da bevitori di whisky degli zii di Shahid, Riaz sembrava una persona gentile. Ma a Shahid venne ugualmente da chiedersi se non stesse cercando di manipolarlo, di indagare sul suo conto con qualche secondo fine. Ma quale poteva essere? Chi era quest'uomo che si sentiva autorizzato a fare tali domande?

"Per un'insegnante che si chiama Deedee Osgood. La conosci?"

"Oh, certo, ha una certa reputazione, al college."

"Meritata. E poi perché andavo male a scuola."

"Tu?" disse Riaz con tono preoccupato. "Ma perché?"

"Allora, sai, avevo altre cose per la testa. La mia ragazza è rimasta incinta e... ehm... ha dovuto..."

"Che cosa?"

"Un aborto 'tardivo'. Un brutto affare." Temeva di essersi messo in cattiva luce, anche perché lui stesso si sentiva la coscienza sporca; tanto più che, alla fine, aveva tagliato la corda. Riaz sospirò. Shahid proseguì: "E dopo i miei mi hanno costretto a lavorare con loro."

"Tu li rispettavi?"

"Non quanto avrei dovuto. Invece di spedire la gente a Ibiza, me ne stavo seduto in agenzia a leggere Malcolm X e Maya Angelou e i saggi di W. E. B. Dubois. Leggevo della divisione dell'India, dei massacri e di Mountbatten. Una mattina, a letto, ho cominciato a leggere *I figli della mezzanotte*. Lo conosci?"

"Lo trovo preciso per quanto riguarda la descrizione di Bombay. Ma questa volta ha esagerato."

"Dici? All'inizio, il primo libro mi è parso difficile. Ha un ritmo che non è occidentale. Salta da un argomento all'altro. Poi ho visto l'autore in televisione che attaccava il razzismo, e spiegava come si era arrivati a questo punto. Avrei voluto applaudirlo, ti giuro. Ma ci sono anche stato male, perché mi ha fatto capire delle cose terribili. La verità, Riaz, è che..."

"Mi sembra il minimo."

"Sì." Il cuore di Shahid prese a battere più forte. "Pensavo di impazzire."

"In che senso?"

"Riaz, io..."

Proprio in quel momento un uomo si precipitò nel locale, con una tale furia che Shahid quasi si aspettò di vederlo fuggire dalla porta sul retro, inseguito dalla polizia. Tuttavia si fermò ansando accanto a loro. Non fece in tempo ad aprir bocca che venne zittito da Riaz con un dito alzato perentoriamente. Obbedì senza battere ciglio e si mise a sedere, ancora agitato dalla corsa.

Volgendo lo sguardo a Shahid, Riaz gli disse: "Continua."

"Cominciai a sentirmi..."

"Forza."

"... più emarginato di quanto non mi fossi mai sentito. Lì nel Kent mi avevano trattato da cani, non mi avevano mai lasciato in pace. Ero diventato ipersensibile, e continuavo a pensare che mi mancasse qualcosa."

Shahid adesso divideva goffamente la sua attenzione tra l'uomo al suo fianco, che aveva appena intravisto e che stava ascoltando i suoi ricordi più personali, e l'uomo che aveva di fronte, in attesa di sapere tutto.

"Dovunque andassi, ero l'unico con la pelle scura. Come mi vedeva la gente? Cominciai ad avere paura di andare in certi posti. Non sapevo cosa pensassero. Ero convinto che fossero pieni di sarcasmo, di odio, di disgusto. E se erano gentili, immaginavo fossero ipocriti. Ero diventato paranoico. Non potevo più uscire. Sapevo che avevo le idee confuse, che ero totalmente... incasinato. Non sapevo cosa fare."

Shahid si girò verso il nuovo arrivato, che ascoltava con attenzione, muovendo la testa e le dita come se stesse seguendo un ritmo.

"Sto ascoltando il grido di ogni istante della tua anima," disse. "Puoi chiamarmi Chad."

"Io sono Shahid."

"È il mio vicino di stanza," spiegò Riaz a Chad.

Si strinsero la mano. Chad era il tipo di persona che da solo riempie una stanza: un uomo grosso con una faccia rotonda, simile a un adolescente che cerca di apparire un adulto. Sembrava stesse morendo dalla fame.

"C'è una cosa ancora peggiore." Shahid aveva la bocca secca e un tremito alle mani. Tentò di prendere il suo bicchiere ma rovesciò l'acqua sul tavolo. "Non penso di poterne parlare. Ma forse dovrei sforzarmi."

"Devi," disse Riaz.

"Sì," disse Chad.

"Volevo essere un razzista," disse Shahid.

La serietà di Chad divenne ancora più seriosa. Scambiò un'occhiata con Riaz, si alzò e andò al bancone a prendersi da mangiare. Shahid aspettò che tornasse. Riaz sembrava canticchiare tra sé.

Shahid stava tremando. "Avevo la testa piena di fantasie di uccidere negri."

"Di che cosa stiamo parlando?" chiese Chad.

"Di che cosa? Di andare in giro a fare violenze contro pakistani, negri, musi gialli, irlandesi, tutta la feccia straniera. Li insultavo sottovoce ogni volta che ne vedevo uno. Gli volevo sfondare il culo a calci. L'idea di andare a letto con una ragazza pakistana mi faceva vomitare. Sono molto onesto con voi, vedete..."

"Apri il tuo cuore," mormorò Chad. Non aveva toccato il cibo.

"Non riuscivo a toccarle neanche quando erano loro a cercarmi. Pensavo: sfiora solo una ragazza pakistana, e quella come minimo ti vuole sposare. Non volevo toccare la pelle scura, tranne che con un ferro da marchio. Odiavo tutti i bastardi stranieri."

Riaz gemette piano: “Ma come facevi?”
“Pensavo... perché non posso essere un razzista come chiunque altro? Perché non devo avere neanche questo privilegio? Perché non posso andare in giro a sputare sugli altri perché sono inferiori? Ho cominciato a diventare uno di loro. Mi stavo trasformando in un mostro.”
“Tu non volevi essere un razzista,” disse Chad. “Te lo dico senza ombra di dubbio. E ti dico anche che adesso va tutto bene.”
Chad guardò Riaz, che confermò con un comprensivo cenno del capo.
“Non ti devi sentire troppo a disagio...” Chad indicò sé e Riaz. “Se adesso lo sappiamo anche noi. Noi non pensiamo affatto a te in modo razzista.”
“Io sono un razzista.”
Chad diede un pugno sul tavolo. “L’ho già detto, sei solo un ricettacolo.”
“Volevo iscrivermi al British National Party.”
“E l’hai fatto?”
“Avrei compilato i moduli, ammesso che ne abbiano.” Shahid si rivolse a Riaz. “Tu sai com’è che si fa domanda?”
“Ma come fa il fratello a sapere una cosa del genere?” A Chad stavano cedendo i nervi. Si era rivolto a Riaz, che adesso stava rovistando nella sua cartelletta, e gli aveva dato via libera.
Chad continuò con sopportazione malcelata. “Dammi retta. Per quanto riguarda il razzismo, questo è il secolo peggiore della storia. Come hai fatto a captare vibrazioni così distorte? In tutti i bianchi c’è un po’ di Hitler, almeno questo te l’avranno fatto capire, no? Non hanno mai fatto niente, per noi.”
“Solo quelli che si purificano verrano salvati,” disse Riaz alzandosi e avviandosi verso la porta.
“Il fratello ha bisogno di aria pura,” disse Chad. “Ne abbiamo bisogno tutti. Fiuu.”
Chad e Shahid seguirono Riaz al pensionato. Shahid era in subbuglio, preoccupato di avere sconvolto le sue nuove conoscenze al punto che avrebbero rifiutato la sua amicizia. Gli piaceva, Chad. Rideva con tutto il corpo, le spalle, lo stomaco, il petto, e agitava le mani come pale di un ventilatore, come se qualcuno gli avesse acceso un motorino nella pancia. Eppure

Chad si sforzava di contenere queste risate smodate: sembrava vergognarsi di tanta allegria.

Fuori dalla porta di Riaz, Shahid gli prese la mano con apprensione e implicito rispetto. "Mi ha fatto piacere incontrarti."

"Grazie," disse Riaz. "Anch'io ho imparato qualcosa."

"Addio."

"Niente addii."

"Scusa?"

"Siamo molto lieti di averti tra di noi." E Riaz sorrise a Shahid come se avesse superato una specie di test.

2

Poco dopo, quando Shahid aprì la porta della propria stanza, si trovò Chad alle spalle, che non vedeva l'ora di intrufolarsi.

"Entra," disse Shahid, anche se non ce n'era bisogno.

Chad chiuse la porta dietro di loro e si avvicinò a Shahid, parlando sottovoce. "Come sta?"

"Abbastanza bene," disse Shahid, intuendo che si riferiva a Riaz, e chiedendosi se quest'ultimo non avesse qualche malattia. Di certo non sembrava scoppiare di salute, poveraccio. "Vuoi qualcosa da bere?"

"Un po' d'acqua, più tardi. Ma scusa, hai la fortuna di vivere qui vicino a lui, e secondo te sta abbastanza bene?"

"Perché no?"

Chad esaminò la faccia di Shahid, come se lo ritenesse a parte dei segreti di Riaz. "Bene, bene," disse sollevato. "In questi ultimi giorni non mi sono fatto vedere perché deve ancora terminare il grande progetto che ha nel cuore. So che presto me lo farà vedere per primo. Siamo alla fine. Ma non sta lavorando troppo?"

"Non fa nient'altro," disse Shahid, come se conoscesse Riaz da un pezzo.

"C'è ancora molto da fare."

"Non c'è dubbio." Shahid trovò il coraggio di fare una domanda. "Ma tu sai, di preciso, a cosa sta lavorando?"

"Scusa?"

"Voglio dire... Non si tratta del solito lavoro, no?"

"Riaz non è il tipo da parlarne, Shahid."
"Lo so, lo so, ma..."
"Certo è qualcosa di speciale. E in più ci sono le solite cose, le lettere ai parlamentari, al ministero dell'interno, all'ufficio immigrazione, gli articoli per i giornali. Si è messo anche a cercare i soldi per fare un giornale. Ha qualcosa in ballo con gli iraniani. Non gli piace parlarne troppo. Credevo lo sapessi. Comunque..."
Shahid si accorse di quanto erano tristi gli occhi di Chad, come se dentro gli covasse qualche profonda ferita.
"Quello che hai detto a tavola mi ha toccato il cuore." Chad batté il pugno contro quello di Shahid. "Hai fatto bene a dirlo. Un uomo che apre il suo cuore è come un leone. Tu sei un leone." Chad aprì la porta. "Andiamo?"
"Dove?"
"Vieni."
Shahid seguì Chad come prima aveva fatto con Riaz.
Chad bussò secondo un codice prestabilito alla porta della stanza che Shahid aveva pensato fosse vuota. Alla risposta di Riaz, entrarono.
Riaz era seduto a una scrivania stracolma, e stava lavorando con una lampada accesa; dalla finestra si vedeva la sala giochi dall'altra parte della strada.
Chad si mise l'indice sulle labbra. "Ssh."
Shahid fu colpito dal vedere Riaz così: per lui cultura, voglia di studiare e sete di sapere si identificavano con la bontà.
La stanza di Riaz era più grande di quella di Shahid, anche se la tappezzeria sul punto di scollarsi era la stessa. Ma era molto, molto più stipata di libri, carte, fascicoli e lettere. Formavano delle pile sul pavimento, straripavano dagli schedari ed erano incollati non si sa come anche sul davanzale, forse con *chutney* di mango o il liquido dei sottaceti. Shahid era sicuro che alcuni di quei fogli incartapecoriti fossero fatti di *nan* e *chapati* secchi, contenessero *popadum* vecchi e fossero tenuti assieme da ragnatele.
Al piano di sopra qualcuno stava suonando un disco di Donna Summers, con accompagnamento di squittii maschili. Shahid stava per ridacchiare, ma intuì che i suoi nuovi amici non avrebbero apprezzato il suo senso dell'umorismo. Riaz sapeva che tra gli ospiti del pensionato c'erano anche numerosi gay?

Sopra la stanza di Shahid ce n'era uno sempre fatto di anfetamine, che puliva i corridoi in continuazione. "Ci potresti mangiare su questo linoleum," ti diceva quando passavi.

Alle spalle di Riaz, Chad cominciò a estrarre carte da una pila pericolante per ficcarle dentro un'altra. Guardò con orgoglio i dorsi di una serie di tomi scompagnati che stavano su una sedia e che spostò sul pavimento per poi inciamparvi subito dopo indietreggiando. Quando Chad gli mise in mano un pacco di fogli, Shahid cercò di entrare nello spirito della faccenda spostandoli verso il davanzale, trattenendo però il respiro.

A un certo punto crollò uno scaffale, facendo cadere a terra un mucchio di libri in arabo. Da sotto di essi Chad estrasse una spugna, alcune camicie, un paio di mutande e numerosi calzini marroni. Li tenne in mano per un momento, come se pensasse che la fotocopiatrice fosse il posto più adatto per la biancheria sporca. Ma poi li passò a Shahid, e tenne aperto un sacchetto di plastica perché li potesse ficcare dentro.

"Qualcuno li dovrebbe portare in lavanderia."

"Ce ne sarebbe bisogno." Shahid non aveva potuto trattenere oltre il respiro.

Chad lo fissava con aria indagatrice. "La lavanderia automatica sta aperta tutta la notte."

"Certo che Londra è proprio una grande città, vero?"

"Con molte tentazioni per i giovani."

"Eh sì," convenne Shahid. "Grazie a Dio."

"Ma le lavanderie sono una cosa utile."

"Molto."

Dallo sguardo di Chad, Shahid comprese che voleva che portasse a lavare la roba sporca di Riaz! Era offensivo.

Stava per tirarsi indietro, ma ci ripensò. Non sarebbe stato maleducato rifiutare questo favore? Shahid da tempo cercava di conoscere persone interessanti del suo paese. Perché cominciare a fare l'orgoglioso quando le cose si mettevano bene? Voleva passare tutte le sere da solo?

Quando Shahid uscì, vide che Chad sorrideva tra sé. Anche lui ridacchiò, ciondolando per strada col sacchetto in spalla.

Era tardi, e la lavanderia era deserta. Cacciò le schifezze dentro la macchina, inserì le monete nel cassettino, lo spinse e uscì.

Lasciò la strada principale e prese una traversa poco illuminata. Camminava in fretta, senza badare alla direzione, con un senso di gioia e di sollievo per quello che aveva confessato poco prima. Si trovò a scendere una rampa di scale che portava a un parcheggio sotterraneo, dove però non c'erano automobili ma solo immondizia semibruciata. Era una fogna, e qualche poco di buono poteva saltare fuori con un coltello da un momento all'altro. Ma non aveva paura. Meglio le ombre spettrali della città che il pallido sole della campagna.

Stese la giacca e si sedette sotto una luce incerta. Aveva l'abitudine di prendere nota di tutto quanto colpiva la sua attenzione, come se mettere le cose per iscritto potesse esorcizzare gli eccessi di realtà.

Papà era stato malato per un pezzo. Alla fine, nove mesi prima, era morto per una crisi cardiaca. Senza di lui, la famiglia sembrò andare a pezzi. Shahid aveva lasciato la sua ragazza pieno di rancore. Zulma e Chili avevano litigato. Sua madre si era sentita senza uno scopo. Era stato un periodo disastroso. Shahid voleva ricominciare da capo in un posto nuovo, con gente nuova. Londra sarebbe stata la sua città; non si sarebbe sentito tagliato fuori; dovevano pur esserci modi per integrarsi.

Rimise in tasca la penna e tornò alla lavanderia. La roba da lavare era scomparsa; non c'era più neanche il sacchetto. Si precipitò verso le altre lavatrici, ma nessuna conteneva gli stracci incolori di Riaz. Uscì in strada di corsa, ma non c'erano sospetti che se la dessero a gambe.

C'erano solo vetri rotti per terra e un ragazzino nero che pedalava sul marciapiede, appoggiava la bici e schizzava dentro un fast-food; e poi un uomo con la testa appoggiata a un sacco della spazzatura, che si cacciava in bocca mezzo panino; e una donna che gridava da una finestra: "Fuori dai piedi, bastardo, o ti sistemo io!" Altri due erano sdraiati culo contro culo in un androne spazzato dalla pioggia, sotto un cumulo di giornali e cartoni; intorno alle loro teste, ritte come birilli, c'erano alcune bottiglie di sidro vuote. Coi suoi fast-food vuoti, i botteghini del *kebab* e le saracinesche abbassate, la strada si prendeva gioco di lui, si rese conto, come di tutti coloro che non erano riusciti a trovare un modo di fuggire.

Shahid diede un calcio e un pugno alla lavatrice, che però era stata costruita in previsione di simili evenienze. Fuori, al freddo, andò avanti e indietro, temendo il ritorno nella stanza di Riaz. Di certo non se la sentiva di fare una relazione su quel quartiere di ladri, figli di puttana e sciagurati relitti della società.

Riaz era sempre concentrato nella stessa posizione, anche se Chad stava spolverando i suoi calamai con un piumino. Era una scena di pace e silenzio. Vi sarebbe stato ammesso ancora, Shahid? Voleva cominciare la sua spiegazione, ma dovette attendere finché Chad si allontanò da Riaz.

"Chad, è successa una cosa tremenda, ma non è colpa mia. Ho... Ho... perso i vestiti."

"Come?"

"Sai i vestiti che mi hai dato da lavare?"

"I vestiti di Riaz?"

"Li hanno rubati."

Chad dette un'occhiata a Riaz, che continuava a scrivere tutto concentrato. "Hai perso tutta la roba del fratello?" disse sottovoce.

"Temo proprio di sì."

"Non ci credo che tu possa aver fatto una cosa del genere."

"Chad, dimmi una cosa. Non è che tenesse particolarmente a quei vestiti, vero?"

"Riaz non è attaccato alle cose terrene."

"No, non intendevo questo, solo se..."

"Vieni al dunque."

Shahid balbettò e soffocò un singhiozzo. "Mi spiace veramente."

"A che cosa serve, ormai?"

"Ho fatto un grosso errore."

Alla porta si sentì un colpo deciso.

Chad fece un cenno a Riaz. "Vuoi dirmi che non hai fatto la guardia ai vestiti del fratello?"

"Non pensavo che nessuno potesse rubare un mucchio di..."

Chad lo fulminò con lo sguardo e andò alla porta.

Shahid continuò: "Non pensavo, Chad. Voglio imparare, ma Londra è gigantesca ed è tutto così anonimo! Ci sono pazzi dappertutto, ma la maggior parte sembrano normali! Chad... pensi che mi perdonerà?"

"Questo lo dovremo vedere. Stai dicendo che dovrei aiutarti io a sistemare la cosa?"

"Potresti?"
"Vedrò quello che posso fare. Ma è una cosa seria."
"Lo so, lo so."
"Aspetta un minuto," disse Chad.
Un uomo coi capelli a spazzola e una gran barba nera stava alla porta con un borsone verde in mano. Riaz si voltò, accorgendosi della sua presenza, e l'uomo lo salutò dalla soglia, sbottonandosi il lungo soprabito per mostrare un grembiule da macellaio macchiato di sangue.
"Gli attrezzi che hai chiesto," disse.
"Sì."
Passò a Chad il borsone sferragliante. Chad vi guardò dentro, infilò la mano e ne estrasse un coltello da macellaio. Toccò la lama.
"Fantastico. Il meglio del meglio, Zia. Ti restituirò tutto quando avremo finito."
L'uomo annuì, salutò Shahid con un inchino e se ne andò. Chad spinse il borsone sotto una sedia e riprese a parlare con Shahid.
"Allora hai gettato via tutti i vestiti?"
"Ma li hanno rubati, Chad!"
Chad rifletté un momento. "L'immoralità è molto diffusa, lì fuori. In ogni caso dobbiamo fare qualcosa prima che il fratello abbia bisogno di cambiarsi i vestiti."
"E quando?"
"Chi lo sa? Fra cinque settimane, fra cinque minuti. Può anche darsi che adesso si alzi e decida di mettersi quella roba." Shahid ebbe il sospetto che l'ipotesi dei cinque minuti fosse la meno probabile. "Che cos'hai in camera tua?"
"Il letto, la scrivania, un mucchio di dischi di Prince e una carrettata di libri."
Chad sembrò interessato. "Hai detto Prince?"
"Sì."
"Fammi dare un'occhiata."
"Perché?"
"Meglio che li veda."
"Perché?"
"Non fare troppe domande, questa è la regola numero uno se vuoi che ti salvi la pelle. Adesso lasciami fare. Questo è un caso di emergenza!"

Chad misurò a grandi passi la stanza di Shahid, e cominciò a rovistare in una scatola di cartone sul pavimento che conteneva i dischi di Prince. Chad era concentratissimo, ma che cosa c'entrava tutto questo con i vestiti di Riaz?

"Dimmi un po', sei un fan di Prince?"

"Io?" Chad scosse la testa con enfasi, e richiuse lo scatolone. "La musica pop non fa per me. Non fa bene a nessuno. Perché mi fai parlare di queste cose?"

"Ti pare che sia io?"

"In questo momento siamo messi proprio male. Allora, fammi controllare se hai il *Black Album*." Si rimise a frugare con grande interesse. "Ce l'hanno in pochi. Ehi, hai anche il *bootleg* in compact," aggiunse con un ghigno. "Dove l'hai trovato?"

"Al mercatino di Camden."

"Giusto. Lì se ne trovano, di *bootlegs*."

"Lo vuoi sentire?"

"Mai!"

Chad si ritrasse da Prince, si alzò e con un'occhiata perlustrò il resto della stanza.

A casa, in camera sua, Shahid teneva aperti i libri d'arte presi in biblioteca, così che quando si radeva o mentre camminava avanti e indietro lamentandosi della vita, poteva vedere Rembrandt o Picasso o Vermeer, e cercare di capirli.

Qui aveva coperto ampi settori della tappezzeria a macchie gialle e marrone con le sue cartoline preferite. Fissati con puntine da disegno, c'erano molti Matisse, l'unico pittore che credeva non avesse mai dipinto nulla di brutto; il ritratto di Mary Gunning di Liotard; *Venice Beach* di Peter Blake, dove si era ritratto con David Hockney e Howard Hodgkin; numerosi Picasso; la strana Isabella di Millais; una foto di Allen Ginsberg, William Burroughs e Jean Genet; Jane Birkin sdraiata su un letto; e decine di altre che aveva staccato da camera sua e portato a Londra.

"Hai un bel mucchio di libri, qui," disse Chad.

"Già, e a casa ne ho ancora di più."

"Come mai?"

Shahid spiegò che lo zio dalla lingua tagliente aveva lasciato i suoi libri a casa di papà quando era tornato in Pakistan. Shahid aveva selezionato Joad, Laski, Popper e i saggi di Freud, oltre a romanzi di Maupassant, Henry Miller e dei russi. E poi andava in biblioteca quasi tutti i giorni; leggere saltando da un libro all'altro, con interruzioni per ascoltare i dischi, era il suo maggior piacere. Si era spostato da una lettura all'altra come sulle pietre di un guado sia perché si divertiva, sia perché temeva di incontrare persone le cui conoscenze potessero escluderlo.

"Adesso preferisco i romanzi e i racconti. In genere ne inizio almeno cinque contemporaneamente."

"E perché li leggi?"

"Perché?"

"A che cosa serve?"

Chad sembrava ostile. Non era una domanda obiettiva. Tale opposizione era tanto inspiegabile, che Shahid, dimenticando i vestiti di Riaz, ne fu incuriosito. Certo non se lo sarebbe aspettato da Chad. Ma era proprio per discutere di questi temi – il significato e lo scopo dei romanzi, per esempio, e il loro posto nella società – che era stato tanto desideroso di iscriversi al college.

Guardò con amore i libri impilati sulla scrivania. Ad aprirne uno qualunque ne sarebbero scaturiti, come se vi fossero stati intrappolati, i "C'era una volta" e gli "Apriti Sesamo", matrimoni come quelli di Swann e di Odette o di Levin e Kitty, per non dire di Shahrazàd e di re Shahriyàr. I personaggi più fantastici, Raskol'nikov, Joseph K., Boule de Suif, Alì Babà, fatti di inchiostro ma dotati di vita eterna, erano immersi nei più profondi dilemmi dell'esistere. Da dove avrebbe cominciato per rispondere a Chad?

"Mi sono sempre piaciute le storie," esordì.

Chad lo interruppe: "Quanti anni hai? Otto? Non ci sono milioni di cose più serie da fare?" Chad indicò la finestra. "Là fuori... ci sono genocidi, stupri, oppressioni, omicidi. Un mattatoio, ecco cos'è la storia di questo mondo. E tu a leggere storie come la nonna."

"Se ti avessi detto che mi bucavo, non avresti potuto reagire peggio."

"Un buon paragone. Proprio calzante."

"Ma gli scrittori non cercano forse di spiegare perché avvengono i genocidi e cose del genere? I romanzi sono come un quadro della vita. Proprio ora sto leggendo *I demoni* di Dostoevskij..."

"Non cercare di far colpo su di me. Cosa mi dici invece di chi non possiede nulla?[1] Eh? Prova un po' ad andare per strada e chiedere alla gente qual è l'ultima cosa che ha letto. Il *Sun*, forse, o il *Daily Express*."

"Hai ragione. Certe volte vedo la gente e mi viene voglia di dirgli, leggete qualcosa di Maupassant, o di Faulkner! Come fate a non sapere che esistono i loro libri? Li hanno scritti uomini come voi, sono molto meglio della televisione!"

"Verissimo, qui in Occidente pensano di essere tanto civilizzati, istruiti e superiori, e il novanta per cento di loro legge roba che tu non useresti per pulirti il culo. Ma ascolta, Shahid, non è da molto che ho imparato una cosa."

"Cioè?"

"Nella vita c'è qualcosa di più importante che divertirsi!"

"La letteratura è qualcosa di più che un divertimento." Shahid si accorse di iniziare a scaldarsi e cercò di non perdere il controllo. Prese un libro, lo sfogliò e buttò lì: "Non sono poi così difficili come sembrano, i libri."

Chad avvampò a quel tono condiscendente. "E già. Servono solo agli intellettuali, per sentirsi superiori alla gente comune!"

"Ma Chad, non ti sembra che gli intellettuali pensino più che la gente comune? A me pare una cosa buona."

La pacatezza forzata di Shahid sembrava solo peggiorare la situazione.

"Buona? Ma gli intellettuali che cosa sanno del bene?" L'ingenuità di Shahid stava infiammando Chad, che tuttavia volle esibire il proprio autocontrollo. "Fratello, hai molte cose da imparare. Ma non perdiamo altro tempo in chiacchiere inutili. Adesso dobbiamo pensare a cose più serie. Stasera hai commesso un grave errore."

"Mi dispiace, Chad."

"Smetti di scusarti prima che mi arrabbi." Chad si sfregò la fronte. "Forse ho trovato il modo di rimediare."

"Come?"

[1] In italiano si perde il gioco tra *The Possessed* (il titolo inglese dei *Demoni*, alla lettera "I posseduti") e *dispossessed* ("derelitti"). (*N.d.T.*)

Chad andò verso il comò, aprì di scatto un cassetto e tirò fuori le mutande e i jeans di Shahid, esaminandoli come se fosse in un negozio. Dopo averli posati sul letto, aprì l'armadio con tanta violenza che scardinò l'anta. La scagliò dall'altra parte della stanza come se fosse una scatola di fiammiferi. Dopo un esame rapido ma mirato, cominciò a ficcare i vestiti di Shahid – comprese le calze rosse di puro cotone, una camicia verde di Fred Parry e alcune T-shirt italiane bianche che erano state di Chili – nella borsa che aveva estratto da sotto il guardaroba.

"Che cosa stai facendo?"

"Questa roba è per fratello Riaz."

"Ma Chad..."

"Che c'è adesso?"

"Sei sicuro che siano della sua taglia?"

"Pensi di no?"

"Non me lo vedo con la camicia verde."

"No?"

"Lascia che la rimetta via. E questa maglietta col numero rosso, non pensi che lo farebbe sembrare un po' effeminato?"

"Un po' cosa?"

"Una checca. Ridammela."

"No, no." Chad gliela strappò. "Abbiamo altra scelta? Vuoi che il fratello vada in giro per strada nudo, e si becchi la polmonite per colpa della tua idiozia?"

"No," gemette Shahid, cercando di salvare una delle magliette di Chili prima che Chad saccheggiasse gli altri cassetti. "No che non lo voglio."

"Ehi, dov'è che hai preso questa camicia rossa di Paul Smith?"

"Da Paul Smith."

"Riaz sarà entusiasta," disse Chad tenendola contro il proprio petto. "Le tinte unite gli donano."

"Mi fa piacere."

"Allora dacci una mano. Sei dei nostri, no?"

"Certo," rispose Shahid.

3

La mattina dopo, uscendo per andare alla lezione di Deedee Osgood – il suo corso era quello che seguiva più volentieri – Shahid appoggiò l'orecchio alla porta di Riaz. Come al solito, non sentì nulla. Forse gli strani eventi della sera prima – gli sconosciuti a cui aveva denudato la propria anima, i vestiti rubati e la polmonite in agguato, la visita del macellaio con machete incluso, la discussione letteraria e le calze rosse – erano stati un'allucinazione. O forse Riaz era andato in moschea.

Il college era un relitto dell'epoca vittoriana, un ex liceo a venti minuti di strada. Più della metà degli studenti erano neri e indiani; la biblioteca era ridicola, di attrezzature sportive neanche a parlarne. La sua fama era dovuta non tanto alla qualità dell'insegnamento quanto alla droga, ai furti, alla violenza politica e alla rivalità tra bande. Circolava la battuta che le riunioni di istituto si tenessero nell'ala distaccata presso la prigione di Wandsworth.

Nella calca mattutina, Shahid passò i tornelli, superò le due guardie che di tanto in tanto perquisivano gli studenti in cerca di armi, e scese nella mensa scarsamente illuminata per prendere un caffè. Da quando erano iniziate le lezioni, non si era mai sentito tanto su di giri. Fece colazione con due ragazze della sua classe, un'indiana che indossava un *salwar kamiz* sotto un giubbotto di jeans e la sua amica, una nera in salopette bianca sformata, scarpe da tennis e occhiali tondi con la montatura d'oro.

Non vedeva l'ora che iniziasse la lezione di Deedee Osgood.

Aveva voluto incontrarla dopo essere stato in un locale sul lungomare di Brighton, lo Zap. Era così *trendy* che i ragazzi di Londra ci si fiondavano il sabato sera, prendendo l'ultimo treno. Ballavano tutta la notte, all'alba scopavano e facevano casino sulla spiaggia, e riuscivano a tornare a casa per l'ora di pranzo.

Poiché Shahid voleva ricominciare a uscire dopo aver mollato la sua ragazza, una sera un amico gli disse che l'avrebbe portato nel posto più incredibile che conosceva.

Shahid non aveva mai sentito una musica così frenetica; la batteria elettronica picchiava come un martello pneumatico. Tutti indossavano short da ciclista di lycra e T-shirt bianche con l'immagine del sole che ride. Si abbracciavano, si baciavano e si strusciavano uno contro l'altro con innocenza edenica. La mattina si era messo a parlare con un ragazzo di Londra, un nero che gli aveva parlato di questa prof incredibile.

Sapendo che era ora di prendere l'iniziativa, Shahid era andato a Londra a trovarla. Quando entrò nel suo studio, la prima cosa che pensò fu che fosse una studentessa. La stanza era grande tre volte una cabina telefonica. Alla parete erano attaccate foto di Prince, Madonna e Oscar Wilde, con la citazione: "Tutti i limiti sono prigioni."

Deedee lo interrogò sulla sua vita a Sevenoaks e sulle sue letture. Malgrado le domande difficili su Wright ed Ellison, Alice Walker e Toni Morrison, Shahid intuì che era disposta ad aiutarlo.

Accorgendosi che guardava la foto di Prince, gli disse: "Ti piace Prince?"

Shahid annuì.

"Perché?"

"Be', è forte," disse tanto per dire qualcosa.

"Tutto qua?"

Rendendosi conto che non erano chiacchiere, ma faceva parte del colloquio, si era sforzato di dare un senso alle sue parole, ma era da mesi, quasi, che non parlava con qualcuno che avesse anche solo mezzo cervello. Deedee lo incoraggiò: "È mezzo nero e mezzo bianco, mezzo uomo e mezzo donna, piccolo di statura, femmineo ma anche macho. La sua opera contiene e sviluppa la storia della musica nera americana: Little Richard, James Brown, Sly Stone, Hendrix..."

"Ha un talento torrenziale. Sa suonare il soul e il funk, il rock e il rap..."

Shahid, ormai lanciato, fu esemplare finché non perse il filo quando Deedee incrociò le gambe e si tirò giù la gonna. Fino ad allora era riuscito a tenere gli occhi lontani dai seni e dalle gambe della prof. Ma il movimento – che in quella stanza equivaleva a una slavina erotica di fruscii e sfregamenti – era stato tanto eloquente, quasi pari all'effetto di un intero concerto di Prince, che Shahid cominciò a fantasticare di registrare il bisbiglio delle gambe di Deedee, metterci sotto un ritmo e sentirselo in cuffia.

"Perché non fai una relazione su Prince?"

"Per l'esame?"

Nulla gli avrebbe fatto più piacere.

Gli spiacque doverla salutare e prendere la metropolitana per Victoria Station. La città cedeva posto alla periferia, e la periferia alla campagna inglese. Il treno lo riportò alla casa dove suo padre non c'era più. Non che la morte di papà avesse diminuito il numero di chi ci abitava. Ma la sua assenza aveva reso il posto ancora più crudelmente anarchico, specialmente da quando era tornata Zulma, la moglie di Chili, e aveva scelto Shahid come bersaglio privilegiato dei suoi sarcasmi. Ma adesso, almeno, Shahid aveva uno scopo; era da secoli che ascoltava Prince.

Allo stesso tempo si sentiva sconcertato dalla libertà di insegnamento che offriva Deedee. I tipi postmoderni come lei incoraggiavano gli studenti ad approfondire qualunque cosa li interessasse, dalle acconciature di Madonna alla storia del chiodo. Ma si trattava di vero studio, o solo di un passatempo confezionato con formule all'ultima moda? Gli studenti nei college più prestigiosi non studiavano cose utili per avere successo nella vita? Che questo college fosse simile a quei circoli giovanili che servono solo a tenere lontano dai guai gli emarginati?

Non lo sapeva. Ma almeno se ne sarebbe andato da casa, avrebbe avuto tempo per leggere e scrivere, e avrebbe trovato gente intelligente con cui discutere. Forse addirittura Deedee Osgood avrebbe trovato tempo per lui. Era parsa compiaciuta della vastità delle sue letture. A casa aveva ancora qualche amico dei tempi della scuola, ma negli ultimi tre anni gli erano venuti a noia quasi tutti; alcuni erano dei casi così disperati che ormai li disprezzava. Quasi tutti erano disoccupati. E i loro genitori, in genere patrioti fieri della bandiera inglese, non sapevano nulla della propria cultura. Ben pochi, poi, tenevano libri in casa: e, se andava bene, non si trattava di volumi acquistati di proposito e letti e riletti, ma manuali di giardinaggio, guide, atlanti, numeri del Reader's Digest.

L'estate era passata lentamente. In agosto aveva già fatto le valigie per il college; ogni giorno desiderava essere già là.

"Ascoltate."

Quella mattina Deedee sembrava particolarmente entusiasta e conturbante. Shahid si precipitò verso il suo solito posto, che chiamava "la platea", in mezzo alla fila centrale. Da lì non gli sarebbe sfuggito nessun gesto di lei.

Mentre gli altri studenti prendevano posto in "galleria" e in "piccionaia", Deedee mise un nastro che Shahid riconobbe subito. *Star Spangled Banner* di Hendrix gliel'aveva fatta conoscere molto tempo prima Chili, che poi era passato a George Clinton. Due ragazzi si ficcarono le dita nelle orecchie e Sadiq – un pakistano "giusto" con cui Shahid aveva scambiato quattro chiacchiere – strabuzzò gli occhi. Per un momento la loro insegnante sembrò confusa. Shahid avrebbe voluto prenderli a sberle. Quale altro professore avrebbe iniziato la mattinata con Jimi Hendrix?

"Che cosa rappresenta la 'bandiera cosparsa di stelle'?" chiese Deedee.

La mano di Shahid schizzò in alto. Non riusciva a stare fermo.

"Sì, Shahid?"

"L'America."

"L'America, giusto. Il nostro argomento di oggi."

Con sollievo di Shahid, non ci furono mugolii di disappunto. Senza appunti, e come se si rivolgesse a ogni studente individualmente, Deedee descrisse come al tempo di Elvis Presley i negri non potevano neanche andare al cinema a Washington, la loro capitale. I matrimoni misti erano illegali in metà del paese. Nel 1955 il quindicenne Emmett Till venne linciato per aver fischiato a una donna bianca. La voce di Deedee vibrò di emozione quando parlò di King, Malcolm X, Cleaver, Davis e gli altri difensori della libertà.

Shahid ascoltava entusiasta e non smetteva di prendere appunti. Come aveva fatto, finora, a ignorare quella storia di lotte vive e attuali? Dove l'avevano nascosta? A quanti altri stavano impedendo di conoscerla?

Deedee concluse suonando *What's Going On* di Marvin Gaye.

Dato che avrebbe voluto sentirla parlare per il resto della mattinata, del pomeriggio e – fosse dipeso da lui – per tutto il finesettimana, Shahid fece una domanda, avanzò un'ipotesi, sollevò un dubbio ed espose una richiesta. Avrebbe continuato, ma quella classe di buzzurri cominciava a fremere per andare a fare merenda.

Shahid fu il primo a uscire, per correre in biblioteca e ricopiare gli appunti. Ma uscendo fuori dall'aula – un fabbricato scalcinato sul retro della scuola – sentì una voce femminile che lo chiamava e si girò. Deedee era dietro di lui, con libri, giornali e relazioni degli studenti che, come al solito, le traboccavano tra le braccia.

"Mi sono piaciute le tue domande."

"Grazie, Miss."

Deedee fece una smorfia. "Per l'amor di Dio, non chiamarmi così. E dammi del tu."

Mentre attraversavano il college, Shahid dovette arrancare per stare al suo passo. Incrociarono due ragazze della classe, una delle quali gli sibilò: "Leccapiedi!" Ma l'ottimismo l'aveva reso ardito; il servilismo era l'ultima delle sue preoccupazioni; doveva osare, questa era la sua vita! Con la maggior disinvoltura di cui fu capace, le chiese: "Che cosa fai, adesso?"

"Perché, vorresti fare qualcosa?"

"Prendere un caffè."

Deedee lo guardò. "Perché no?"

Shahid non osò proporle di andare in un posto fuori del college. Così fecero la fila assieme agli altri, prima di sedersi un po' a disagio in mezzo alla mensa. Gli altri studenti cominciarono a guardarli di sottecchi. Deedee era popolare, ma era insolito vedere uno studente e un professore sedere allo stesso tavolo. Volarono risatine e commenti.

Forse per questo lei e Shahid, all'inizio, non ebbero molto da dirsi. Deedee sembrava un po' in imbarazzo e sulle sue, come se adesso non sapesse perché era lì. Forse si aspettava che Shahid si lanciasse in una serie di recriminazioni sul college.

“Ti piacciono i tuoi studenti?” le chiese Shahid.

“Penso di dedicare loro tutta la mia attenzione, ma solo quando se la meritano,” rispose caustica.

“Stava riferendosi a lui?” si chiese Shahid. Invece no; spesso, continuò Deedee, era fin troppo tentata di far loro da mamma, specialmente con le ragazze indiane. Due, addirittura, erano andate a vivere a casa sua. “Era una situazione pesante.”

“In che senso?”

Stava per spiegarglielo, ma si frenò e fece una smorfia. “Teniamolo per un'altra occasione, questo discorso. Penso che ti interesserà.”

Responsabilità. Situazioni pesanti. Deedee non era una che si tirasse indietro, o che avesse paura.

Gli chiese come si trovava. Era stato solo, rispose Shahid, e a volte non sapeva che cosa fare, specialmente la sera. Per fortuna, negli ultimi giorni, aveva trovato delle persone stimolanti. Deedee gli si avvicinò col pugno sotto il mento. “Chi è che ti stimola? Che tipo di persone? I ragazzi o le ragazze?”

“Sono solo degli amici.”

“Scusami.”

Era arrossita.

“Va tutto bene,” disse Shahid, sentendosi turbato anche lui. “Hai letto niente di interessante ultimamente?”

“Oh, sì.”

Era gentile e le piaceva parlare di libri, specialmente se scritti da donne. Ma aveva anche un lato indisciplinato, come se non sentisse sempre il bisogno di rispettare le buone maniere; ci potevano essere cose più urgenti. Shahid si domandò se era stata una hippie – erano dei romantici e trascuravano le convenzioni sociali, no? – visto che fumava, non si prendeva troppo sul serio e ogni tanto si stiracchiava, stendendo le braccia in alto e sbadigliando. O forse era solo stanca e Shahid la stava annoiando. Deedee doveva avere desideri intensi e contraddittori, con lei le cose potevano andare fuori controllo; e si sentiva ingabbiata, in questo college. Voleva farglielo capire, immaginò Shahid, anche se era difficile: lei era un'insegnante, e con gli studenti doveva sempre controllarsi, rischiava di venire fraintesa; nelle conversazioni bisognava dire molto tra le righe.

Questa sì che è una donna, gli veniva da dire; e c'era tutto da imparare. Con le altre non c'erano stati questi stimoli. Sentì il bisogno di fare un paio di giri attorno al fabbricato, respirare un po' d'aria fresca e ricordare chi fosse, prima di rimettersi a parlare con lei con maggiore concentrazione. Ma non voleva andarsene via, essere lui a dire: "Ci vediamo la prossima volta."

Le disse invece che la sua lezione gli aveva fatto venire voglia di passare la giornata in biblioteca.

Deedee raccolse le sue cose. "Ti accompagno."

Anche la biblioteca si trovava nel seminterrato; era un locale angusto e surriscaldato, simile a un sommergibile. I tavoli erano stati istoriati coi coltelli e molti libri erano stati rubati. Ma di studenti ce n'erano pochi, e lì poteva starsene solo e tranquillo.

"Sei un bravo studente," disse lei ridendo. "Al contrario della maggior parte di chi viene qui."

"Perché non si comportano bene?"

"Perché sanno che non c'è lavoro. Non li mandano qua per educarli, ma solo per risparmiare sul sussidio di disoccupazione. Non ho mai incontrato gente così demotivata."

Lo guardò come se stesse per aggiungere qualcosa, ma si girò e lo lasciò al suo lavoro.

Shahid consultò testi per il corso di letteratura e colonialismo, deciso a scrivere una relazione smisurata, zeppa di citazioni, soffocata da note a piè di pagina e brillantemente argomentata, che avrebbe richiesto un'estesa discussione nello studio di Deedee.

Quando più tardi dovette fare una pausa, lasciando il suo tavolo in una nebbia di rabbia inespressa e di illuminazione, tale era stata la sua concentrazione che si stupì di trovare il college uguale a se stesso, con gli studenti che si lanciavano le solite battute sulle strette scale che si snodavano nel centro dell'edificio.

Dall'altro lato della mensa scorse Chad e Riaz, che erano seduti con Sadiq e uno studente che Shahid conosceva solo di vista. Oggetto della loro attenzione era un bianco di mezza età che portava occhiali con la montatura di metallo, una giacca sportiva a spina di pesce e una cravatta.

Shahid si avvicinò al loro tavolo. "Qualcuno vuole un caffè?"

Il bianco cercava di dire qualcosa, ma sembrava avere un boccone di traverso. Ridacchiava in continuazione e il suo pomo d'Adamo sobbalzava come una pallina da ping pong sullo zampillo di una fontanella. Aveva un filo di bava sul mento. Shahid ebbe paura che fosse in preda a un attacco epilettico.

Approfittando di quel motivo di distrazione, si piegò un attimo a controllare la parte di Riaz nascosta dal tavolo. Indossava lo stesso vestito e le stesse calze del giorno prima. Shahid si sedette e cercò di sorridere. Riaz lo ignorò. Aveva preso tanto male il furto dei suoi stracci che non solo si era rifiutato di mettere i vestiti omaggio di Shahid, ma aveva deciso di non aver più nulla a che fare con lui? Shahid fu preso dal panico. Non voleva perdere i suoi nuovi amici in un modo tanto stupido. O forse era già successo?

Non poteva accertarsene, poiché gli amici continuavano a essere catalizzati dal bianco che, sotto tale pressione, contraeva le mascelle e si dava pacche su un lato della testa, come per ripristinare un contatto. Alla fine diede un pugno sul tavolo, strinse la mano a tutti e se ne andò a grandi passi, rivolgendo cenni di saluto ad altri studenti divertiti.

"Quanto mi dispiace per lui," disse Riaz.

"Conosci il dottor Andrew Brownlow, Shahid?" disse l'altro studente. "Io mi chiamo Hat,[1] a proposito."

"Il Cappellaio Matto," disse Chad.

"Suo padre è il proprietario del ristorante dove siamo andati," spiegò Riaz.

"Ciao, Hat," disse Shahid. "Si mangia bene."

"Vieni quando vuoi. Mi spiace di non averti visto, l'altra sera. Ho sentito che ne hai raccontate, di cose."

"Già," disse Shahid.

"Tutto a posto."

"Sì," disse Chad con intonazione paterna. "È a posto, questo ragazzo."

Hat aveva una voce sommessa e la faccia liscia come quella di una ragazza. Shahid si ricordò di averlo visto a lezione, che scriveva furiosamente coi gomiti sul banco e la testa appoggiata nella mano sinistra. Aveva notato anche il suo buon umore e la sua tendenza a ridacchiare nei momenti meno opportuni.

"Credo di averlo già visto, questo dottor Brownlow," disse Shahid. "Ma non so chi sia."

1 Diminutivo di Farhat e, in inglese, "cappello". (*N.d.T.*)

"Insegna storia. Una ventina d'anni fa era a Cambridge, all'università..."

"Il miglior studente dell'anno," interruppe Chad.

"Appunto," continuò Hat. "Veniva dall'alta borghesia. Avrebbe potuto fare qualunque cosa. Lo volevano ad Harvard. O era Yale, Chad?"

"Comunque gli ha detto di no."

"Esatto, gli ha detto di levarsi dai piedi. Li odiava tutti, la sua classe, i suoi genitori... ogni cosa. È venuto qui per aiutare i diseredati come noi, negri, musi neri, emarginati. Non è un cattivo ragazzo, per essere un marxista-comunista."

"Leninista," precisò Sadiq.

"Sì, un marxista-leninista," disse Hat. "Ce l'ha a morte con il razzismo. Odia il fascismo imperialista e il colonialismo bianco. Vero, Riaz?"

Lo guardarono, in attesa della sua opinione. Dopo un po', Riaz borbottò: "Andrew Brownlow possiede una certa integrità personale."

Chad annuì. "Il problema è..."

"Sì, il problema è..." Hat assunse un'espressione afflitta, ma stava solo soffocando un ghigno. "Che gli è venuto questo baba-balbettio."

"Non è nato così, allora?" chiese Shahid.

"No, gli è venuto quando hanno cominciato a crollare gli stati dell'Europa dell'Est. Ogni governo comunista che cade, balbetta una sillaba in più. A lezione, una volta ci ha messo venti minuti a pronunciare la prima parola. Andava avanti a dire s... s... s... sa... sa... sa... Non sapevamo se volesse dire Samarcanda, oppure sarò breve o sa il diavolo cosa."

"E invece?" chiese Shahid.

"Era solo 'salve'."

"Salve?"

"Sì, scemo, il saluto. Quando sarà caduto anche Fidel, non riuscirà più a dire neanche questo, immagino."

"Magari potrebbe provare a dire 'ciao'," suggerì Shahid.

Hat batté il pugno contro il suo. "L'hai detto!"

"In ogni caso, questo difetto l'ha reso il miglior ascoltatore possibile," disse Chad. "Gli ho esposto tutta la mia teoria sull'evoluzione della società, ed è stato ad ascoltarla da cima a fondo."

“Allora è stato il primo e l’ultimo,” disse Hat.

Sadiq si mise a sghignazzare. Chad fece per dargli una sberla. “Sta’ attento, tu.”

“Il comunismo. Che bella idea, non credete?” disse Riaz. Gli altri lo guardarono senza osare pronunciarsi. Shahid comunque dubitava che Riaz avesse chiesto di recente la tessera del partito. “Ma in realtà l’uomo non è fatto per l’ateismo,” continuò.

“Certo che no,” disse Hat. “E poi, comunque, gli atei sono una minoranza.”

“L’ateismo è destinato a scomparire,” spiegò Riaz. “Senza la religione non esiste società possibile. E senza Dio, gli uomini pensano di poter peccare impunemente. Non c’è più morale.”

“C’è solo estremismo, ingratitudine e crudeltà, come adesso che c’è la Thatcher,” disse Chad.

Stava per proseguire, ma Riaz lo interruppe. “È una lezione che abbiamo imparato bene. Il capitalismo, alla fin fine, non è che cupidigia, nichilismo ed edonismo. E allo stesso tempo assistiamo al tramonto del comunismo. Questi rivoluzionari non sarebbero capaci di realizzare il socialismo neanche in una sola stanza. In definitiva, quella che abbiamo di fronte è la rovina dell’ateismo.”

“È finito,” ribadì Chad. “Quelli stanno a dire che Dio è morto, ma la verità è il contrario. Senza il Creatore nessuno sa chi è o cosa sta facendo.”

“Il dottor Andrew di certo non sa cosa sta facendo,” disse Hat. “Shahid, lo sai che stavi parlando con sua moglie, Deedee Osgood?”

“Ms Osgood? Sua moglie?”

“L’hai detto.”

“Ma è impossibile!”

“Perché no?”

“Ma è diversissima!”

“Ti sei preso una cotta?” chiese Sadiq. “Ti ho visto con un palmo di lingua fuori.”

“Sappi una cosa,” disse Chad serio, “senza la conoscenza di Dio, non sai quello che ti può capitare. E quando succede, sei perduto. Adesso io so che Dio mi guarda. E con Lui che osserva ogni maledetta cosa che faccio, devo stare ben attento.”

“Come vivere in una casa di vetro?” disse Shahid. “O in una serra?”

"L'hai detto," disse Riaz, sorridendo. "Hai colto il concetto. Dio è testimone di tutto quello che fai e pensi."

Shahid tornò in biblioteca. L'intenzione era di lavorare, sulla scia della foga mattutina. Ma non solo aveva perso l'ispirazione: ora cominciava a sentire un senso di disagio calare su di lui come una tela cerata.

Non sapeva neanche se sedersi e raccogliere le sue carte o lasciare tutto lì e uscire sotto la pioggia ghiacciata con gli altri matti, prendersi un Big Mac e un *milkshake* e andare in camera sua a farsi una sega. Poteva leggere, istruirsi, ma a che scopo? Sapeva di voler diventare un giornalista, magari un critico, non importa se sui giornali o in televisione. Nel tempo libero avrebbe scritto dei racconti e, alla fine, un romanzo. Ma era tutto troppo remoto nel futuro per poterne trarre motivo di soddisfazione ora.

Sfogliando i suoi appunti, Shahid scoprì un biglietto che non aveva messo lui.

Il bibliotecario aprì la porta dell'ufficio e annunciò nel suo vuoto dominio: "Si chiude."

Shahid strappò il biglietto chiuso con un punto metallico. Non alzò lo sguardo, ma lo lesse tre volte. "Non la trattengo," disse al bibliotecario, "ho fretta anch'io." Cominciò a mettere via le sue cose. Gli aveva scritto una donna, dandogli il proprio indirizzo, e invitandolo da lei, quella sera.

Adesso aveva un motivo per tornare in stanza. Doveva prepararsi.

Uscì dalla biblioteca, attraversò il college e si trovò in mezzo al traffico dell'ora di punta. Per la prima volta, non notò nulla di quanto era in strada.

4

Lo scarico della doccia comune era bloccato. L'acqua aveva allagato un pezzo di corridoio. Shahid dovette lavarsi nel lavandino giallastro e screpolato in camera sua: prima i piedi, uno dopo l'altro, e poi, maldestramente, ascelle, scroto e uccello. Per ovviare il disagio dell'acqua gelida che gocciolava dai rubinetti, e delle insolite posizioni che doveva assumere per lavarsi, Shahid si mise le cuffie del suo walkman: adesso stava attento a non disturbare Riaz con la musica. Scelse la cantante bianca più sexy che aveva. Chrissie Hynde eseguì *Stop Your Sobbing* preparandolo ai brividi e agli incanti della serata. Ma aveva appena iniziato *I Go to Sleep* quando dovette spegnere il registratore, avendo sentito delle voci.

Da fuori si sentiva un chiacchiericcio cacofonico in punjabi, urdu, hindi e inglese. Era normale che il pensionato fosse una babele di voci ventiquattr'ore su ventiquattro, ma questi suoni venivano dal corridoio. Si vestì in fretta e aprì la porta.

Hat, con due tazze di tè in mano, stava dando istruzioni a una fila di indiani che iniziava fuori dalla stanza di Riaz, estendendosi per tutto il corridoio e giù per le scale. Gli studenti passavano borbottando in mezzo a neonati che frignavano, bambini irrequieti, uomini e donne in soprabiti troppo larghi o troppo stretti che aspettavano il loro turno, come se il corridoio fosse diventato la sala d'attesa di un medico. Ad aiutare Hat c'era una ragazza dalla pelle color melone, che indossava l'*hijab*.

"Prego, venga, si sieda lì," stava dicendo a un vecchio.

Hat si accorse di Shahid. "Era ora," disse. "Ti eri addormentato?"
"Che succede?"
"Abbiamo bisogno di una sedia," disse la ragazza.
"Quella bella ragazza è Tahira," disse Hat, sistemandosi il berretto da baseball rosso che portava all'incontrario.
"Vuoi fare qualcosa o te ne stai solo tra i piedi?" disse Tahira, con un accento settentrionale. Shahid immaginò che fosse di Leeds o di Bradford. Forse aveva seguito Riaz a Londra.
Hat indicò un uomo barbuto con la schiena ricurva, insaccato in un *salwar kamiz*. "Per prima cosa, prendi una sedia."
Shahid andò a prendere l'unica sedia in camera sua. Il vecchio, che aveva un'aria malandata e respirava a fatica, si sedette riconoscente.
Hat si accostò a Shahid. "Chad è da basso a cercare il proprietario. La sala riunioni della comunità è stata devastata. Non hai sentito?"
"Dalla polizia," disse l'uomo, serio.
"Cosa?" disse Shahid, sorpreso che un vecchio dicesse una cosa del genere.
"Allora questa settimana Riaz riceve qui la gente che viene per le sue consulenze," disse Hat. E poi, prendendo il vecchio per mano: "Suo figlio se ne andava tranquillo a scuola quando l'hanno arrestato, accusato di aggressione e condannato a quindici mesi. Gli hanno fatto il lavaggio del cervello."
"No, sul serio?"
"Sì! Adesso ci mobiliteremo tutti per il rilascio. Quartiere generale, la tua stanza. Tutte queste persone hanno la massima considerazione di fratello Riaz. Fanno chilometri per venire qui. Sanno che se dice qualcosa – scrivere a un parlamentare o consigliare un avvocato – lo fa sul serio."
"Chi c'è dentro adesso?" chiese Shahid.
"Non vedi l'ora di imparare, eh?" Hat gli porse le due tazze. "Portale dentro tu. Così capirai che bel paese è la tua cara Inghilterra."
Senza aprire bocca Shahid entrò nella stanza di Riaz. L'uomo che gli sedeva di fronte stava piangendo e parlava con tale foga che non si accorse di Shahid.
"Giorno e notte questa gente viene a casa mia e minaccia tutta la mia famiglia. Come le ho detto, signore, mi hanno pre-

so a pugni nello stomaco. Cinque anni ho vissuto qui, ma è sempre peggio. E mia sorella e mio fratello e mia cognata mi scrivono per dirmi: ci hai dimenticato, tu sei lì che vivi nel lusso, perché non ci mandi i soldi per le medicine, i soldi per il matrimonio, i soldi per i nostri genitori..."

Riaz lo fissava negli occhi emettendo una specie di cupo ronzio, in segno di sommessa consolazione.

"Signore, ho già due lavori: uno in ufficio, di giorno, e poi il ristorante fino alle due di notte. Non sto in piedi dal sonno, e ho tutto il mondo che mi pesa sulle spalle..."

Riaz alzò lo sguardo, impassibile come al solito, anche se la compassione l'aveva fatto imporporare. Shahid posò le due tazze.

"Capisco," disse Shahid a Hat, una volta fuori.

Era tornato Chad.

"Ehi, Shahid, ti sei messo tutto in tiro, *yaar*. Devi andare in qualche posto?"

"Naa, solo una riunione; sai, cose tra studenti."

"Già, una riunione, che ne dici, Hat?" Chad sbatté la destra come se avesse preso fuoco. "Purtroppo ci serve il tuo aiuto proprio adesso."

"Appunto," disse Hat. "Riaz lavora troppo. Ha bisogno di qualcuno che gli batta delle lettere, e vedo che hai un Amstrad lì dentro."

Shahid li guardò entrambi. "Adesso?" Si tolse la giacca, ed estrasse la chiave della sua stanza.

"È un ragazzo serio. Mi piace il suo modo di fare," disse Hat. "A te no, Chad?"

"Nulla in contrario."

Hat si addolcì. "No, più tardi."

"Più tardi, d'accordo," approvò Shahid. "Fra un paio d'ore sono di ritorno." Indicò la coda. "È incredibile."

Hat sorrise, ma Chad disse con tono sarcastico: "Tu sei tutto indaffarato, ma giù c'è qualcuno che ti cerca."

"Me?"

"Non farmi ripetere."

"E chi?"

Chad alzò le spalle. "Non conosco quel tipo di gente. Non più, almeno. Ha su un vestito grigio luccicante. E scarpe di coccodrillo."

"Un parente, probabilmente," disse Hat, sorridendo a Chad.

"Può darsi," disse Shahid, incerto.
"Be', è andato a comprare le sigarette."
Shahid si mosse di scatto.
"Hat, di' che sono dovuto uscire, e che mi trovo bene, anzi benissimo, e ringrazialo da parte mia."
"Hat non dice bugie," disse Chad.
"Scusa?"
"Esatto," confermò Hat. "Sto studiando da ragioniere."
"In ogni caso, ormai è troppo tardi. Guardate un po', sembra uscito dalla *Febbre del sabato sera*," disse Chad osservando il nuovo venuto.
Shahid si girò e vide l'uomo che Riaz aveva bollato come "dissipatore" farsi largo a spallate attraverso la gente, con la disinvoltura di chi è abituato a saltare le code e la puzza sotto il naso di chi non ama la folla. Il vestito grigio iridescente lo indossava davvero, ma con un paio di mocassini Bass Weejans. Chili non si sarebbe mai messo scarpe di coccodrillo.
"Come te la passi, fratellino?"
Chili aveva in mano le chiavi della macchina, le Marlboro e i Ray-Ban, senza i quali non avrebbe mosso un passo. Chili beveva solo caffè nero e Jack Daniel's liscio; i suoi vestiti erano rigorosamente Boss, la biancheria Calvin Klein, l'attore preferito Al Pacino. Dava la mano al barbiere, usciva a cena col broker, lo spacciatore di fiducia andava a casa sua a qualunque ora e accettava i suoi assegni. Per lo meno non stava fumando una canna.
"Chili."
"Che c'è?" Chili spalancò le braccia. "Abbracciami, piccolo."
Shahid, a disagio per la propria rigidità, fu trascinato contro il petto di Chili e preso a pacche sulla schiena. I suoi recenti slanci di cordialità continuavano a sconcertarlo.
Shahid si liberò. "Vuoi dare un'occhiata a come sono sistemato?"
"Perché pensi che sarei venuto, piccolino? Voglio vedere tutto."
Ma prima di portarlo via, Shahid doveva presentarlo a Chad e Hat, decisi a non trovare qualcosa di meglio da fare malgrado i colpi di tosse e le lamentele della coda. Mentre Shahid apriva la porta a suo fratello, Hat disse: "Ciao", e squadrò Chili. Chad fece un cenno che voleva essere ironico.

"Fai come se fossi a casa. Cerca di non guardare la tappezzeria," disse Shahid al fratello.
"Meglio che mi metta i Ray-Ban."
Chili pulì le lenti con un fazzoletto. In quel momento Shahid vide che Chad, dopo aver stretto la mano di Chili, che come al solito grondava di profumo, si stava annusando le dita rivolgendo una smorfia a Hat. Shahid pregò Dio che Chili non se ne fosse accorto.
Shahid chiuse la porta alle loro spalle.
"Non è come casa."
"Dev'essere per questo che ti trovi qui," disse Chili.
La loro casa di famiglia era un'impeccabile villetta degli anni sessanta appena fuori città, un caravanserraglio pieno di gente quanto un albergo in alta stagione. Papà non smetteva di ridipingerla, i mobili venivano cambiati ogni cinque anni, ed era necessario aggiungere sempre nuove stanze. Sul vialetto d'accesso sembrava esserci sempre una cucina in attesa di venire montata, anche se a Shahid non sembrava meno moderna della precedente. Papà odiava tutto quanto era "fuori moda", a meno che non incantasse i turisti. Voleva spazzare via il vecchio; gli piaceva il "progresso". "Voglio solo il meglio," diceva, intendendo le cose più nuove, più alla moda e, per un motivo o per l'altro, le più pacchiane.
"E dove ci si siede?"
"Dove vuoi."
Per dargli l'esempio, Shahid si lasciò cadere sul letto, scaraventando libri e vestiti sul pavimento.
Ma Chili non era il tipo da sedersi su letti sporchi. Sbuffò beffardo e cominciò a camminare avanti e indietro, rovistando a caso tra quaderni, cassette e lettere, come se rientrasse tra i suoi compiti di fratello quello di controllarne il contenuto. In ogni caso Shahid capiva che stava cercando di non far pesare troppo la sua degnazione. Per una volta Chili non sembrava intenzionato a tirare in ballo quella che amava chiamare la "vita vera". Facendo scorrere le chiavi su una pila di libri, pareva mostrare addirittura un'ombra di rispetto.
"Perché eri tanto sulle spine quando mi hai visto, fratello?"
"Chi? Io?"
"Non me ne frega un cazzo di quello che fai con gli altri. Ma non cercare mai di liquidare così Mr Chili."

"Non volevo."
Chili si incupì.
Fino a poco tempo prima, Chili aveva sempre giudicato Shahid una mezza sega senza speranza. Da ragazzo, spesso l'aveva preso in giro e picchiato. Una volta, davanti ai suoi amici ubriachi, l'aveva fatto uscire dalla sua stanza saltando dalla finestra. Era al secondo piano, e Shahid si era rotto un braccio. In seguito Chili aveva fatto di tutto, quando non era in giro, per tenere le distanze dal fratello.
A vent'anni Chili aveva sposato una loro cugina, Zulma, e se n'era andato di casa, secondo le usanze occidentali, prendendo un appartamento a Brighton. Lì avevano cercato di continuare la bella vita che Zulma faceva a Karachi. Ma il lusso era impossibile senza nessuno che aiutasse in casa. Zulma non era abituata a fare i mestieri. Aveva molti talenti, sesso orale incluso, si diceva; ma lavare i piatti non era tra questi. Né rientrava tra quelli di Chili.
L'anno prima, dopo la morte di papà, Chili era tornato nella casa di famiglia con Zulma e la figlia Safire. Da allora era praticamente sparito dalla circolazione con la scusa di dover seguire certi affari. Era stufo di stare in un'agenzia di viaggi e aveva sopportato quel lavoro solo per far contento papà e portare a casa un po' di soldi. Adesso Chili sosteneva che gli affari di famiglia dovevano espandersi a Londra. E così giustificava le sue continue assenze.
"Fai lo stronzo perché stanotte dovevi studiare?"
"Ho un appuntamento, Chili. Ma non subito."
"Fica?"
"Come?"
"Hai sentito bene."
"No. Una professoressa del college."
"Ah-ha. Fica di classe. Quanti anni ha?"
Shahid pensò un attimo. "Sicuramente è maggiorenne."
"E ti ha invitato a casa sua?"
Shahid fece cenno di sì.
Chili fece un fischio. "Wow. Non preoccuparti. Ti ci porto io in macchina, dovunque sia. Pensa solo che noi siamo qui a parlare e lei si sta infilando la sua *lingerie* di pizzo preferita."
"Non fare lo scemo, è una professoressa."
"Sei eccitato, eh? Basta solo che non me la presenti."

"Sta' tranquillo."

"Cominci a svegliarti. E io? Pensa che stasera non c'è neanche una fica che si sta lavando la passera per me, a parte... pensa che non ricordo neanche il nome di quella troia. Siamo fieri di te. A proposito, niente male quei pantaloni. Lo scozzese ti dona. Non sono miei, vero?"

"No."

Chili passò in rassegna il resto dei vestiti nel guardaroba senza anta. "Dov'è la mia camicia rossa?"

"Quale? Te la darò un'altra volta."

Chili aveva sempre avuto una passione inestinguibile per i vestiti, le ragazze, le macchine, e i soldi che comprano queste cose. Quando era più giovane, non aveva fatto mistero di considerare una cosa da femminucce la passione per i libri del fratello. In ciò era influenzato da un padre realistico e aggressivo, cui doveva la convinzione che l'amore per lo studio di Shahid fosse non solo improduttivo, ma anche dannoso per la famiglia, specialmente dopo l'incidente del racconto. Ma da quando Shahid era andato al college, l'atteggiamento di Chili si era ammorbidito.

Era un effetto della scomparsa di papà. Sul letto di morte il genitore, strappandosi la maschera dell'ossigeno, aveva baciato Chili e aveva boccheggiato: "Non lasciare che il ragazzo finisca male. Non voglio abbandonarvi pensando che Shahid resterà solo."

Chili aveva cominciato a telefonare a Shahid. Lo portava in locali tenebrosi in seminterrati di South Kensington, dove dai tavoli lo salutavano alcune sue conoscenze. Queste comprendevano spacciatori tedeschi che indossavano guanti di pelle nera anche all'interno dei locali e tenevano pistole nelle giacca, ed erano accompagnati da ragazzine italiane; procuratori disonesti che portavano a divertirsi poliziotti corrotti; campioni di scherma bulgari; croupier francesi simili a gigolò, che estraevano banconote da venti sterline da rotoli spessi come un testimone; e avvocati miliardari con residenza alle Bermuda. Tra un bisbiglio furtivo e un altro, Chili offriva a Shahid dei margarita e lo presentava a ragazze levigate, che gli voltavano le spalle non appena li lasciava soli. Cercava anche di chiedergli che cosa voleva fare nella vita, ma Shahid aveva imparato che era meglio sorvolare sull'argomento. Shahid ne aveva ricavato l'impressione che suo fratello si fosse autoproclamato "guida della realtà", pronto a indicargli i trabocchetti prima che rimanesse vittima della credulità e della mancanza di furbizia.

Se la sarebbe presa di più, se non avesse capito che Chili cercava di aprirsi, senza sapere come. Chili non aveva amici; aveva conoscenti, compagni di lavoro e quelli che chiamava "amici personali", che in genere erano delinquenti. Alle sue ragazze incuteva troppa paura per riuscire ad avere un dialogo con loro.

Mentre Shahid stava di fronte allo specchio butterato, Chili gli disse: "Sei migliorato, sembri più in forma. Adesso, con le lenti a contatto invece degli occhiali... i capelli più corti... sei meno effeminato. Hai un'aria decisa. Sei sempre stato un tale frignone. Immagino che ormai sei quasi un uomo. Papà ne sarebbe contento."

"Tu credi?"

"Non stupirti. Ha sempre ammirato il tuo cervello"

"Papà?"

"Certo, gli sarebbe piaciuto che lo usassi nel modo giusto. Non starai ancora scrivendo quella roba?"

"Cosa intendi?"

"Ti prendo a sberle se butti via il tuo tempo in quel modo." Accarezzò la guancia di Shahid col palmo della mano, compiaciuto del suo immediato ritrarsi. "Andiamo. Stai diventando nervoso."

Shahid pensava che la coda davanti alla stanza di Riaz fosse diminuita, ma adesso i poveracci stavano aspettando anche in strada.

Normalmente Chili avrebbe fatto dei commenti sprezzanti, ma questa volta si limitò a contemplare la scena con aria divertita e a lanciare un'occhiata maliziosa a Tahira. Se non che, andando verso la macchina, guardò Shahid con curiosità e gli chiese: "Il ciccione è un tuo nuovo amico?"

"Chad? Sì."

"Digli che se si annusa le mani un'altra volta, se ne pentiranno i figli dei suoi figli."

Shahid salì nella lussuosa BMW di Chili. Sul cruscotto c'era la sua copia di *Cent'anni di solitudine*. Lo sfogliò e disse: "Posso riprendermelo?"

"Lascialo lì. Lo sto leggendo."

"Lo spero per te. Sto già preparando una lista di domande."

Un paio di mesi prima Chili, che si vantava di non avere mai letto nulla – "La letteratura, per me, è un capitolo chiuso" – aveva detto a Shahid che gli sarebbe piaciuto dare un'occhiata a un libro, per vedere dove stesse il divertimento. Shahid gli obiettò che non sarebbe stato capace, e che sarebbe stato sbagliato cominciare affrontando Márquez. "E poi," aggiunse come stoccata finale, "tu sei praticamente un analfabeta."

"Te lo metto nel culo, stronzetto," aveva detto Chili ridacchiando. Avrebbe avuto sei mesi per digerire il malloppo, dopo di che avrebbe affrontato tutti i questionari che sarebbero potuti venire in mente a Shahid. Se non avesse passato l'esame, avrebbe pagato al fratello mille sterline, in contanti.

"Ho accettato la sfida," disse ora Chili, "ma non è mica facile. *Cent'anni*. Sarebbero bastati dieci. O anche solo sei mesi. Spiegami un po', com'è che 'sto scrittore dà lo stesso nome a tutti i personaggi? Fa così anche quell'altro, quello che ce l'ha con la religione?"

"No."

"Non dico che i libri siano brutti, ma a parte la voce di Ray Charles, non c'è niente di meglio nella vita che una bella donna. Ed è proprio questa la nostra meta, fratellino!"

Deedee abitava a Camden. Shahid studiava lo stradario, mentre Chili si districava tra i sensi unici, imprecando finché trovò un rettilineo su cui dare gas alla macchina. Una volta trovata la strada, Shahid sporse la testa dal finestrino, per cercare di leggere i numeri delle case. All'improvviso fece cenno col dito.

"Fermati! Dev'essere qui."

Chili fece un'inversione. Osservarono la casa.

"La tua bella non è mica una una poverella," commentò Chili. "La zona è quasi alla moda. Quando c'è bel tempo, magari riesce anche a vedere negri e operai senza che vengano a dormire nel suo portone o le rubino il forno a microonde. Non deve amare troppo la casa, ma le piace un po' il giardinaggio. È una femminista?"

"Lo sono tutte, ormai."

"Giusto. Difficile evitarle. Fare di necessità virtù, dico io."

"Come?"

"C'è una balla riguardo alle femministe. La gente dice che hanno tutte le gambe pelose e che l'uccello non te lo toccano neanche morte. Ma ti dico una cosa, una volta che hanno deciso di scoparti, sessualmente sono più assatanate delle altre, perché non si vergognano di niente. L'altra cosa che fanno, comunque, è di dirti che hai l'uccello troppo piccolo."

"Sei sicuro?"

"Non agitarti." Chili diede un buffetto al fratello. "Stanotte non succederà niente, ne sono quasi sicuro. Il fatto è che hanno paura di avere la fica troppo larga. Se ti prendono in giro, prova a fargli presente questa cosa, ma in modo spiritoso, mi raccomando."

"Che cosa intendi per modo spiritoso?"

"Eh?"

"Fammi un esempio di modo spiritoso."

"Adesso?"

"Sì, caso mai mi possa servire."

"Giusto." Chili si mise a rimuginare. "Per esempio: 'Quando ti ho scopato, mi è sembrato di lanciare una banana su per Oxford Street, piccola. Ogni tanto mi sarebbe piaciuto toccare i lati.'"

"Proprio così?"

"Sì."

"E ti è mai capitato?"

"Una volta, non molto tempo fa, stavo scopando una. Lei mi fa: 'Riempimi tutta, fammi sentire il tuo martello pneumatico.'" Chili sghignazzò. "E io ero già dentro da un pezzo. Così le dico: 'È già dentro tutto, bella, per stanotte non ce n'è di più.' L'ha presa sul ridere. Succede sempre, se ti spieghi. Dimmi, questa prof te la vuoi fare?"

"Chili, come mi puoi chiedere una cosa del genere? La conosco appena."

"La gente ci mette due minuti per sapere se vuole scopare qualcuno. E un'ora per sapere se vuole starci assieme. Se ti piace, fattela."

"Non posso."

"Perché no? Cristo, stai battendo i denti. Che cosa direbbe papà?"

Chili afferrò il volante come se fosse nella cabina di un bombardiere in picchiata, mise la prima e partì sgommando.

"Dove andiamo?" gridò Shahid.

"Sei troppo in anticipo."

Shahid quasi afferrò il volante. "Ma se siamo puntuali!"

"Ti desidererà di più se la fai aspettare."
Per un tempo che a Shahid sembrò interminabile, Chili sfrecciò su e giù per Camden High Street, come uno che avesse rubato una macchina per divertirsi, passando davanti alla stazione della metropolitana, ai cinema e ai pub che suonanavano Nasrut Fatah Ali Khan ad alto volume. Shahid cominciò a chiedersi se Chili avesse qualche problema. In genere aveva sempre di meglio da fare che stare con lui.
"Eccoci." Chili si fermò davanti alla casa di Deedee ed estrasse il portafoglio dalla tasca posteriore. Era grande come una pagnotta. "Prendi questi, caso mai dovessi tornare in taxi." La guida della realtà diede dei soldi a Shahid. "E non dimenticare, hanno sempre più paura loro."
"Chili?"
"Che cazzo c'è ancora?"
Si era ricordato che Chili non aveva ancora parlato di sua moglie.
"Come sta Zulma?"
"Zulma? Non fare l'idiota. Zulma sarà sempre Zulma. Che diavolo vuoi dire?"
"Niente."
"Stai cercando di farmi arrabbiare?"
"No, Chili, te lo giuro."
"Sicuro?"
"L'ho chiesto solo per abitudine."
Chili lo salutò con un bacio. "Non dimenticare la mia camicia rossa."
"Certo che no."
"Bravo ragazzo."
Shahid percorse il vialetto, e si fermò esitante. Adesso non se la sentiva di entrare. Ma girandosi vide che Chili era ancora lì, a mandare su di giri il motore e a fare gestacci furbeschi.
Shahid suonò il campanello. Quando Deedee aprì la porta, Chili suonò il clacson e scoppiò a ridere.

5

Shahid se ne stava in piedi, impacciato, con le mani in tasca.

"Dove vuoi sederti?" chiese Deedee. Shahid non ne aveva idea. "Oh, basta che stai comodo."

La casa era grande. Le porte avevano pannelli di vetro colorato e il pavimento dell'ingresso era coperto di mattonelle. Ma era trascurata e ancora più disordinata della stanza di Shahid, con tappeti sgualciti, poster strappati di Billie Holiday e di Malcolm X, e tre vecchie bici appoggiate a una parete. Sulle sedie e sul pavimento c'erano pile di giornali polverosi e ingialliti, alcuni dei quali ritagliati per essere archiviati. Sembrava un posto da studenti, e infatti Deedee gli disse che tre ragazzi del college occupavano le camere vuote.

C'era anche un caminetto, col divano di fronte. Per terra c'era un tagliere di legno con una fetta di groviera. Mentre Deedee andava a prendere del vino, Shahid si sedette sul divano, sperando che si sarebbe seduta accanto a lui. Per strada aveva coltivato pensieri così audaci e bizzarri, in parte ispirati da Chili, che adesso si sentiva agitato e timido.

Si alzò, andò alla finestra e guardò in strada.

La BMW di Chili non si era mossa; lo stereo era spento, e Chili fissava il vuoto. Shahid si chiese quando mai l'avesse visto starsene così, in silenzio. Come se avesse avvertito la sua presenza, Chili si voltò di scatto, sorrise, e alzò un pollice. A Shahid vennero i brividi. Che cosa sarebbe successo se Chili d'un tratto avesse deciso di voler incontrare Deedee? Era il tipo di prodezza in cui era specializzato. In questo caso Shahid avrebbe dovuto spiegarle perché non doveva aprire la porta.

Dalla cucina vennero dei rumori. Shahid tornò di corsa sul divano e questa volta ci si sdraiò sopra, coi piedi a penzoloni da un bracciolo, facendo finta di essere molto interessato al piccolo televisore che stava dall'altro lato della stanza, anche se era spento.

"È bello vedere qualcuno che si trova a suo agio dappertutto." Deedee aveva in mano una bottiglia e due bicchieri. Li posò e mise una cassetta nel videoregistratore. Era un video del primo periodo di Prince. "Tu guardalo pure, mentre scaldo un po' di minestra di zucca e cocco con lo zenzero. È ottima. Ne vuoi anche tu?"

"Dev'essere buonissima. Ti ringrazio, se non è un problema. In ogni caso," disse mentre Deedee tornava in cucina, "grazie per avermi invitato a vedere questi video. Come avrei fatto a scrivere la mia relazione?"

"Ne discuteremo dopo."

"Certo."

Discutere di cosa?

Si mise a guardare la cassetta, ma finì prima che avesse potuto concentrarsi. Non riuscì a trovare il telecomando, così dovette alzarsi e riavvolgere il nastro. Dopo guardò un altro video – anche quello per due volte – mentre si scervellava per trovare dei commenti da fare. Cominciò a ronzargli in testa la parola "paratattico". Era questo il livello cui puntare. Che cosa avrebbe pensato Deedee se avesse detto solo: "Era veramente paratattico"?

Stava cambiando la cassetta quando Deedee entrò reggendo un vassoio con la minestra, pane francese e insalata greca. Fece per sedersi sul divano. Shahid non poteva tornare indietro di corsa, spingerla da parte e riassumere la sua posizione precedente.

Deedee indicò i video. "Come li trovi? Sexy?"

Shahid era seduto al suo fianco. La minestra era bollente e quasi si ustionò la lingua quando cercò di assaggiarla. Non poteva fare a meno di non chiedersi dove fosse suo marito.

"Abbastanza. Ma sono anche un po' come una pantomima." Esitò e poi si buttò. "Non li trovi un po'... paratattici e poco catartici?"

“Detesto questa casa.”
“Scusa?”
Deedee si stava guardando attorno. “Stiamo cercando di venderla. Scusa, che cosa stavi dicendo?”
“I video. Mi sono sembrati paratattici.”
Deedee era assorbita dalla minestra. Faceva caldo, col fuoco acceso, e Shahid avrebbe dovuto togliersi la giacca, se non voleva ritrovarsi in un bagno di sudore.
Era in camicia, e stava cominciando a sbottonarsi anche questa, quando si sentì addosso un paio di occhi che lo fissavano dall’atrio. Brownlow si precipitò a infilarsi il soprabito, poi abbozzò un sorriso e un saluto. Shahid fece lo stesso, cercando nel contempo di scostarsi da Deedee. Ma doveva avere fatto qualche gaffe, poiché Andrew entrò nel soggiorno e si fermò accanto al divano.
Il professore stava per dire qualcosa ma, quando aprì la bocca, dovette ricordarsi che la parlantina sciolta non rientrava tra le sue facoltà. Così si limitò a protendere la sua mano sudaticcia, che Shahid strinse con la maggior cordialità possibile, cercando di ignorare che la mano di sua moglie era a pochi centimetri dal proprio ginocchio.
Quando Brownlow fece per andarsene, Shahid tirò un sospiro di sollievo e riprese a dedicarsi alla minestra, facendo però in tempo a vedere Deedee e il marito che si guardavano con una sorta di incuriosito distacco, come due estranei che cercavano di ricordarsi dove si fossero già incontrati.
Si sentì chiudere la porta d’ingresso. “Una persona tranquilla, vero?”
Deedee posò il cucchiaio e si mise a ridere. “È mio marito! Te lo immagini?”
“A essere sincero, faccio un po’ fatica.”
“Un giorno sei innamorata pazza, e di lì a poco non riesci a capire come ti è potuto capitare. Ti è mai successo? Una volta, anni fa, Andrew tornò a casa da una festa, e raccontò di avere baciato una donna. A quei tempi le coppie cercavano di essere oneste e aperte il più possibile, sai.”
“Perché?”
“Non ricordo bene. Per motivi politici, suppongo. In ogni caso, non dormii per due notti. Non avevo mai provato una delusione del genere. Adesso non capisco neanche come abbia po-

tuto sentirmi così." Sospirò. "Uno spera sempre che l'intimità fisica lasci un segno più deciso, che rimanga qualcosa di più. Invece niente. Finisce solo che un bel giorno pensi: ma chi è questa persona?"

Terminarono la minestra.

Deedee gli chiese se aveva voglia di vedere i video un'altra volta, ma Shahid si rendeva conto che non sarebbe riuscito a restare fermo ancora a lungo. Al momento di scrivere la relazione, non si sarebbe ricordato molto, a parte il fatto che a Prince piaceva indossare la biancheria intima femminile, ma questo era di secondaria importanza. Il problema era che non sapeva che cosa avesse in mente Deedee.

Deedee portò via i piatti. Tornando dalla cucina, non si sedette ma, attorcigliandosi i capelli con un dito, disse: "Scusa, ma ho bisogno di uscire. Divento nervosa se sto qua troppo. E non voglio che i miei inquilini spettegolino. Non stiamo facendo niente..." Indicò sé e Shahid. "Ma..." Alzò le spalle. Shahid fece un cenno in segno di assenso. "Ma entro domani mattina l'avrà saputo tutto il college."

Shahid si alzò e simulò uno sbadiglio. "In ogni caso sono stanco."

"No, no. Tu vieni con me."

"Io?"

"Se non sei troppo stanco, mi farebbe piacere."

"No, no, non sono stanco." Era tanto colpito dalla sua proposta e tanto scombussolato che aggiunse: "Io... andrei dovunque, con te. Allora... sì."

"Bene. Mi piace la parola 'sì'. Penso che sia la parola più interessante del mondo, non trovi? È come una chiave che apre una porta verso l'universo. Sì, sì, sì."

Shahid fece un passo verso di lei.

Gli angoli degli occhi di Deedee si incresparono di gioia. "Posso andare a prepararmi?"

Questa volta scomparve per un periodo più lungo.

Shahid andò alla finestra per controllare. Chili fumava sdraiato sul sedile; non guardava la casa, e la musica martellava pigramente.

Come si sarebbe comportato, ora, il Virgilio con le Bass Weejans? Finora Shahid era abbastanza certo di non avere fatto mosse false. Chili, con la sua macchina e il coltello, sarebbe stato più intraprendente. Con la differenza che Deedee non l'avrebbe mai invitato a casa sua

No, Chili era l'ultima persona cui Shahid voleva assomigliare. Erano troppe le cose che non sopportava di suo fratello. Se Chili credeva che Shahid avesse dei problemi, non erano nulla in confronto a quelli che gli attribuiva Shahid.

La teoria fondamentale di Chili era che le persone fossero deboli e pigre. Non pensava che fossero stupide; non voleva commettere questo errore. Notava, però, che la gente era refrattaria ai cambiamenti, anche se così avrebbe migliorato la propria vita; aveva paura, era paga di sé e mancava di coraggio. Ciò poneva in una posizione di vantaggio chi aveva tenacia e spirito d'iniziativa.

Chili pensava, per esempio, che gli uomini avessero paura di rendersi ridicoli con le donne, e per questo si tiravano indietro quando avrebbero dovuto spingersi oltre. Chili si definiva un "predatore". Il momento più appagante era quando una donna si offriva. Spesso non era necessario andarci a letto. Era sufficiente un lampo nei suoi occhi, che fosse di desiderio, di gioia o di resa.

A casa, Chili, la mattina, andava a sedersi sul letto di Shahid, e gli raccontava le imprese della notte precedente: Chili che sfilava le mutandine di qualcuna dietro i campi da tennis; Chili nel dormitorio di un collegio femminile, che scappava dalla finestra; Chili che praticava i rapporti a tre, lui e due ragazze – la definizione tecnica era "sandwich alla King's Road"; Chili che veniva rimorchiato in un locale e scopava la moglie mentre il marito, in genere un vecchietto, se ne stava a guardare.

Anche papà era fiero delle avventure del suo ragazzo. Non che Chili gli riferisse le più piccanti, per paura di venire biasimato per "aver tirato troppo la corda". Ma quando Chili usciva per l'ennesima impresa "gravosa", il genitore da un capo all'altro della casa gridava: "Fammi sapere!" Papà voleva conoscere le sue conquiste. "Sono sicuro che alle ragazze piace uscire con te," diceva a Chili, "ma è con me che preferiscono parlare. Portale a casa!"

E Chili lo prendeva alla lettera, offrendo loro lo spettacolo di papà sdraiato sul letto in mezzo a una stanza, con la lucente vestaglia marrone, sotto la quale portava sempre pigiami di seta blu. Sul giradischi suonava un disco di Glenn Miller, mentre lui tracannava whisky da un bicchiere da long drink, una parte di Bushmills e una di acqua gassata. Papà s'infilava in questo letto ogni volta che non era al lavoro. Se ne stava sdraiato come un pascià, con una pila di fumetti sul comodino. Il "quartier generale", lo chiamava. Nel frattempo la madre di Shahid se ne stava con le sue amiche, sorelle e nipotini in un'altra parte della casa; era come se abitassero a Karachi.

Come papà, anche Shahid apprezzava le gesta di Chili, ma con più malignità, come racconti di libidine e dissipazione, specialmente quando Chili non ne usciva con molta dignità. Come la volta che aveva abbordato in un locale una ragazza particolarmente appetitosa, e dopo una notte da favola si era svegliato in una casa piena di manifesti e riviste del Fronte Nazionale, con due fratelli skinhead che stavano facendo schioccare le loro bretelle giù in salotto. Chili aveva adottato un accento spagnolo, aveva fatto finta di non sapere l'inglese, ed era schizzato a razzo dalla porta di casa.

Il problema era che papà voleva che Shahid emulasse Chili.

Quando Shahid aveva quindici anni, papà l'aveva spinto a uscire con una ragazza del posto. Avevano passeggiato per la campagna, e Shahid le aveva letto Shelley su un mucchio di fieno. Al suo ritorno, papà disse a Tipoo – il fratello minore, che era schizofrenico e aiutava in casa – di portare Shahid nel "quartier generale".

"L'hai toccata?" Papà indicò il proprio petto ansante. "O sei sceso più in basso," proseguì, dandosi una pacca sulle gambe, scheletriche come quelle di un Cristo medioevale. Chili, in anticamera, stava ghignando.

"No."

"E allora che cosa hai fatto?"

"Ho letto delle poesie."

"Non ho sentito bene, stupido eunuco che non sei altro!"

"Le ho letto Keats e Shelley."

"Alla ragazza?"

"Sì."

"E non ti ha riso in faccia?"

"Penso di no."

"Certo che sì."

Papà e Chili non riuscivano a smettere di ridere.

Malgrado il suo debole per il whisky e gli schiamazzi, papà aveva molte qualità rispettabili. Piccolo di statura, appena sopra il metro e cinquanta, con un paio di baffetti a spazzola, quando andava in ufficio indossava completi o blazer con cravatta e pantaloni grigi. Durante la guerra aveva pilotato bombardieri della RAF ed era stato premiato con una medaglia dell'Ordine dell'Impero Britannico. Papà non era mai soddisfatto di quello che aveva. Il suo orgoglio era pari solo alla sua galanteria.

Accompagnava i figli nei negozi, per assicurarsi che anche loro avessero i vestiti migliori. Mentre i suoi figli si facevano le boccacce negli specchi di Burtons, lui e il proprietario passavano in rassegna pingui campionari di tessuti, a disegni e in tinta unita, come studiosi che compulsassero antichi codici. Papà tornava molte volte per le prove – i pantaloni erano sempre troppo lunghi – prima di decidere, dopo interminabili meditazioni, quale cravatta e quale gilè fossero i meno inadatti al vestito. A casa, portava Shahid e Chili in bagno per mostrar loro l'unico modo corretto di radersi, con annesse esemplificazioni di insaponatura, inclinazione del rasoio, taglio peli e aggiramento dei punti critici. Poi papà si spogliava nudo per una dimostrazione di igiene corporale, seguita da aspersione di talco su ascelle, scroto e tra gli alluci. Papà avrebbe preferito dormire per strada piuttosto che non dare la precedenza a una donna nel passare una porta. Insegnava ai suoi ragazzi le regole del galateo, e come stringere la mano virilmente, pronunciando le parole: "Come sta?" Voleva che la gente vedesse quanto fossero educati i suoi ragazzi. Ma che vantaggio ne avevano tratto?

Deedee non era ancora tornata. La sua assenza cominciava a innervosire Shahid. Che cosa stava combinando?

I suoi genitori erano venuti in Inghilterra per condurre una vita sicura e prospera in un paese che non fosse afflitto da dittatori. Una volta raggiunto lo scopo, le loro ambizioni residue si erano posate sui figli, in particolare sul primogenito. Papà voleva bene a Chili, ma avrebbe approvato quello che faceva adesso? La sua ultima ambizione era di sfondare negli Stati Uniti, anche se a richiamare Chili non era tanto la voce della libertà, quanto il mito della vita spericolata. Spesso, come corso di management, vedeva in cassetta *C'era una volta in America*, *Scarface* e *Il padrino*. In segreto aveva addirittura maledetto papà per essere venuto nella vecchia Inghilterra, anziché mettersi in coda a Ellis Island con ebrei, polacchi, irlandesi e armeni. L'Inghilterra era provinciale, stagnante; come cercare la vera gloria in un paese dove i poliziotti portavano elmetti a forma di zucca? Chili riteneva di poter diventare qualcuno in America, ma non intendeva arrivarci povero. Doveva farsi un nome a Londra e poi sbarcare a New York con una reputazione consolidata.

Come aveva detto una volta lo zio dalla lingua tagliente, il problema era che negli anni ottanta Chili aveva fatto i soldi troppo in fretta. Non badava da dove venissero. "È facile, specie per i giovani, dimenticare che siamo appena arrivati, in questo paese," diceva lo zio. "Occorrono intere generazioni per abituarsi a un posto. Pensiamo di averci fatto il callo, ma siamo come spose che hanno appena varcato la soglia della camera da letto. Dobbiamo stare attenti, altrimenti un giorno ci sveglieremo e scopriremo di aver fatto il peggiore dei matrimoni."

Tali parole erano impregnate di amarezza, si capisce. Il loro zio si era prefisso uno scopo impossibile, quello di vivere in un paese che non poteva accettare l'intelligenza, lo spirito d'iniziativa e l'immaginazione, e in cui la maggior parte degli sforzi rimanevano impantanati nella disperazione. Eppure Shahid sentiva di essere d'accordo con lui.

Si alzò. Non c'erano ancora segni di Deedee. Doveva essere successo qualcosa.

Si avventurò nell'atrio alla sua ricerca. Cominciò a salire le scale. Si sentiva la sua voce che cantava con un disco in una stanza al piano di sopra. Riconobbe il pezzo: era una canzone che Chili suonava spesso quando si vestiva per uscire la sera, il primo brano di *Beggars' Banquet*. Shahid tornò indietro.

Dall'alto udì una voce.

"Shahid, sei tu?"

"Sì."

"Ti spiace venire su e dirmi una cosa?"

"Cosa?"

"Non so cosa mettermi. Puoi dirmi se sto bene?"

Shahid salì le scale, chiedendosi che cosa tenessero in serbo Deedee e quella notte.

6

Poco dopo uscirono. Chili li vide, accese il motore e si allontanò. Shahid gli rivolse un muto ringraziamento.

Andarono a piedi. Si fermò un autobus. Il conducente li guardò e, quando Deedee scosse la testa, suonò il campanello e ripartì.

A Camden Plaza, più che chiamare un taxi, Deedee si gettò in mezzo al traffico. Una vettura si fermò accanto a loro. Deedee salì, e si chinò in avanti per dare istruzioni al conducente. Shahid indugiò un momento, pensando a quanto era attraente Deedee con la minigonna e una giacca a doppio petto, che lasciava intravedere un reggiseno nero.

Nel taxi sedettero vicini. "Stiamo cercando di vendere la casa, adesso che Andrew e io ci siamo separati," disse. "Non vedo l'ora di avere un posto tutto per me."

Deedee sapeva di fiori. Gli orecchini le tremavano come due gocce d'acqua sul punto di cadere.

"Perché vi separate?" chiese Shahid, maledicendosi per aver fatto una domanda tanto importuna.

Deedee non rispose, ma si mise a rovistare nella borsa come se dovesse estrarre un numero della lotteria.

Almeno stava provando i taxi di Londra, pensò Shahid.

"L'unica cosa che interessa quell'uomo è la politica. Per anni sono stata impegnata anch'io. Non ero capace di ammettere quanto mi ripugnava. Serve solo a farti venire sensi di colpa."

"Sto cercando di scoprirlo. Altre cose. La cultura. Quando posso, cerco di non fare proprio niente. Cerco di godermi le cose." Ricacciò la mano nella borsa. "Andrew ha una nuova ragazza, per cui è quasi sempre da lei. Abbiamo una regola: mai portare a casa i nostri amanti."

Shahid trovò buffa la parola "amante" riferita ad Andrew, e per un attimo si dilettò a immaginare il dottor Brownlow senza pantaloni; se non che immaginò anche Andrew che baciava Deedee, e si domandò come avesse fatto a stare con un uomo del genere.

Stava pensando che Deedee doveva essere più complicata di quanto potesse comprendere, quando la vide trarre dalla borsa una scatoletta di legno con gli angoli di rame. Ne prese due pillole bianche scanalate, che sembravano piccole bombe nella sua mano aperta in offerta.

"Non so perché mi stia compromettendo in questo modo," disse. "Forse provo qualcosa per te."

"È per questo che mi hai invitato stasera?"

"Sì. E anche perché sei solo e mi è piaciuto come mi hai guardata."

"Ti fanno molte proposte gli uomini?"

"Cosa?"

"Dicevo tanto per dire. Scusa, non volevo."

Deedee sembrò assorbita da qualcosa fuori dal finestrino. "Voglio prendere qualcosa. Ci stai anche tu?"

"Cos'è?"

Poteva sentire il corpo di Deedee stretto contro il suo. "Ti farà ridere. E ballare."

Gli disse di che cosa si trattava; i termini farmaceutici e il tono professorale che usò per descrivere le "alterazioni" che avrebbe "indotto" la fecero sembrare una specie di scienziato pazzo. Shahid adorava ascoltarla, e lei lo sapeva bene. Eppure era sconcertante che parlasse di ciò che sua madre chiamava le "brutte cose" – la droga e la musica pop – nel modo in cui gli adulti discutevano di vini o di letteratura.

"Fantastico," disse Shahid. "La marijuana l'ho fumata spesso, ma queste pillole le ho provate una volta sola, a Brighton."

"Ti è piaciuto?"

“Ne ho presa metà, e la persona che me l’ha data mi ha detto che avrei dovuto andare a Londra per conoscerti. Questo è l’effetto che ha avuto.”

“Sono contenta che tu l’abbia presa. Queste non sono molto forti. Rendono più intense le sensazioni. Ne vuoi una?”

Non c’era molto traffico e il taxi procedeva veloce. Shahid non aveva idea di dove fossero diretti. Potevi guidare per ore in questa città sconfinata e informe, senza riuscire a uscirne; dopo un certo punto, finita la zona turistica, i vestiti della gente diventavano più miseri, le automobili più vecchie, le case più trascurate.

Deedee sganciò una delle due bombe sulla propria lingua e rovesciò la testa all’indietro, bevendo un sorso d’acqua dalla bottiglia di plastica che si era portata da casa.

“A dire il vero mi sento già benissimo,” disse Shahid.

“Davvero?”

Si dimenò sul sedile. “I video di Prince mi hanno riscaldato abbastanza.”

Deedee non gli rispose né gli rivolse uno sguardo. Era arrabbiata con lui, o forse con se stessa, impossibile dirlo. Di sicuro c’era stato qualche malinteso.

Shahid voleva chiederle di fermare il taxi. Non ci avrebbe messo molto a tornare al pensionato in bus o con la metro. Riaz lavorava fino a tardi, c’era tanto da fare e aveva bisogno di qualcuno che lo aiutasse col *word processor*; che cosa c’era di più utile del suo lavoro? Riaz, Hat e Chad erano i primi che conosceva che fossero come lui, a loro non doveva rendere conto di nulla. Chad si fidava di lui. Hat l’aveva chiamato “fratello”. Si sentiva più vicino a loro che alla sua famiglia. Ma questa donna che lo aveva invitato fuori – doveva stare attento a non chiamarla Miss – sembrava tesa. Sembrava il tipo che si immagina di avere un sacco di problemi, e non fa che sviscerarli continuamente con gli amici e con l’analista; quando, rispetto alla maggior parte della gente, era ovvio che faceva una bella vita e doveva essere una persona superficiale. Non l’aveva ammesso, dicendo che cercava solo il piacere? In ogni caso, lo stava rendendo nervoso. Che cosa voleva fare con lui?

“Dove siamo, Deedee?”

Invece di rispondere, lei gli indicò il Tamigi. Il ponte che avevano attraversato li aveva depositati nella zona sud di Londra.

Fin lì ci sarebbe arrivato da solo. Non gli piaceva quel modo di fare.

Il riscaldamento del taxi era acceso e cominciava a fare il suo effetto attraverso i vestiti, inzuppandogli la pelle. Avrebbe voluto spogliarsi e uscire all'aria fresca. Sarebbe stato più semplice uscire, pensò, piantare lì tutto, di qualunque cosa si trattasse, e scomparire nella città.

Si fermarono a un semaforo. Shahid si protese ad afferrare la maniglia. Ma era meglio fare le cose con calma, prima di rischiare di venire travolto. Avrebbe aperto il finestrino. Ma non riuscì a sbloccarlo neppure dopo averlo tirato in tutte le direzioni. E non poteva neanche continuare a raspare come un gatto che cerca di entrare in casa. Senza guardarlo, Deedee si versò dell'acqua in una mano, si spruzzò la fronte e si sfregò la nuca. Shahid, bollente, tornò ad appoggiarsi allo schienale.

Deedee si piegò dalla sua parte e abbassò il finestrino con un colpo solo. La brezza nebbiosa del fiume spazzò l'interno del taxi; Shahid non voleva altro. Il conducente allungò una mano e accese la radio. Si sentì gracchiare qualcosa sul tempo nelle isole Orcadi, le uniche notizie che venissero da quei posti, finché il tassista trovò una stazione di musica pop e alzò il volume.

Improvvisamente Shahid udì qualcosa che gli fece battere i piedi. Erano i Doors? No, che stupido, era qualcosa di nuovo, gli Stone Roses o gli Inspiral Carpets, una di quelle band di Manchester. Chiunque fosse, si sentì sollevato. La musica riusciva a fargli lo stesso effetto di un'iniezione di adrenalina, e adesso avrebbe voluto gridare a squarciagola dalla gioia di essere lì, con la sua prof, in giro per Londra, di notte, se solo fosse riuscito a chiederle dove stavano andando. Non appena decise di lasciarsi andare si sentì a suo agio. Adesso era certo di voler restar lì. Sì, non era affatto male; non erano le cose che faceva Chili.

"Ok," disse Shahid.

"Scusa?"

"La voglio, la pillola."

"Sicuro?"

"Sì."

Chiuse gli occhi, si lasciò cadere la pillola in bocca, e bevve un sorso dalla bottiglia. Poi passò un braccio attorno alle spalle di Deedee, che appoggiò subito la testa contro il suo petto. Adesso aveva voglia di baciarla, si stava facendo coraggio, ma l'idea di una gaffe lo terrorizzava; secondo Chili, si doveva capire tutto dalla voce e non dai gesti, era questo l'errore che di solito fa la gente. Ma questa era la sua professoressa, per l'amor di Dio, c'era di che rischiare l'espulsione.

Imboccarono una stradina senza uscita, che sembrava fatta apposta per gli omicidi, lasciandosi dietro officine abbandonate, autorimesse chiuse e alberi striminziti. A un certo punto girarono in un vicolo. L'edificio in fondo, da cui sentivano venire delle vibrazioni attutite, era il White Room.

Era un capannone argenteo.

Davanti c'era un cortile nel cui centro era stato tracciato un sentiero con rotoli di filo spinato. Lo spiazzo era chiuso da un'alta palizzata ed era bagnato da luci gialle accecanti, che lo facevano sembrare il cortile di una prigione. A guardia di tre minuscole entrate c'erano dei buttafuori che parlottavano nei walkie-talkie, circondati da una folla che si accalcava nel gelo notturno. Alcuni ragazzini a cui era stato negato l'accesso se ne stavano tremanti contro la palizzata. Altri cercavano di arrampicarsi come dei profughi, prima di venire tirati giù a strattoni e allontanati in malo modo.

Deedee diede il suo nome e vennero lasciati entrare. Sotto l'occhio di telecamere a circuito chiuso, percorsero il camminamento illuminato dai riflettori, tra gli sguardi invidiosi degli esclusi. Era come essere pop star a una prima. Entrarono in un bar scarsamente illuminato, dove la gente sedeva ai tavolini a bere acqua e succhi di frutta sotto paracaduti aperti. Non erano in vendita alcolici.

"Da questa parte."

Shahid la seguì attraverso un labirinto di gallerie di teli fluttuanti. Alla fine sbucarono in un antro dove c'erano almeno cinquecento persone, alla cui pareti venivano proiettate diapositive a raffica. Era un turbine spietato di rumori interplanetari. L'aria era attraversata da fasci di luce cangiante. Molti degli uomini erano a torso nudo e avevano sandali di plastica ai piedi; alcune delle donne erano in topless, o avevano solo un paio di short e una canottiera a rete. Una ragazza era completamente nuda, tranne un paio di scarpe coi tacchi a spillo, e duettava con un grosso pene di plastica che aveva legato alle cosce. Altri avevano indumenti di latex, indossavano delle maschere o erano vestiti come neonati. Ballavano in modo frenetico, ognuno per conto suo. Alcuni soffiavano dentro fischietti, altri gridavano dalla gioia.

Deedee gli accostò le labbra all'orecchio. L'intimità dei suoi capelli e la sua pelle profumata furono come una scossa.

"Diamo solo un'occhiata e poi ce ne andiamo da un'altra parte," riuscì a gridare in quell'inferno.

"Devo cominciare a pensare che posso volare?"

"Perché, sei già fatto?"

"Non lo so."

"Sai una cosa? Mi sento come se ti avessi costretto."

"Sì, ma ti ringrazio. Puoi sempre dire di averlo fatto per scopi didattici, no?"

Deedee cominciò a muovere braccia e gambe. Poi si mosse più sensualmente, come una corda che si srotola. Shahid le stava di fronte, coi piedi ancorati a terra per paura di cominciare a levitare.

Con gli occhi semichiusi, si guardò attorno nella nebbia violetta e incandescente. Si accorse che nessuno sembrava troppo interessato al suo prossimo, anche se la gente ogni tanto si fissava intensamente. Adesso lo stava facendo anche lui; sembravano tutti così belli. Ma prima che potesse chiedersi perché si stesse divertendo tanto, sentì gorgogliare dentro di sé una risacca di piacere, come se una creatura sospirasse dentro il suo corpo. Sentì che stava perdendo il contatto da terra.

La sensazione lo lasciò, ed ebbe un'impressione di solitudine. Voleva che tornasse. E tornò, e tornò ancora. In quell'estasi martellante, Shahid cominciò a dimenarsi con gioia, come l'onda di un mare agitato. Avrebbe potuto ballare per sempre, ma smise quasi subito dopo che Deedee gli disse: "Dobbiamo andare."

Nell'aria guizzavano ondate luminose di elettricità. Una foresta di dita infiammate salutava i disc-jockey arrivati in aereo da New York, che sedevano nelle loro cabine di vetro.

"Ma perché?"

"C'è un posto molto migliore di cui mi ha parlato uno dei miei studenti più affidabili. È una festa per la fine del decennio."

"Ma siamo ancora negli anni ottanta."

"Sì, ma là sarà come se fossero già finiti."

“Deedee, non è possibile che ci sia un posto migliore di questo.”

Deedee fece un cenno per indicare di lasciar fare a lei. Sapeva tutto.

“Fumiamo una sigaretta e andiamocene.”

Shahid la seguì.

L’aria fredda gelò loro il sudore in fronte e restituì a Shahid un attimo di lucidità, mentre contemplava la strada illuminata come il palcoscenico di un musical. Lui e Deedee se ne stavano quasi zitti, ma non smettevano di fissarsi.

Si trovò seduto in un altro taxi, questo lo capiva, ma non si ricordava come ci fosse salito, avendo perso il senso del tempo. Erano diretti ancora più a sud, e Shahid si chiese se stavano attraversando un parco; era una zona periferica piena di verde e senza negozi. Le case buie erano collocate a conveniente distanza dalla strada, protette da cancelli e muri di cinta e circondate da alberi. Dove poteva essere Chili, adesso? Pensò a sua madre che dormiva nel suo letto; era in posti del genere che sarebbe piaciuto abitare ai suoi.

Arrivarono all’inferriata minacciosa di una villa bianca, il tipo di casa che avrebbe scelto Gatsby se fosse stato inglese, pensò. Nel viale erano parcheggiati dei camion. Nella penombra c’erano dei bestioni che perquisirono Shahid, palpandogli i pantaloni. Dovette togliersi anche le calze, e scrollarle stando con un piede in mezzo al fango.

Entrarono in un atrio di marmo e si trovarono di fronte a uno scalone. Poi passarono un guardaroba ben organizzato, un bar, un orso polare impagliato ritto sulle zampe posteriori con una lampadina in bocca, attraversarono un soffice tappeto bianco, porte a non finire, ampi corridoi, una serra con gli alberi che sfioravano il soffitto, finché arrivarono a una grande vasca per idromassaggio dove tutti erano nudi. Dietro c’era una piscina coperta illuminata, sulla cui superficie galleggiavano decine di palloncini fosforescenti gialli.

Al di là si stendeva il giardino, illuminato da fiamme bluastre di acetilene.

Era la sede perfetta per un *house party*. Deedee gli prese il braccio e gli sussurrò: “Un luogo selvaggio, sacro e incantato / Come succede con luna calante era infestato / Da una donna che piangeva il demonio suo amante!”

La villa era stata occupata fin dalla sera precedente, su indicazione del batterista dei Pennies from Hell, un lavavetri che l'aveva notata mentre era in giro per lavoro.

Quella notte era stata invasa da orde di ragazzi e ragazze della zona sud di Londra. Sfoggiavano capelli tagliati alla paggetto, magliette da skateboard, berretti da baseball, cappucci, poncho sgargianti e jeans a zampa d'elefante. Deedee disse che probabilmente la maggior parte di loro non era mai stata in una casa del genere, a meno che non facessero i fattorini. Adesso era arrivata l'occasione della loro vita. Prima della fine della settimana la casa sarebbe stata ridotta in cenere. "E anche i ragazzi," aggiunse.

Deedee e Shahid salirono lo scalone, ma furono travolti da una folla che scendeva, e si trovarono in mezzo ad altri che ballavano con le braccia per aria, gridando: "Liberi di star bene... liberi di star bene." Alcuni se ne stavano seduti, seguendo il ritmo col capo, a occhi chiusi. A quel punto Shahid si accorse di avere perso Deedee.

Sul pianerottolo un ragazzetto magrolino aveva attaccato una tiritera da venditore ambulante, saltellando e sbraitando: "Serve qualcosa?... Serve qualcosa?... Eeee... Ecstasy alle masse! Viva la classe operaia!"

"Quanto vuoi?" gli chiese Shahid.

Il prezzo era esagerato.

"Quante ne vuoi?" disse il ragazzetto.

"Tre."

Depose tre bombe sul suo palmo. Shahid ne prese due.

"Come le chiami queste?"

"Queste bianche? *Spalanca-gambe*. Ne ho anche di altre."

"No, queste vanno bene."

"Divertiti," disse il ragazzo. "Ci si vede."

"Che cosa stai facendo?" disse Deedee.

Era alle sue spalle, e l'aveva abbracciato.

"Prendi."

Mise una pillola sulla sua lingua protesa. Poi la perse di nuovo tra la folla. Rimasto solo, salì lo scalone.

Al piano di sopra, col freddo che faceva, non c'era nessuno in posizione verticale; i ragazzi erano sdraiati sul pavimento, come vittime di un massacro, e si muovevano solo per baciarsi e accarezzarsi. Shahid sentì il bisogno di unirsi a loro, e si sdraiò incuneandosi tra un corpo e l'altro. Non appena chiuse gli occhi la sua mente, che era abituato a immaginare vecchia e stratificata come una sezione della crosta terrestre, divenne una vampa di luce abbagliante in cui ballavano forme colorate.

Qualcuno lo stava toccando col gomito, e quando aprì gli occhi vide una ragazza che lo stava osservando.

"Come ti senti?"

"Che cosa stai facendo?" disse Shahid, sorpreso.

"Sto bene, come te."

"E il resto del tempo?"

"Quale tempo?"

"Non so, durante la settimana."

"Faccio lo stesso," rispose la ragazza.

"Tutti i giorni?"

"Tutti i fine-settimana. Venerdì, sabato, domenica. Gli altri giorni..."

"Cosa?"

"Sto a letto, ne ho bisogno. Vedrai un po', domani."

Si sentiva nella stratosfera, e continuava a salire, come se fosse liquido, e la fornace dentro il suo stomaco gli stesse trasformando in lava ossa e muscoli. In un angolo della mente stava in agguato la desolazione: ma le cose che in genere gli piacevano erano defluite, e non solo non riusciva a ritrovarle, non si ricordava neanche quali fossero. Aveva bisogno di una penna per fare una lista dei motivi per vivere. Ma che cosa avrebbe potuto trovare di paragonabile alla sensazione di quella droga? Era stato iniziato a un segreto pericoloso; una volta svelato, gran parte della sua vita rischiava di sembrare insignificante, da quel punto di vista interstellare.

Poi si trovò a baciare la ragazza accanto, risucchiandole la lingua finché ebbe la sensazione che le loro teste stessero per fondersi.

Qualcun altro, sdraiato al suo fianco, gli stava toccando la spalla. Shahid lo ignorò. La stanza era diventata un solo corpo senza nome, una sola bocca, un solo bacio. Poi si sentì trascinato via; era Deedee, e aveva uno sguardo feroce. Tirò da parte l'altra ragazza e si incollò alla sua bocca.

Lo prese per mano e lo condusse al piano di sotto; furono i primi a tuffarsi in piscina.

Si arrampicarono nel silenzio del taxi, e scoprirono che le loro orecchie agognavano musica come lo stomaco reclama cibo, senza potersi soddisfare. Deedee gli appoggiò la testa sulla spalla. "Raccontami una storia."

"Di che genere?"

"Oh, qualcosa di romantico e di sporco." Chiuse gli occhi. "Me lo immaginerò mentre lo dici. Stanotte sarei capace di vedere attraverso i muri."

All'inizio, per timidezza e vergogna, Shahid raccontò una storia deliberatamente puerile, ma Deedee interruppe i suoi balbettamenti prendendolo per il bavero e leccandogli un orecchio. A grande richiesta, Shahid dovette inventare una storia abbastanza sporca da eccitarla.

Cominciò a rivedere quartieri conosciuti.

"Per favore, non dirlo a nessuno," gli disse Deedee.

"Certo che no." Capiva che era ancora risentita. "Te lo prometto, baby."

"Sì, chiamami 'baby'." Gli stava baciando la faccia. "Baby, baby, baby." La nube, però, non si era ancora dissolta. "Vorrei non essere sempre la più vecchia in queste situazioni."

"Spero che non ti preoccupi."

"Mi fa venire in mente che tutte le mie amiche sono sposate o vivono con qualcuno. La maggior parte ormai han almeno un figlio. Non si sognerebbero neanche di fare cose del genere. Non sarei neanche capace di raccontarglielo."

Shahid riconobbe la strada, ma tutti i caseggiati sembravano identici. Deedee si mise a ridere mentre lo aiutava a provare la chiave in diversi portoni.

Alla fine uno si aprì, ed entrarono nell'atrio che puzzava di piscio di gatto. Il taxi stava aspettando. Baciandosi, si appoggiarono alla parete.

"Ancora?"

"Non smettere mai," disse Deedee.

Shahid salì in stanza, ripetendo "Non smettere mai" fino a perdere il significato delle parole.

Avrebbe potuto dormire, ma sapeva che quando si sarebbe svegliato la vita sarebbe stata banale. Perché Deedee se n'era andata? Perché adesso non era con lui? Perché non era stato capace di chiedere alla sua prof di passare la notte con lui, dopo l'estasi nella piscina dei sogni?

Entrando in camera, lasciando cadere a terra i vestiti e buttandosi sul letto, si convinse che Deedee stava tornando indietro. Scesa dal taxi, doveva aver trovato la solitudine insopportabile, giusto? E adesso stava venendo lì, attraverso strade popolate da orsi polari in fiamme, sapendo che Shahid la stava aspettando. Dopo tutto, nel taxi, non gli aveva sussurrato – ciò che sognava di sentire fin da quando aveva quattordici anni – "Posso farti un pompino? Vorrei tanto prendere in bocca il tuo cazzo." Non gliel'aveva detto?

Ma adesso che la felicità bussava alla porta, gli tremavano i denti. Ce l'avrebbe fatta a soddisfarla? Non si sentiva neanche i coglioni. Trovandolo in questo stato, Deedee si sarebbe rimessa la sua giacca di Katharine Hamnett e sarebbe corsa giù per le scale, lasciando a bocca aperta i postulanti in fila davanti alla stanza di Riaz. Avrebbe preso un taxi e sarebbe andata in un locale del West End; già la vedeva entrare di corsa, e cadere tra le braccia di un uomo alto in smoking che la stava aspettando.

Shahid poteva almeno evitare di farsi trovare sotto le coperte, in pigiama, quando avrebbe suonato il campanello. Meglio star su: ma a far cosa? Preparare un'omelette, per esempio. Si infilò i pantaloni, si mise il walkman, accese i tre fornelli del gas e si sdraiò sul pavimento polveroso vicino alla stufa, deciso a restare sveglio fino al momento di rompere le uova, ammesso che riuscisse a trovarne. Magari le avrebbe portate lei. Sì, ci avrebbe pensato lei.

Che cos'altro aveva detto, rimuginò, tirandosi fuori l'uccello e cercando di portarlo in assetto da combattimento. Fra poco sarebbe arrivata, le avrebbe alzata la gonna, e avrebbero dormito assieme; la mattina sarebbero andati assieme al college, come amanti. Alla fine si ricordò: quando si erano salutati, Deedee si era scusata per averlo portato in posti dove c'erano solo bianchi. "Il White Room, be', sai, è molto... bianco."

Che cos'era quel rumore? Era lei che stava bussando. Era arrivata! Doveva farla entrare. Ma non poteva a muoversi; la stanza vorticava così veloce che non riusciva neanche ad afferrarsi con la mano al pavimento. Naturalmente Deedee sapeva anche questo. In ogni caso, aveva lasciato la porta aperta. Ecco che stava venendo verso di lui, leggera come un angelo.

Lo stava svegliando! Lo prese tra le braccia, calde come quelle di una madre, e lì perse definitivamente i sensi.

7

“Sei proprio fortunato, tu,” disse Chad a Shahid, non senza sarcasmo. “Ehi, Shahid, mi chiedo perché tu sia tanto privilegiato.”

Riaz stava smistando una pila di fogli sulla sua scrivania. Tahira era felicissima di aiutarlo. Gli passava le pagine, che Riaz dava a Chad, il quale le metteva in una cartelletta per Shahid.

Fratello Shahid, al momento, era seduto sul letto di Riaz, con una mano sugli occhi e l’altra sulla bocca – che gli sembrava di avere piena di parmigiano – in modo da prevenire sgradevoli inconvenienti.

“Perché sono fortunato?” riuscì a dire.

“Per essere tanto utile. Il fratello ha chiesto espressamente di te.”

Mezz’ora prima Chad aveva tirato giù dal letto Shahid, e gli aveva passato i vestiti mentre Shahid si aggrappava a lui, cercando di infilarsi mutande, pantaloni e camicia. A un certo punto, colpito da un rotolo di grasso marrone sul collo di Chad, era scoppiato a ridere. Ma adesso si stava innervosendo.

“Ecco tutto,” disse Riaz. “Shahid.”

“Shahid!” gridò Chad.

Shahid vide che Riaz stava davanti a lui con un fascio di carte. Riaz aspettò che aprisse gli occhi prima di porgergliele, cosa che fece con riluttanza, come sotto una pressione intollerabile.

“Che cos’è, Riaz?” chiese gentilmente Shahid.

“Prego.” Riaz lo invitò a prendere il pacco.

Shahid fece scorrere i fogli tra le dita appiccicose, lasciando macchie dappertutto. Il manoscritto era lungo una cinquantina di pagine. Il titolo, scritto a mano, era *L'immaginazione del Martire*.

Chad, pieno di meraviglia, non smetteva di guardare prima Riaz e poi Shahid. Tahira stava sorridendo a quest'ultimo.

"È il mio libretto," disse Riaz.

"No!" esclamò Tahira. "È finito?"

"Finora è solo scritto a penna. Mi faresti un favore?" disse a Shahid.

"Qualunque cosa, Riaz."

"Potresti batterlo col computer e stamparlo?"

"Ma certo. Nessun problema."

"Chad mi ha detto che hai delle ambizioni letterarie."

"Sì. Sto scrivendo un romanzo."

"Su cosa?" si intromise Chad.

"Sui miei genitori. La mia adolescenza. La tipica opera prima."

"Spero non sia offensivo come quello di altre persone," disse Tahira.

"Non è il tipo," disse Riaz.

"No," concordò la ragazza.

"Sai, altri si sono offerti volontari, ma in questi giorni ho pensato che tu fossi la persona adatta."

Incuriosito, Shahid aprì la prima pagina. La scrittura non riempiva tutto il foglio. Era una poesia. Riaz aveva scritto una raccolta di poesie. Era uno scrittore anche lui.

Riaz gli sorrise timidamente. "Sai, sono nato in un piccolo villaggio del Pakistan. Fondamentalmente si tratta di canzoni... Canzoni della memoria, dell'adolescenza e del tramonto. Ma forse potranno anche cambiare il mondo, nel loro piccolo."

"Non sapevo che tu..." disse Shahid, sfogliando il manoscritto. Si accorse che Riaz aveva una predilezione per gli aggettivi, mentre per i verbi confidava nella legge dei grandi numeri.

"Oh sì," disse Chad. "Riaz è un poeta."

Riaz fece un altro sorriso modesto. "È opera di Dio."

"Col tuo nome sul frontespizio," disse Shahid.

"Sì," disse Riaz senza smettere di sorridere. "Se ci sono errori, sono solo miei."

Tahira diede a Shahid un bicchier d'acqua e due analgesici. "Forse ti aiuteranno a lavorare." E poi, rivolta a Riaz: "Qual è il messaggio del libro, fratello?"

"È un messaggio d'amore e compassione. Qualunque forma di arte, a dire il vero, deve avere un messaggio."

"Stupendo," mormorò Chad. "Ma adesso dobbiamo lasciare il fratello ai suoi pensieri," disse a Shahid.

Con gli occhi umidi Shahid indietreggiò verso la porta e disse: "Fratello Riaz, grazie, grazie di... tutto!"

"Nulla, nulla," disse Riaz.

Chad seguì Shahid nella sua stanza, riuscendo a malapena a contenersi.

"Wow, è incredibile, ti ha dato il suo libro da copiare. È un privilegio, sul serio."

"Non è che volevi farlo tu, Chad?"

"Come? Ti dico solo una cosa, per il tuo bene: non devi parlarne a nessuno."

"Per chi mi prendi?" disse Shahid. Chad cominciava a irritarlo. Da papà e da Chili aveva imparato che talvolta le sfuriate pagano. Era un'arte che intendeva coltivare, ma che non gli veniva ancora spontanea. "Vuoi insinuare che non sono una persona affidabile?"

"No, no, fratello," cercò di calmarlo Chad. "Ma Riaz è in pericolo, è troppo radicale. Per noi è un amico, ma molti membri importanti della comunità non sarebbero contenti di sapere che scrive poesie. Per loro è una cosa troppo frivola, troppo mondana. Ce ne sono alcuni che se entrano in un supermercato e c'è la musica di sottofondo, scappano fuori."

"Davvero?"

"Dicono che non si deve parlare delle emozioni. Che dovrebbe impiegare il suo tempo in cose più serie." Chad mise la mano sulla spalla di Shahid. "Mi spiace, fratello. Come ti senti?"

"Un po' fiacco."

Chad tolse il libro di Riaz dalle mani di Shahid. "Perché non ti riposi un po' prima di iniziare un lavoro così importante?"

Shahid si sdraiò sul letto. Nel frattempo Chad si sedette alla sua scrivania e fu assorbito dalla lettura del libro, anche se Riaz, a quanto pareva, non l'aveva affatto autorizzato.

Quella mattina, verso le sei, Shahid si era svegliato sul pavimento della sua stanza, con un freddo boia e le tempie che gli martellavano. Si sentiva come se qualcuno gli stesse cacciando un dito in un occhio, e aveva un gorgoglio nelle orecchie. Il peggio era che gli mancava l'aria, come se avesse la testa dentro un sacchetto di plastica. Bocca, gola e naso erano bloccati. Per quanto si dibattesse come uno che sta annegando, non riusciva a capire che cosa lo soffocasse, né perché si sentisse completamente fradicio. Temeva che gli si fosse sciolto il cervello e che gli colasse dalla bocca e dal naso. *Dulcis in fundo*, Deedee gli stava dando delle pacche sulla schiena, e l'uccello era ancora fuori dalle mutande.

Era stato Riaz, e non Deedee, che l'aveva sentito tornare; messo in allarme dall'odore del gas, era entrato nella sua stanza, pensando di approfittarne per chiedergli di battere un paio di lettere per il leader laburista George Rugman Rudder.

Ed era stato Riaz che l'aveva aiutato a liberarsi facendolo vomitare, portandolo poi al lavandino per lavargli naso e bocca. Alla fine Shahid, steso sul letto, tra una fila di piramidi purpuree ondeggianti aveva riconosciuto il suo fratello di fede che, con la spugna che gli aveva comprato sua madre, sfregava il vomito via dalle pareti, dal pavimento e da numerosi classici Penguin. Poi Riaz aveva sciacquato la spugna, l'aveva appoggiata sul bordo del lavandino, si era assicurato che il suo vicino desse segni di vita, ed era uscito in punta di piedi.

Adesso Shahid aveva voglia di dormire. Ne aveva bisogno, e voleva sognare Deedee, come era vestita, che cosa aveva detto, che cosa potevano fare insieme e dove potevano andare. Non solo: voleva anche rivederla, magari quella sera, non appena si liberava. Come poteva tornare a vivere senza di lei? Che colpo, tra l'altro, e chissà che cosa avrebbe detto la gente, se avesse conosciuto qualcuno. Ma non c'era nessuno con cui farsi bello della conquista, men che meno i suoi nuovi amici.

Le allucinazioni della notte passata, più vivide di quanto pensasse, si mescolarono con la voce di Chad. "'Magnifica e pura bellezza nelle mie mani'," stava leggendo dal manoscritto, "'com'è grata l'ombra della spada.'"

Shahid si alzò e prese il catino accanto al letto. "Eri tutta bagnata, troia, e la tua lingua ammaliante ha raccontato storie incredibili."

Il farfugliamento di Shahid fece voltare Chad. "Scusa se non ti stavo ascoltando. Sai, fratello Shahid, c'è un altro favore che dovresti fare a Riaz. Non osava chiedertelo, lo so."

"Vale a dire?"

"Devi aiutarlo a trovare qualcuno che gli pubblichi il libro."

Shahid vomitò nel catino e si pulì la bocca col lenzuolo, prima di rispondere: "Sai, sono stato poco bene stanotte. Ma è venuto Riaz..."

"Ha un sesto senso, lo so..."

"... e mi ha salvato la vita."

Chad grugnì soddisfatto. "È il minimo che gli devi."

"Sì," disse Shahid. "Ho promesso di fare tutto il possibile per sdebitarmi."

"Allora lo aiuterai a trovare un editore?"

"Certo."

"Ti ringrazio da parte sua."

Per il resto della giornata Shahid non riuscì a dormire, preda volta a volta della paura e della gioia, come se venisse immerso prima nell'acqua gelata e poi in quella bollente.

Ma almeno era a letto. A casa era raro che lo lasciassero poltrire. Papà, che era abituato ad andare in agenzia presto, mandava a svegliarlo zio Tipoo, addetto al giardino e alle pulizie domestiche. Ma Tipoo, troppo timido per affrontare Shahid, passava l'aspirapolvere nel corridoio; poi entrava e lo passava sotto il letto di Shahid, anche se dormiva ancora, finché gli strappava le lenzuola e scappava.

Quando non lavorava in agenzia, Shahid vedeva poco i suoi. Durante la settimana, uscivano spesso a cena con i clienti, c'erano delle feste, lavoravano fino a tardi, oppure papà se ne stava in camera con gli amici. L'unico contatto con loro, ormai, erano i rumori che facevano in bagno la mattina. Stando a letto, Shahid udiva le cascate d'acqua che usava sua padre, per fare cosa non lo sapeva, se non che i rubinetti erano sempre aperti. Sua madre faceva cadere oggetti continuamente, orecchini e matite per gli occhi nel lavandino; sentiva scattare le serrature dei suoi beauty-case, e i suoi tacchi che ticchettavano sulle piastrelle.

Poi sentiva aprire la porta d'ingresso, e l'automobile che partiva. Una volta sveglio, Shahid cercava di ricordarsi quali parenti erano in casa; e se c'era in circolazione Zulma, se ne stava chiuso in camera più a lungo che poteva, o cercava di pensare a come evitarla.

Quei giorni di inerzia asfissiante, a mollo nel proprio io, non sarebbero tornati. Avrebbe fatto qualcosa.

Prima di sera riuscì a scollarsi dal letto e a mettersi al *word processor*. Aprì il manoscritto di Riaz; poggiò le dita sulla tastiera, al loro solito posto. Cominciò a ricopiare le parole di Riaz ma, contemplando lo schermo, non poté evitare di scivolare in uno stato semionirico.

Quando Shahid aveva quindici anni, suo padre, istigato da Chili, lo aveva obbligato a lavorare in agenzia. Non era un lavoro leggero, perché Shahid doveva sempre dare l'impressione di essere indaffarato. Per fortuna, nella stanza sul retro c'erano due macchine da scrivere inutilizzate e un manuale di dattilografia, che Shahid usò per imparare. Gli piaceva la macchina per scrivere grigia e squadrata col nastro nero e rosso, il suono dei tasti che picchiettavano il foglio come pioggia su un tetto di lamiera, e il campanello che tintinnava alla fine di ogni riga, avvertendolo di dare uno schiaffo al braccio del carrello. Per aumentare la velocità, Shahid copiava brani dei suoi scrittori preferiti: Chandler, Dostoevskij, Hunter S. Thompson. Quando si stancava di tenere il segno, cambiava le parole e faceva fare ai personaggi quello che diceva lui. Sulla carta intestata di papà cominciò a scrivere dei racconti.

La sua prima fatica a essere battuta in bella copia – usava due fogli di sottile carta carbone per avere due copie stinte – si intitolava *Pakistani di merda tornate al vostro paese*. Ne erano protagonisti sei ragazzi dell'ultima fila della sua classe che un giorno, quando il professore aveva lasciato l'aula dalla disperazione, avevano dedicato a Shahid il coretto "Fuori il paki, fuori il paki, fuori il paki!" Shahid pestava sui tasti rivivendo l'episodio, dando voce alla rabbia e alla paura in una prosa sincopata, disseminata di "cazzo", "vaffanculo", "crepa", attraverso la quale si esprimeva come un cantante soul che urla in un microfono.

Una sera Shahid tornò in camera sua per scoprire sua madre, ancora col soprabito addosso, che leggeva il racconto. Gli buttò i fogli in faccia, come se avesse trovato una lettera piena di insulti irriferibili.

"Mi accorgo sempre quando ne combini una delle tue. Spero solo che tu non cerchi di pubblicare questa roba!"

"Non ci ho pensato," mentì Shahid. "E comunque non dipende da me."

"E da chi, allora?"

"Dipende se c'è qualcuno interessato."

"Non c'è nessuno interessato! Chi leggerebbe questo schifo? La gente non vuole questo odio nella loro vita." Cominciò a strappare quello che aveva letto. "Via questo lerciume! E guai se lo mandi in giro!"

Per sua madre non fu materialmente facile cancellare dalla faccia della terra quelle quindici pagine, una copia delle quali era stata spedita alla rivista di letteratura *Stand*, con acclusa busta affrancata in caso di rifiuto – ogni mattina Shahid si precipitava di sotto, per vedere se fosse tornata. Rivolse anche un'occhiata al figlio, ma Shahid non le avrebbe dato il proprio aiuto, questo no, vista anche la foga che ci metteva.

Per giorni e giorni sua madre lo fulminò con lo sguardo.

Parlare di razza e razzismo era quanto detestava di più. Probabilmente aveva subito qualche umiliazione. Suo padre era stato un medico, e a Karachi la loro casa era frequentata da politici, generali, giornalisti, capi della polizia. L'idea che il primo venuto potesse mancarle di rispetto le era intollerabile. Anche quando Shahid, prima di andare a scuola, vomitava o aveva attacchi di diarrea dalla paura, o quando tornava con tagli, lividi e la cartella coperta di sfregi, si comportava come se un insulto tanto orribile non potesse aver luogo. E così aveva finito con l'allontanarsi da Shahid. Ciò che sapeva era più di quanto potesse sopportare.

La reazione di sua madre al racconto ebbe comunque l'effetto di sconvolgerlo. Due anni prima erano stati a vedere *La casa di Bernarda Alba* al teatro della Kent University.

Dalla prima scena – una serva che pulisce il pavimento di pietra, le campane della chiesa, l'entrata raggelante dell'inquisitoria matriarca nerovestita – alle tenebre finali, Shahid non aveva immaginato che il teatro potesse avere un effetto del genere. Ed era con gioia che aveva sentito sua madre, al suo fianco, altrettanto coinvolta, emozionata, turbata.

Alla fine Shahid non volle rompere l'incantesimo con le parole, ed evitò i commenti di chiunque altro fosse in sala. Sua madre sembrò intuirlo e, mentre tornavano a casa in macchina sotto la pioggia, conservarono un silenzio complice, rotto solo dalla domanda di Shahid se il testo le avesse ricordato la vita nelle famiglie pakistane. Sua madre pensò un attimo prima di fare un cenno di assenso.

"È questo che volevo!" si era detto più tardi Shahid, saltellando in camera sua. Non era questa la letteratura che insegnavano a scuola, dove agli studenti cacciavano i libri in gola come se fossero medicinali, finché non li sputavano. Si sentiva completamente pervaso dallo spettacolo. Riviveva le passioni claustrofobiche e tragiche evocate dagli attori; ripeteva ad alta voce le parole fiammeggianti. C'era qualcosa, in lui, che esultava per aver trovato una ragione d'essere. Stava scoprendo nuove emozioni e nuove possibilità. Ma più di ogni altra cosa desiderava raggiungere questo effetto con la scrittura: la sua.

Ma chi era per presumere di poter essere altrettanto sottile e profondo? Una persona su tre pensava di essere capace di scrivere e di avere diritto di raccontare la propria vita. Eppure il dramma che Lorca aveva scritto due mesi prima di venire assassinato non lo intimoriva. Nella sua grandezza delicata, qualcosa lo faceva pensare che anche lui, a modo suo, avrebbe avuto esperienza, immaginazione e dedizione. Perché sminuirsi? C'erano già troppi pronti a farlo. La pulsione di scrivere, in ogni caso, premeva già da un paio d'anni. Ovviamente doveva costringersi a farlo, e spesso aveva voglia di dedicarsi ad altro. Era un lavoro, e mai del tutto piacevole; per un momento di soddisfazione ci potevano essere settimane di scoraggiamento. Le gratificazioni non erano immediate, come con i piaceri infantili, né erano mai totali. Per ogni risultato c'era sempre una meta più difficile cui mirare. Per fortuna non ci sarebbe mai stata una fine.

I sentimenti che lo animarono nella "notte di Lorca" lo fecero anelare ad altre esperienze altrettanto intense. Registrò dischi di musica lirica, jazz e pop presi in prestito in biblioteca. Ascoltò metodicamente compositori che aveva capito essere meno mattoni di quel che sembrava, come Bartók, Wagner e Stravinskij. Scoprì film entusiasmanti. Il suo desiderio fu esaudito. L'esperienza di Lorca si ripeté, e ogni volta era portato a pensare e sentire in modi nuovi. Non perse mai il suo desiderio di sfide esaltanti.

Si era convinto che la serata di Lorca fosse stata memorabile e incantevole anche per sua madre.

Ma la prima volta che Shahid si trovò in macchina con suo padre, questi gli chiese perché avesse cominciato a scrivere "quelle infami schifezze". Papà, sempre consapevole delle proprie debolezze, non amava dare lezioni ai suoi figli, ma era chiaro che adesso ne sentiva la necessità. "Non sei il tipo per queste cose. Non puoi impegnarti di più nello studio? I miei nipoti sono avvocati, bancari e medici. Ahmed si è messo a vendere cappelli e ha costruito una sauna in casa sua! Gli artisti sono sempre poveri: come farai a guardare in faccia i tuoi parenti?"

Shahid cominciava a rendersi conto che c'erano molte verità che non potevano venire pronunciate, perché portavano a pensieri scomodi, tali da sconvolgerti la vita; la verità poteva avere serie conseguenze. Chiaramente tutto ciò che era fondamentale veniva taciuto.

"Quelli come te non possono finire in mezzo ai libri," disse papà.

"Perché no?"

Papà si sentiva spezzare il cuore, ma ribatté subito. "Perché questi scrittori..."

"Chi?"

"Howard Spring, Erskine Caldwell e Monsaratt, per esempio, parlano di fiori, alberi, amore e tutto il resto. E questo non è il tuo campo. Dobbiamo vivere la vita vera," aggiunse con tenerezza.

Non era il suo campo. Fiori, alberi, amore e tutto il resto. La vita vera.

"Ti spezzo le tue cavolo di dita se ci provi un'altra volta", fu il commento di Chili, più tardi, con Zulma tra le braccia. "Non ho mai visto mamma tanto a terra. E mi è venuto a parlare papà. Ha già avuto una trombosi, con tutte le preoccupazioni che gli dai. Non farmi neanche pensare a cosa farò quando gliene farai venire un'altra."

Shahid adorava e venerava suo padre; sia lui che Chili, ciascuno a suo modo, volevano essere come lui. Avevano imitato addirittura il suo modo di camminare impettito. Ma questa volta era diverso; Shahid doveva ammettere che suo padre si sbagliava, e trovare da solo la propria strada, qualunque fosse.

Adesso era seduto alla sua scrivania e cominciò a copiare il manoscritto di Riaz dentro lo schermo. Era diventato un segretario, anche se completamente rintronato, come si rese conto guardando di sbieco il manoscritto incartapecorito.

Presto fu a metà della prima pagina di *Un artista eretico*. Le sue dita, sentendo il corpo di Deedee sotto di esse, danzarono sulla tastiera con troppa euforia per l'argomento in questione. Si ammonì che la concentrazione era la pietra d'angolo della creatività. Cercò di riacquistare il controllo di sé, ma aveva un'erezione che non voleva proprio andarsene.

8

Per facilitare le cose quando sarebbe stato il momento, Shahid strappò il cellophane da un pacchetto di preservativi nuovo. Aveva passato il pomeriggio in biblioteca a riscrivere la sua relazione, per poi tornare a casa a battere la prima stesura. Adesso era scesa la sera e faceva già buio. La strada, fuori, era piena di rumore. Tirò le tende e accese il riscaldamento. Avendo sgobbato ed essendo a posto con la coscienza, poteva godersi quella parte del giorno, abbassare le luci e suonare *Dancing in the Dark*, mentre decideva quali jeans mettere: i neri, i blu o i rossi? Nel futuro c'erano promesse d'amore e una notte, una notte intera.

Si sarebbe visto con Deedee. Dall'ultima loro uscita si erano telefonati parecchie volte e si erano visti nel suo studio, nel college, dove si erano baciati. Questa volta era stato lui a dire: "Posso portarti fuori?", anche se era stata lei a organizzare. Conosceva Londra e le sarebbe piaciuto mostrargliela. Non era forse un'insegnante?

Aveva prenotato in un ristorante indiano di Westbourne Grove, lo Standard, dove andava spesso, e che non aveva né tappezzeria cadente né colonna sonora a base di sitar. Il menu era fisso, e i camerieri erano svelti e professionali, né studenti né attori. Il *mutter paneer* era caldo ed era piccante; a Londra non si potevano trovare ceci migliori, anche se dopo potevi aver bisogno di spalancare le finestre.

Più tardi potevano bagnarsi la gola in un pub di Maida Vale con vista sul canale e le barche. Gli avventori bevevano birre importate in bottiglie scure e si vestivano come solo i ragazzi londinesi sanno fare, accostando capi firmati, stracci del mercatino delle pulci e indumenti sportivi americani; alcuni si atteggiavano come se fossero sul set di un servizio di moda. C'erano più code di cavallo che al campo di corse di Ascot. Potevi startene seduto lì, fino alla chiusura, a osservare e fare commenti. Deedee si era procurata qualche allucinogeno. Oppure potevano andare al cinema. Al Gate c'era un *cult movie* di cui parlavano tutti.

"Ci sarebbe un appartamento, a Islington. È di un'amica, Hyacinth, che però adesso è via. Se vuoi, ci possiamo andare dopo, e passare la notte lì. Ok?" disse Deedee. Shahid avvertì la tensione nella sua voce.

"Sì," rispose.

"Perfetto. Allora ci vediamo più tardi."

Qualcuno stava bussando. Shahid esitò ad aprire, temendo l'arrivo di Riaz. Ma era la faccia tonda e costantemente esagitata di Chad. Si precipitò nella stanza e, senza dire nulla, spense la musica.

"Ehi, senti un po'."

Shahid si tirò su i pantaloni, nascondendo i preservativi e ficcandoli nella tasca posteriore. "Sentire cosa?"

"A volte il silenzio è la più bella delle musiche."

Quella sera Chad era in vena di misticismo. Ma era capitato nel momento sbagliato.

"Non trovi questa musica troppo... rumorosa?"

"Certe volte, come adesso, non lo è abbastanza."

Shahid aveva una certa soggezione per la mole e la violenza compressa di Chad, ma lo spinse da parte e rialzò la musica, smanettando i bassi finché tremarono anche i mobili.

Al che Chad si premette i palmi delle mani contro le orecchie, senza però evitare, notò Shahid, di battere il tempo con un piede.

"Vengo da parte di Riaz. Gli sto dando una mano."

"Volevo chiederti, Chad, perché l'altro giorno ti sei messo a frugare tra le mie cassette?"

"Ti dirò una cosa, bello – volevo dire 'fratello', scusa. Una volta ero drogato di musica. Mettiti seduto e stammi ad ascoltare!"

"Adesso no, Chad."

"Ma ero come te, l'ascoltavo giorno e notte! Si stava prendendo la mia anima!"

"Eri diventato schiavo della musica?"

"Dammi solo due minuti!"

Si stava facendo tardi, ma Shahid non aveva scelta. Chad lo prese per le spalle e lo spinse sul letto, tenendogli la faccia a pochi centimetri dalla sua, infiammato dal fuoco dell'esaltazione. Shahid pensò che fosse pazzo o in preda al ricordo di qualche allucinazione.

"Non ti sto parlando di malattie mentali! Ma della musica e dell'industria della moda! Ci dicono come vestirci, dove andare, che cosa ascoltare. Non siamo i loro schiavi? Io facevo anche tutto il resto. Per mettermi in piedi, la mattina, dovevo farmi la coca avanzata la sera prima. Una volta in posizione verticale, fumavo uno spinello e bevevo una bottiglia di sidro. Per andare su di giri prendevo due pasticche o dell'acido. Di notte, quando ero completamente rincoglionito e pensavo che i poliziotti mi stavano sorvegliando dal televisore, mi bucavo. Guarda 'ste braccia."

"Cristo, Chad!"

"Eh già. Se aspetti un attimo, ti faccio vedere le gambe."

"Lascia perdere."

"Andavo nei locali più tosti. Non vedevo mai la luce del giorno se non quando era l'alba. Disprezzavo un mucchio di gente solo per i loro vestiti e la loro musica! Avevo fatto mio il motto di Aleister Crowley: 'La tua volontà sia la tua unica legge.' Se questa non è la schiavitù della pazzia!"

"Ma io non sono un tossico."

"No? Dove stai andando, allora?"

"Stasera esco con una persona."

"La stessa dell'altra volta?"

"Non ho intenzione di rinunciare alla musica," disse Shahid. "Dimmi la verità, manca anche a te."

"Sono più forte senza tutte queste droghe," disse Chad strizzando il braccio a Shahid. Guardandolo con una dolce follia, come se gli stesse porgendo la verità su un vassoio, aggiunse: "Non ti piacerebbe nuotare in un mare pulito e vedere con una luce luminosa?"

"Ma l'arte non serve proprio a questo? Altrimenti la vita sarebbe un deserto. Non pensi, Chad?"

Chad mimò delle bracciate a rana convulse. "Non senti l'acqua tiepida che ti tiene a galla?"

Shahid cercò di scrollarselo di dosso. Non aveva intenzione di diventare la vittima di una persona per cui la realtà era un lontano ricordo, specialmente quando doveva prepararsi per un appuntamento.

Ma Chad non voleva mollare la presa, come se dovesse salvarlo.

"Dammi retta! Non siamo scimmie ballerine. Abbiamo una coscienza e una ragione. Perché dobbiamo degradarci a livello degli animali? Io non discendo da una scimmia, ma da qualcosa di più nobile. Se guardi più a fondo le cose, troverai te stesso. Sei o no dei nostri?"

"Ma sì."

"Tu dici di sì, ma io non sono sicuro che tu sia un vero fratello. Purificati! Dammi i dischi di Prince!"

"Non toccarli neanche! Alcuni sono d'importazione!"

Shahid si trovò a lottare con Chad.

"Siamo tutti schiavi di Allah!" gridò Chad. "È l'Unico cui dobbiamo sottometterci! Ha messo il naso sulla nostra faccia..."

"E dove lo poteva mettere, altrimenti?"

"Sullo stomaco, per esempio. Come puoi negare la Sua lungimiranza, la Sua forza, la Sua autorità?"

"Non lo nego affatto, Chad, e lo sai. E sai anche che ti rispetto come un fratello, ed è per questo che ti chiedo di smettere!"

"Pensiamo di essere furbi, ma rompiamo il nostro patto con Allah. Da' retta a quello che dice Riaz. Sei venuto con noi in moschea per ascoltarlo. Non ti ha fatto nessun effetto?"

Shahid doveva ammettere di essere rimasto colpito. Era andato due volte col gruppo in quel grande edificio freddo, ad ascoltare i discorsi domenicali di Riaz. Erano accolti con favore da un pubblico di giovani sempre più folto, per lo più indiani e pakistani residenti a Londra. Non essendo un oscurantista decrepito, Riaz stava diventando il predicatore più popolare. Doveva aver fiutato l'aria dei tempi senza essersene contaminato, poiché i suoi discorsi avevano titoli come *Consumati dal consumismo*, *Adamo ed Eva, non Adamo ed Evo*, *L'Islam: patrimonio del passato o forza per il futuro?* e *Democrazia uguale ipocrisia*.

Seduto a piedi nudi e a gambe incrociate su una bassa pedana, con un vaso di fiori davanti, Riaz, in *salwar* grigio, non usava appunti e non perdeva mai il filo. La forza delle sue convinzioni lo rendeva scorrevole, pungente e pieno di passione. Sembrava più a suo agio nel rivolgersi a una folla che a una sola persona. Non era mai a corto di argomenti né sembrava mai in imbarazzo. Né poteva restare nei limiti di un solo tema. Poteva cominciare a parlare dell'identità islamica, spaziando poi per la creazione dell'universo, la persecuzione mondiale contro i musulmani, lo stato d'Israele, gli omosessuali e le lesbiche, la civiltà araba in Spagna, la plastica facciale, la nudità, lo scarico delle scorie radioattive nei paesi del Terzo Mondo, i profumi, il crollo dell'Occidente e la poesia urdu.

Anche se esordiva con un ironico: "Oggi non voglio attaccare nessuno", finiva per infuriarsi, agitava i pugni, buttava per terra la penna, creando una corrente di divertita empatia nel suo pubblico. Poi, facendo finta di essere pentito, pregava i fratelli di perdonare coloro con i quali avevano litigato, e di amare chi credeva in altre religioni.

Alla fine, quando era sfinito, fratelli come Hat e Chad lo accompagnavano fuori, mettendogli una giacca sulle spalle, prima che fosse travolto dall'entusiasmo che si era meritato.

"Riaz non dice forse che stiamo diventando tutti occidentali, europei, socialisti? E i socialisti sono tutti chiacchiere. Sono delle larve, dei morti! Prendi quella lumaca di Brownlow! O sua moglie, quella Osgood!"

"Cos'hai contro di lei?"

"Vivono praticamente a livello animale! E noi dovremmo integrarci con gente del genere! Dobbiamo stare attenti a non diventare come loro, se non vogliamo perdere l'anima. Dobbiamo essere orgogliosi e obbedienti. Che c'è di sbagliato? Non siamo noi che dobbiamo cambiare, è il mondo!" Chad stava fissando Shahid. "Per i miscredenti ci sono le fiamme dell'inferno, lo sai."

"E per gli altri il paradiso?"

"Certo. Non sei d'accordo, fratello? Non sei d'accordo?"

In quel momento Riaz entrò nella stanza. Indossava un pesante soprabito e aveva infilato i guanti.

Al suo fianco c'era Hat, con una specie di mantella, un berretto di lana verde tirato sulle orecchie e una sciarpa al collo.

Non fosse stato per la borsa sferragliante del macellaio che trascinava, sarebbe parso uno scolaretto coperto dalla mamma per affrontare il freddo.

Nel corridoio alle loro spalle, altrettanto infagottati, c'erano Tahira e altri due studenti, Tariq e Nina. Gli occhi scuri di Tahira, in pratica l'unica parte del corpo scoperta, rivolsero a Shahid un sorriso di incoraggiamento. Si accorse che osservava Hat e disse: "Suo padre pensa che sia andato a Birmingham a trovare la zia."

Chad si scollò da Shahid. "C'è un'altra cosa che non ho avuto il tempo di dirti. Sei libero?"

"Per cosa?"

"Un'emergenza. C'è bisogno di rinforzi. Questa notte la nostra gente sarà vittima di attacchi."

"Di che cosa stai parlando?"

Riaz squadrò prima Chad e poi Shahid. Chad si rassettò. La presenza di Riaz calmò l'atmosfera. "Questa sera dovresti venire con noi, Shahid," disse.

"Shahid è sempre dei nostri," disse Chad, dandogli una pacca sulle spalle.

"Ma io..."

"Hanno accettato di venire anche molti altri del college," disse Hat.

"Vieni," disse Riaz. "Copriti bene."

Shahid intuì di non avere altra scelta se non quella di infilarsi il piumino nero che gli aveva regalato sua madre. In ogni caso stava aspettando l'occasione per inaugurarlo.

"Che cosa dobbiamo fare?" chiese.

"Il racket delle protezioni," spiegò Hat. "Gente onesta vittima di violenze."

"Non siamo dei dannati cristiani, noi!" rincarò Riaz, con un'aggressività insolita per lui, anche se l'effetto minacciava di essere compromesso dalla cartelletta impiegatizia che, come al solito, si portava dietro. "Noi non porgiamo l'altra guancia. Lotteremo per la nostra gente che viene torturata in Palestina, in Afghanistan, nel Kashmir! Ci hanno dichiarato guerra. Ma siamo armati."

"Non facciamoci sottomettere!" disse Chad, mentre si precipitavano giù per le scale. "Chi si rifiuta di combattere, ne risponderà a Dio tra le fiamme dell'inferno!"

“Dovremmo chiamarci la ‘Legione straniera’,” disse Shahid, rivolgendosi a Hat sulle scale e cercando di entrare nello spirito della cosa. Il sangue cominciava a ribollirgli; sentiva un orgoglio concreto nella loro causa, qualunque fosse. Ora faceva parte di una schiera di fratelli e sorelle. “Non sei d’accordo, Chad?”

Chad mise il braccio sulle spalle di Shahid. “Lo sapevo che saresti stato dei nostri. Scusa se ho gridato e tutto il resto. Non capivo più nulla.”

“La Legione straniera!” ripeté Hat.

L’armata di Riaz stava districandosi tra le biciclette nell’atrio, quando suonò il telefono a muro. Andò a rispondere Hat. “Qui la Legione straniera!” Poi disse: “Ehi, Shahid, è per te!”

“È Chili? Digli che io...”

Hat scosse il capo. “È una donna.”

Shahid prese il ricevitore. Era in pensiero all’idea di tirare un bidone a Deedee; a quest’ora doveva già aspettarlo. Le avrebbe spiegato che si trattava di un’emergenza. Poteva raggiungerla dopo, posare la testa sulla sua spalla e raccontarle tutto.

“Shahid?”

La voce era nota, ma non riuscì a identificarla. In ogni caso, stava tremando.

“Sono Zulma.”

A casa, Shahid si nascondeva in bagno per evitare la moglie di Chili, immaginando mille modi per farle dispetto. Zulma non aveva niente di meglio da fare che lamentarsi della sua pigrizia e degli “strani odori umani” che trapelavano dalla sua stanza, infestando tutta la casa. A Chili faceva discorsi del tipo: “Se Shahid è tanto intellettuale, perché non passa mai gli esami?”; oppure: “Perché le sue ragazze sono dei tali sgorbi e si vestono così male? Non è capace di trovarsi una pakistana? Le nostre donne sono le più belle del mondo.”

“Oh, Zulma, che piacere sentirti. Che c’è?”

Se la immaginava sdraiata su un divano col suo *salwar* di seta, come una star del cinema, coi capelli neri, lucenti come vernice, che scendevano fino a terra.

“Come vanno i tuoi studi?”

Mai stata tanto amichevole: che cosa voleva?

“Benissimo, Zulma.”

“Lavori molto?”

“Mai lavorato tanto.”
“Ti sei fatto degli amici?”
Attraverso la porta aperta poteva vedere gli altri che lo aspettavano in strada.
“I migliori che ho mai conosciuto.”
“Hai visto Chili?”
Perché glielo chiedeva? Era sua moglie. Se c'era una che doveva vederlo, era lei.
“Sì.”
“Quando, Shahid?”
“Quando? È solo venuto a salutarmi.”
“Chili non ha l'abitudine di salutare la gente. Che numero ha adesso? Ho pronta la penna.”
Fuori Chad cominciò a gesticolare a Shahid. Erano arrivati due taxi.
“Non lo so, Zulma.”
“Dove abita, allora?”
“Lo sai com'è, probabilmente starà da amici. Giocano a poker tutta la notte.”
Zulma si inferocì. “Che amici e amici, Shahid! È meglio che me lo dici, lo sai meglio di me.”
“Che cosa?”
“L'ultima volta che l'ho sentito mi ha detto: ‘Mi vedrai.’ ‘Dove?’ chiedo io. ‘Al telegiornale,’ risponde. Che pazzia aveva in mente?”
Gli stava facendo pressione. Ma perché avrebbe dovuto cominciare a farle dei favori?
“Senti, Zulma, stavo andando in biblioteca. Conosci Chili, o almeno dovresti, e sai che non dice a nessuno quello che vuole fare.”
Ci fu una pausa. Zulma stava pensando se credergli. In ogni caso, Shahid era fuori dalla portata delle sue mani, se le fosse venuta voglia di strangolarlo.
Fuori partì il primo taxi.
“Appena posso, vengo a Londra. Ho bisogno di vederti. Pensiamo tutti a te e ai tuoi studi.”
“Ci vediamo, Zulma.”
“Aspetta! Non è che ti sei messo a frequentare teppisti? Sai quanto sei facilmente influenzabile.”
“Ciao.”

"Shahid!"

Riattaccò la cornetta e stava per chiamare Deedee, quando il secondo taxi cominciò a muoversi, suonando il clacson. Shahid corse fuori, Chad aprì la portiera e si strinse accanto a Riaz. La vettura era guidata da un uomo in *salwar kamiz* e pullover senza maniche. Contro il parabrezza dondolava un rosario.

Shahid fu sollevato che nessuno parlasse, così che ebbe il tempo di pensare a Zulma. Aveva perso Chili; o quest'ultimo la stava evitando; sempre che non fosse successo qualcosa di peggio. Per ammetterlo, doveva essere ben preoccupata.

La sua era una ricca famiglia di possidenti terrieri di Karachi e, come altri del suo ceto, viveva una parte dell'anno in Pakistan e il resto in Inghilterra. A Karachi zigzagava tra le buche e i carretti trainati dai cammelli in una Fiat Uno rossa, un foulard di Hermès stretto attorno alla testa. A Londra faceva vita di società, andava per negozi, spettegolava e – la sua attività preferita – rompeva le scatole al prossimo. Zulma aveva la pelle chiara; era bella ma mai abbastanza: prepararsi a un party le richiedeva un paio di giorni. Aveva capelli per tre, e il tempo per spazzolarli era in proporzione; per lavarli voleva solo acqua piovana. Alle prime avvisaglie di un temporale, Zulma scuoteva Tipoo dal suo torpore e lo faceva correre in giardino a sistemare bacinelle e tegami.

L'intelligenza non rientrava tra i requisiti delle donne sue pari, e quindi fu particolarmente significativo il fatto che, dopo aver sposato Chili, anziché poltrire a letto o fare aerobica, volle accompagnare il marito al lavoro, per imparare tutto il possibile sugli affari di famiglia. L'altra cosa per cui si dette da fare fu conquistare l'adorazione di papà. Faceva tutto quello che le chiedeva; Bibi, la madre di Shahid, non era mai stata troppo arrendevole in questo ruolo, sapendo che alle richieste non ci sarebbe mai stata fine, dal preparare il pollo *tandoori* al comprare i dischi e ascoltare i racconti di guerra. E quando, ogni sera, i compari di papà – proprietari di ristoranti e garage del posto, sia inglesi che indiani, oltre ai parenti ospiti più o meno fissi – venivano a bere whisky, guardare film e "dare aria alla bocca" attorno al suo letto, Zulma, unica donna, teneva loro compagnia.

All'inizio si limitava a salutarli, prendere il ghiaccio, offrire patatine e occuparsi del noleggio delle cassette. Ma presto fu evidente che non si sentiva realizzata nel *catering*. Gli uomini cominciarono a incoraggiarla a dire quello che pensava. Tra il fumo di sigaro denso come in un bar, la sua dissezione di comuni conoscenze rigorosamente assenti, con corredo di soprannomi e cronache dei loro guai, era tanto crudele e minuziosa che gli ascoltatori rischiavano di soffocare dalle risate, pur terrorizzati all'idea che la prossima volta avrebbe potuto toccare a loro, come infatti avveniva. Papà si affezionò al suo talento malizioso. La esibiva ai suoi amici come se fosse una tigre flessuosa sul punto di liberarsi dal suo guinzaglio tempestato di diamanti.

Anche Chili era fiero di lei. Gli piaceva fare il suo ingresso a una festa con Zulma, e aspettare che attorno si formasse una folla. A casa il telefono suonava in continuazione. Entrambi erano invitati a cena da politici, banchieri, uomini d'affari, produttori cinematografici come Ismail Merchant e attori alla moda come Karim Amir, al cui fianco Zulma fu fotografata per *Hello!*, il rotocalco. Suo fratello era un pilota internazionale, e Zulma sapeva pilotare un aeroplano. Noleggiava bimotori con la stessa frequenza con cui le sue amiche andavano a cavallo, e sorvolava a bassa quota i conoscenti mentre andavano in automobile per le strade di campagna. Contribuiva alla gloria di Chili, ed era la miglior donna che avesse mai avuto. Una parte di lui, in ogni caso, non solo divenne gelosa dell'attenzione che le tributavano gli altri uomini, ma anche – il che era più grave – invidiosa delle sue qualità. Si sentiva umiliato da lei. Avrebbe dovuto conoscere più cose di lei, ma era il contrario.

Chili tornò alla vita di una volta, stando fuori fino a tardi o scomparendo a Londra, dove andava per locali notturni con le sue amichette; ma con Zulma stava attento, raramente le mancava di rispetto, e non la picchiava mai.

Zulma aveva poco da obiettare alle sue assenze; aveva le sue distrazioni. Era lieta di socializzare con i pakistani della squadra di cricket quando papà li invitava a casa. Una volta Shahid la sorprese in cucina a baciare un lanciatore la cui fama di velocità era più che meritata. I suoi avevano un appartamento a Knightsbridge dove Zulma andava a stare durante la stagione delle partite e dove, così aveva sentito Shahid, affrettava l'educazione sessuale dei campioni del suo paese.

L'errore di Shahid era stato di cercare di parlare di politica con lei, una ultrathatcheriana al pari di Chili. Con Shahid assumeva un'aria di superiorità che lo faceva imbestialire, e metteva tutto sul piano personale, dicendo: "Mi pare che tu viva alle spalle di una famiglia benestante e non in una comune, giusto? Siete proprio tutti uguali. Tuo padre è un uomo d'affari, ipocrita che non sei altro." Zulma era capace di ridurlo quasi alle lacrime se le parlava di onestà e uguaglianza di opportunità, o della necessità di ridurre la disoccupazione. Si metteva a ridere; il mondo, a suo dire, non era fatto così. C'era bisogno, invece, di gente intraprendente (come lei e Chili, presumibilmente), che non avesse paura di schiacciare gli altri per ottenere ciò che voleva.

Shahid cercò di dimostrarle quanto fosse stupida, visto il razzismo della Thatcher e soci. Zulma poteva illudersi di essere una donna intelligente e di classe elevata, ma per loro sarebbe stata sempre una paki da guardare dall'alto in basso. Zulma apprezzò la franchezza, ma disse anche che era solo un residuo coloniale: la nuova ricchezza non aveva colore. Aveva ragione anche lei, di fatto. I suoi paffuti amici, banchieri e uomini d'affari, la adoravano. Era esotica, oltre che intelligente.

Poi papà era morto, e lei e Chili erano tornati in casa. Shahid sapeva che doveva andarsene e fare qualcosa in cui credesse, mentre Zulma insisteva che doveva "entrare nel ramo viaggi" per il bene della famiglia.

L'unico viaggio di cui si era occupato era stato quello per Londra, il suo. E adesso si stava allontanando sempre più da Zulma e da tutti loro. Era scappato, ma dove era finito?

"Dove stiamo andando?" chiese a Riaz.

Il taxi aveva attraversato la City e sembrava diretto verso l'East End. Aveva bisogno di sapere che cosa stavano facendo; temeva di non poter vedere Deedee neanche più tardi.

"Ho scritto una poesia a questo proposito. Si intitola *L'ira*. Ci sei già arrivato?" disse Riaz.

"Quale?"

"*L'ira. L'ira.*"

"No, non ancora."

"Quanto tempo ci metti a battere, allora?" si intromise Chad.

"Più in fretta non ho potuto, fratello Riaz. Quando ti servono? Ne ho fatte alcune, ma..."

"Ti prego, non fare tutto di fretta."

"Grazie," sospirò Shahid. "E poi..."

Voleva dire a Riaz che a volte lo stile non era il massimo della chiarezza, e il pensiero in certi casi era confuso, così si era preso la libertà di risistemarlo qua e là. Stava per spiegarglielo quando si fermarono davanti a un caseggiato spazzato dal vento.

"Andiamo," disse Chad. Prese la borsa con le armi, ne estrasse un machete e se lo mise sotto il cappotto. "Ci siamo, fratelli e sorelle."

9

Parcheggiarono, scesero dal taxi e si incamminarono dietro il conducente, che si era passato una sciarpa sotto il mento, legandola in cima alla testa come se avesse il mal di denti.

I caseggiati torreggiavano sotto il cielo cupo, tra viottoli nebbiosi e prati spelacchiati. Alberi striminziti cinti con fil di ferro erano stati spezzati a metà, come se avessero dato fastidio a qualcuno. I muri erano coperti di graffiti, solo sigle e scarabocchi, a parte una strana iscrizione, in lettere oro e argento alte una trentina di centimetri, che diceva: "Mangiate il maiale".[1] La luce dei lampioni era fioca. A fianco dei componenti del commando trotterellavano le loro ombre, come figure a cavallo. Il silenzio fu rotto dall'allarme di un'automobile. Si sentì il rumore di qualcuno che correva, seguito da un altro e da grida. Il gruppo si bloccò e rimase in attesa come un uomo solo, preparandosi all'attacco. Erano pronti; non aspettavano altro che lo scontro. Ma non successe nulla, e tornò il silenzio minaccioso.

I ragazzi imbacuccati e le ragazze incappucciate entrarono in un ascensore cigolante; poi attraversarono corridoi resi spettrali dalle ombre delle travature di cemento. Erano alle prese con un tratto allagato, quando Shahid riconobbe gli ottoni struggenti di *Try a Little Tenderness* che si levavano da una finestra aperta. L'udì anche Chad, che si fermò di botto. Tariq sbatté

[1] Ambiguità intraducibile: *pig*, oltre che "maiale" (nel qual caso sarebbe una scritta razzista contro i musulmani) significa "poliziotto". (*N.d.T.*)

contro di lui, e Tahira pestò i piedi a Hat, facendogli un segno sulle scarpe da ginnastica nuove. Il conducente sparì dietro l'angolo.

Chad si chinò ad allacciarsi le scarpe, per due volte, finché finì la canzone. Alzandosi, vide Shahid che lo guardava. Aveva gli occhi umidi. Shahid avrebbe voluto abbracciarlo, ma proseguì.

Arrivarono alla porta dell'appartamento di una famiglia bengalese che chiedeva spesso consiglio a Riaz. Il padre era l'uomo che gli stava parlando quando Shahid era entrato a portare il tè.

Per mesi la sua famiglia era stata molestata – occhiate minacciose, sputi, insulti – finché si era passati alla violenza fisica. Il padre era finito in ospedale perché gli avevano rotto una bottiglia in testa. La moglie era stata presa a pugni. Nella cassetta delle lettere avevano buttato fiammiferi accesi. Il citofono suonava a qualunque ora, e i mascalzoni minacciavano di tornare per uccidere i bambini. Chad pensava che non si trattasse di skinhead neonazisti. Quei palloni gonfiati non si sarebbero abbassati a molestie dozzinali. I teppisti in questione dovevano avere dodici o tredici anni.

Grazie a George Rigman Rudder, il suo contatto in municipio, Riaz era riuscito a trovare una nuova casa per la famiglia, che però non era disponibile subito. A quel punto aveva deciso di agire. Finché non traslocavano, avrebbe sorvegliato l'appartamento e cercato i colpevoli, assieme a Hat, Chad, Shahid e gli altri ragazzi del college.

Il tassista bisbigliò dentro la buca delle lettere e la donna, dopo lo sferragliare di numerosi catenacci, aprì la porta. L'appartamento, con i suoi mobili cadenti e le finestre sbarrate che lasciavano intravedere un panorama livido, era illuminato solo dalla televisione e da una lampada schermata. La donna voleva che i suoi nemici pensassero che fossero fuggiti.

I quattro bambini non erano spaventati, e si appiccicarono a Chad, che si svuotò le tasche piene di caramelle e diede loro tutti gli spiccioli che aveva, anche se erano troppo grandi per i loro ditini.

"Qualcosa non va, Chad?" chiese Shahid.

"Sono sconvolto dalla sofferenza della mia gente," riuscì a dire Chad. "Non riesco a controllarmi."

"Se ti metti a frignare anche tu, che fiducia può avere in noi questa donna?"

"Hai ragione." Si soffiò il naso. "Sei una testa dura, ma certe volte le dici giuste."

Hat vuotò su un tavolo la borsa verde, rovesciando un assortimento di mazze da cricket, randelli, tirapugni, trincianti e mannaie, omaggio del macellaio.

"Mai usato un'arma?" chiese Chad.

"No," rispose Shahid. "No. E tu?"

"Sì. Ti faccio vedere?"

Mentre Chad dimostrava entusiasta il miglior modo per impugnare una mannaia, Hat passò in rassegna la topografia dell'appartamento, controllando entrate, uscite e punti vulnerabili, come il poliziotto di un telefilm. Poi, tra la sorpresa di Chad e le risatine di Tahira, aprì la borsa che gli aveva preparato sua madre, mise spazzolino da denti e filo interdentale in bagno, e appese il berretto da baseball rosso nell'atrio.

Tahira, intanto, gli allestì una piccola zona studio in un angolo della stanza.

"Hat è sempre attaccato ai libri," disse Chad, osservandolo. "È intelligente, ma suo padre gli toglie il respiro perché studi da ragioniere."

"Suo padre non è il proprietario del ristorante che piace a Riaz?"

"Sì," disse Chad, incupendosi. "Ma noi non gli piacciamo. Pensa che vorremmo impedire a suo figlio di fare il ragioniere. Ma non è vero. Diciamo solo che i ragionieri incontrano molte donne. E gli stringono anche la mano. E vanno a bere tutte le sere e prestano i soldi esigendo interessi. Non siamo sicuri che Hat non si sentirà escluso, capisci?"

Shahid stava per prendere il telefono in anticamera e chiamare Deedee, quando Riaz annunciò che era l'ora della preghiera.

A Karachi, in seguito alle pressioni dei suoi cugini, Shahid era stato in moschea più di una volta. Mentre i genitori bevevano whisky di contrabbando e vedevano video spediti dall'Inghilterra, i ragazzi e i loro amici si trovavano il venerdì, prima di andare a pregare. Era rimasto sorpreso dal fervore religioso delle giovani generazioni, e dalle forti connotazioni politiche di cui si tingeva. Una volta che Shahid stava mostrando una posizione yoga a una sua cugina, il fratello si intromise furibondo, staccando le caviglie della sorella dalle orecchie. Lo yoga gli faceva venire in mente "quei bastardi degli indù". Questo cugino si rifiutava persino di parlare inglese, anche se in casa era la lingua più usata; secondo lui la generazione di papà, col suo accento inglese, le lauree conseguite all'estero e lo snobismo britannico, considerava la propria gente come inferiore. Li avrebbero dovuti costringere ad andare in campagna e vivere tra i contadini, come aveva fatto Gandhi.

In materia di fede religiosa, il padre di Shahid amava affermare: "Certo che ho un credo. Si chiama: 'Lavorare fino a farsi un culo così.'" Shahid e Chili non avevano avuto un'educazione religiosa approfondita. Quando Tipoo pregava in casa, papà brontolava, chiedendo perché dovesse fare quei rumori proprio durante le repliche del suo programma preferito, *Il mondo in guerra*.

Adesso, però, Shahid temeva che la sua ignoranza lo facesse finire in una terra di nessuno. Di questi tempi tutti rivendicavano la propria identità, che fossero uomini, donne, gay, neri, ebrei, impugnando qualunque marchio cui potessero appigliarsi, come se non potessero sentirsi umani senza un'etichetta. Anche Shahid voleva appartenere alla sua gente. Ma prima doveva conoscere il loro passato e le loro speranze. Per fortuna Hat era stato di grande aiuto. Spesso aveva interrotto i suoi studi per andare da Shahid munito di libri; seduto al suo fianco, aveva passato ore e ore a spiegargli la storia dell'Islam e i rudimenti della fede. Sgombrando un'area del pavimento, gli aveva anche mostrato come si fa a pregare.

Mentre era inginocchiato, Shahid non sapeva a che cosa pensare. Così, pregando, Shahid celebrò a se stesso la materialità del mondo, il fatto di esistere, gli inspiegabili fenomeni della vita, dell'arte, dell'umorismo e dell'amore: e del linguaggio stesso che stava usando, un altro sacro miracolo. Accompagnò la sua meraviglia e soggezione con una musica adatta, canticchiando tra sé l'*Inno alla gioia* dalla *Nona* di Beethoven.

Più tardi i componenti del commando cenarono sul pavimento, come dei guerriglieri. Molti si erano portati del lavoro da fare per il college; ma erano stanchi, agitati, animati dallo spirito della vendetta, e non venne aperto nessun libro.

Verso le undici si udì un colpo alla porta.

Tutti balzarono con le armi in pugno, comprese Tahira e Nina. Riaz, che soffriva di piede varo, brandiva una specie di scimitarra, dando l'impressione di non poterla alzare sopra le spalle, e tanto meno di poter spaccare in due la zucca di uno skinhead. Chad, grosso come un orso ma agile, era già contro la porta. Per chiarire le sue intenzioni si arrotolò le maniche, rivelando braccia da scaricatore. Prima di togliere i catenacci, si chinò a sentire chi fosse.

Tra lo stupore generale, Brownlow balzò nel soggiorno, non solo con sandali e calze bianche, ma anche con una parlantina più sciolta del solito. La fronte ossuta luccicava di sudore. Shahid si stupì di quanto sembrasse bianco, come se qualcuno si fosse dimenticato di regolare i colori della televisione.

"Compagni!"

Tranne Riaz, tornarono tutti a sedersi, delusi e sollevati.

"Buona sera, compagni!" dichiarò Brownlow. "Nessuna traccia dei pazzi?"

"Non finché sei arrivato tu," mormorò Shahid; gli altri ridacchiarono.

"Non ancora," rispose Riaz. "Ma sappiamo che i degenerati ci circondano. Dottor Brownlow, siamo lieti che abbia ricevuto il messaggio e abbia potuto darci manforte."

Brownlow, in vena di espansioni, aprì le braccia come se volesse abbracciare tutti. Stavano lottando sulla stessa barricata.

"È spaventoso, questo quartiere! Che cosa non ha sofferto questa gente! È un crimine contro l'umanità. Ma mi sembra fondamentale visitare regolarmente queste zone, altrimenti rischieremmo di dimenticarcene. Vedendole si capiscono molte cose. Né mi stupisco..."

Una volta data la stura, la voce di Brownlow aveva il tono rotondo di quelli che chiamano un taxi a Knightsbridge, fanno filare i camerieri come cani presi a calci e sedano ciurme ammutinate senza neanche scomporsi. Era la quintessenza dell'inglese sonoro e mielato con cui si abbaiano ordini nell'esercito, in borsa, all'università. Il povero Andrew parlava con la dizione di ciò che più odiava. Il giorno che fosse scoppiata la rivoluzione, la prima cosa che avrebbe dovuto fare sarebbe stata strapparsi la lingua.

"Mi permette?" disse Riaz ironico, guardandolo in modo penetrante.

Riaz era sempre affabile con Andrew, lo chiamava 'Dottor Brownlow', gli dedicava strette di mano prolungate accompagnate da pacche affettuose, nello stile del padrone di un ristorante indiano che saluta il sindaco. Ma allo stesso tempo, come ormai sapeva Shahid, gli piaceva avere una posizione di superiorità. La sua interruzione conteneva una sfida. Non si sentiva volare una mosca.

"Che cosa non la stupisce, dottor Brownlow, amico mio?" continuò.

Ma Brownlow stava fissando Tahira con inconfondibile rapimento; praticamente stava ansimando. Prima di venire lì, doveva essere passato in un paio di pub. Se ne accorse anche Chad, che si tirò indietro come se fosse un appestato. Tahira si tappò il naso e fece una smorfia.

Shahid si sentì a disagio. Questa sera Brownlow sembrava di umore allegro, ed era capace di dire di averlo visto a casa di Deedee.

"Non mi stupisco della violenza," disse Brownlow. "Di questo posto, intendo, dell'orrore che trasuda. Mi sono perso, e ho passato un paio d'ore nell'inferno, nel freddo e nel fango. Ho visto cani giganti, mura di desolazione, silos di miseria, porcili e allevamenti di fetore dove dovrebbero crescere dei bambini. E la peste dell'odio razziale che si insinua ovunque, che si trasmette come l'AIDS."

Riaz continuava a fissare Brownlow e, come diceva Chad, quando Riaz ti guardava, era difficile non accorgertene. Fece un paio di passi; si stava preparando un discorso. "Ma io potrei amare posti come questo."

"Giusto. L'hanno appena ridipinto," borbottò Chad.

Brownlow avvertì la trappola e perse il filo. "Mi spieghi," disse.

"Le dirò anzi che farei subito il cambio coi poveracci che vivono qui! Subito!" La voce di Riaz si stava alzando. "Guardi come devono essere ben pasciuti! Quasi non riescono neanche ad alzare i loro grassi sederi dalla poltrona!" Tranne Brownlow, scoppiarono tutti a ridere. "Hanno un tetto, la luce, il riscaldamento, la televisione, il frigo, un ospedale qui a due passi. Possono andare a votare. Ma non le sembrano privilegiati?"

"Ma non possono far nulla contro le multinazionali," disse Brownlow. "Non hanno potere; sono sottoalimentati, poco istruiti e disoccupati. La speranza non basta a creare posti di lavoro."

"E lei pensa che i nostri fratelli del Terzo Mondo, come vi piace chiamare tutti quelli diversi da voi, abbiano anche solo una parte di questo? La pare che i nostri villaggi abbiano l'elettricità? Ha mai visto un villaggio?" continuò Riaz.

"E non sta parlando del Gloucestershire," disse Chad a mezza voce.

"Sono stato a Soweto. Ho vissuto tre mesi con la gente," disse Brownlow.

"Allora saprà che quanto ho nominato sono lussi da James Bond per chi vive laggiù. Sognano di possedere frigoriferi, televisori, cucine. E sono forse skinhead razzisti, ladri d'auto, stupratori? Hanno mai desiderato di dominare il resto del mondo? No, è solo gente umile, laboriosa, pacifica, che ama Allah!"

Shahid e i fratelli mormorarono in segno d'assenso. Brownlow dovette pentirsi di aver riacquistato la favella. Sensibile com'era alla causa della liberazione, doveva essere doloroso accettare queste critiche dall'uomo di cui difendeva la causa. Adesso aveva smarrito ogni entusiasmo.

Shahid si chiese se anche gli altri bianchi fossero confusi quanto Brownlow. Ecco un uomo cui per nascita era stato concesso ogni privilegio, a partire da un'istruzione adeguata; i suoi antenati avevano circumnavigato il globo e l'avevano dominato. Shahid si aspettava qualche reazione, ma allo stesso tempo non poteva non essere soddisfatto. Coloro che li avevano dominati e che ancora li trattavano con sussiego e disprezzo non erano dèi. Educati al comando, adesso erano una minoranza come tante altre. Glielaveva spiegato Deedee: "A sette anni li mandano a scuola, e subiscono dei traumi irreparabili. Non si riprendono più."

Riaz fece cortesemente cenno a Brownlow di sedersi accanto a lui. Sadiq avrebbe srotolato un tappeto persiano pulito, e portato una caraffa d'acqua e bicchieri. Avrebbero potuto continuare la discussione pacatamente.

Tutti gli altri si stavano riposando.

Shahid pensò fosse il momento giusto per tirar fuori un romanzo. Quel giorno non aveva letto niente, e sentiva la mancanza della concentrazione e della solitudine. Ma mentre stava cercando il libro nella borsa, intuì che gli altri avrebbero disapprovato che leggesse durante la veglia notturna.

Così, quando Brownlow e Riaz ripresero a parlare, Shahid si avvicinò. Quando Riaz parlava al college o alla moschea, non c'era mai dibattito, solo domande retoriche. Alla fine i suoi accoliti gli davano pacche sulla schiena, lo riempivano di complimenti e tenevano a distanza i fan troppo calorosi.

Shahid sentiva di aver raggiunto il punto in cui poteva fare domande a Riaz sulle questioni fondamentali. Spesso si sentiva preoccupato per la propria mancanza di fede. Spostando lo sguardo dalla moschea, di cui lui notava solo l'aspetto concreto e materiale, ai volti dei fratelli illuminati dalla fede sentiva che gli mancava qualcosa. Ma temeva anche che tali domande lo mettessero in cattiva luce. Almeno poteva discutere dei suoi dubbi con Hat, che gli diceva di non preoccuparsi, che erano cose che capitavano. Quando era più tranquillo, Shahid capiva che la fede, come l'amore o la creatività, non si presenta a comando. Era un'avventura della conoscenza. Doveva attenersi alle norme ed essere paziente. Un giorno o l'altro avrebbe certo compreso, e sarebbe stato illuminato.

Ma ora Brownlow, seduto a gambe incrociate di fronte a Riaz, stava riaprendo la ferita dello scetticismo.

"Ho desiderato spesso di poter essere religioso," stava dicendo, rivolgendosi sia a Shahid che a Riaz, "a volte con disperazione. Ma ho letto Bertrand Russell a quattordici anni. Penso che lo conosciate, no?"

"Un pochino," disse Shahid.

Brownlow contorse gli alluci bagnati nei sandali. "Parla anche di lui, Deedee, o vi fa solo guardare i video di Prince?"

"È una brava insegnante."

Brownlow borbottò qualcosa e continuò: "Russell ha sistemato la divinità una volta per tutte, vero? Ha detto che se Dio esistesse sarebbe un idiota. Ha ha ha! Ha detto anche, cito: 'La concezione di Dio è derivata per intero dall'antico dispotismo orientale.' Non male, eh? Da allora spesso mi sono sentito abbandonato nell'universo. L'ateismo può essere un tormento tremendo, lo dovreste sapere. Dover dare un significato al mondo. Sarebbe meraviglioso credere che dopo esser morti di cancro si vada in paradiso tra vergini e grappoli d'uva. Che il paradiso sia come Venezia, senza la puzza e quegli orari impossibili. L'aldilà, come ha detto qualcuno, è stato certo la più facile delle invenzioni umane."

Shahid cercò di sorridere. Gli era venuta voglia di alcolici. Non sapeva perché, se per la paura o la compagnia. Forse erano quei discorsi sul paradiso.

Brownlow si stava rianimando.

"È meraviglioso starsene inginocchiati. Vivere in un mondo immaginario dominato da esseri immaginari. Avere ogni regola che scende dall'alto, che ti dice che cosa mangiare, e come pulirti il sedere." Stava agitando le dita a pochi centimetri dal naso di Riaz, come se volesse staccarlo per dare una dimostrazione pratica. "E poi che orrore! La schiavitù della superstizione!"

Shahid smise di seguirlo. Brownlow stava dicendo a Riaz che era uno schiavo della superstizione! Nessuno osava parlargli così! Come avrebbe reagito?

Brownlow si spinse oltre: "Sono solo leggende di epoche lontane! Mai sentito parlare di servitù? Non ci sono forse uomini così deboli che preferiscono la servitù al libero arbitrio? Quello che sfruttate voi è l'istinto di dipendenza infantile! Non ve ne accorgete?"

Dovevano essere i fumi alcolici di Brownlow che avevano ispirato a Shahid il desiderio dell'oscurità di un pub. Una pinta di Speckled Hen, Heineken, Tennants, Guinness, Becks, Pils, Bud – che nomi deliziosi, come quelli dei poeti! Aveva la bocca secca.

Ma Shahid lottava. Non voleva essere un fuscello sballottato dal desiderio. Gli eccessi e l'egoismo di Chili lo disgustavano, ma le immagini della moglie di Brownlow continuavano a tentarlo. In questo momento avrebbe potuto accarezzarle i polpacci torniti, toccarle le ginocchia, farle scivolare una mano tra le cosce e risalire su in alto...

"Certamente l'atto di credere..." disse Brownlow. "Il credere opposto a che cosa?"

Riaz non era stupito dal contrattacco di Brownlow, ma stava in attesa con la sicurezza di un giocatore di scacchi che ha anticipato le mosse successive.

"Il credere in quanto opposto al pensare. Al pensare senza preconcetti e pregiudizi. Sono sicuro che lo sforzo di credere in qualcosa che non verrà mai dimostrato, e che rimarrà al di fuori di ogni logica, debba sembrare, a un uomo intelligente come lei, debba sembrare..." Brownlow cercò la stoccata finale. "... disonesto! Ecco. Disonesto!"

Questa volta Brownlow aveva superato ogni limite.

Shahid esaminò il sorriso così frequente sulla faccia di Riaz. La sua calvizie faceva progressi di giorno in giorno; aveva un porro sul mento e uno sulla fronte; spesso puzzava di sudore. Shahid non dubitava che il suo sorriso fosse un segno di ironia, pazienza, amore per l'umanità. Eppure, a guardar bene, non era altro che disprezzo. Riaz non solo considerava Brownlow un idiota, ma lo riteneva anche degno di disprezzo.

"La gente deve decidere da sola che cosa è bene e che cosa è male," disse Brownlow.

Riaz rise. "L'uomo è l'ultima persona cui affiderei un compito del genere."

Shahid si alzò.

Avrebbe chiesto a Chad se andava a fare un giro con lui. Avrebbe potuto chiamare Deedee da una cabina. Adesso voleva solo sentire la sua voce. Ma se Chad gli avesse detto di no, com'era prevedibile? Sarebbe rimasto incastrato, e Deedee avrebbe pensato che le aveva tirato un bidone.

Perché avere paura di Chad? Chad aveva provato eccessi indimenticabili, e adesso si imponeva un autocontrollo asfissiante. Nulla di strano se era esagitato e vessatorio; la realtà quotidiana doveva sembrargli sempre una delusione. In ogni caso, Chad era un fratello come gli altri, anche se bisognoso di comprensione. E Shahid non avrebbe dovuto lasciarsi dominare.

"La prego di scusarmi," stava dicendo Riaz a Brownlow, "ma lei pecca di arroganza." Brownlow ridacchiò. La disputa lo stava divertendo. "Le sue convinzioni libertarie appartengono a una minoranza che vive nell'Europa settentrionale. Eppure lei è convinto di essere moralmente superiore al resto dell'umanità. Vuole dominare il prossimo con la sua particolare moralità che – come sa bene anche lei – è sempre andata di concerto con l'imperialismo fascista." A questo punto si avvicinò a Brownlow. "È per questo che dobbiamo guardarci dall'atmosfera di intellettualismo ipocrita e compiaciuto della civiltà occidentale."

Brownlow si asciugò la fronte sudata e sorrise. Vagava con lo sguardo e non sapeva da che parte iniziare. Tirò un respiro.

"Ha ragione a deprecare questa atmosfera. Ma non dobbiamo dimenticare che questa civiltà ci ha portato anche..."

"Dottor Brownlow, ci dica che cosa ci ha portato," disse Shahid.

"Bravo, Tariq. Uno studente che ha delle curiosità. Vediamo un po'..." Iniziò a contare sulle dita. "La letteratura, la pittura, l'architettura, la psicanalisi, la scienza, il giornalismo, la musica, la stabilità politica, lo sport organizzato – a un livello piuttosto alto. E tutto ciò è stato accompagnato da qualcosa di ancora più significativo, vale a dire la ricerca critica della verità. Stiamo parlando di prove e dimostrazioni..."

"Come la famosa dialettica di Marx, intende?" chiese Riaz malizioso.

Brownlow si fermò per un momento, ma continuò: "... e di non stancarsi mai di interrogare. Domande e idee. Le idee sono il nemico della religione."

"Tanto peggio per le idee," disse Riaz, sbuffando.

Lo guardarono entrambi. Era una discussione cui Shahid non si sentiva di partecipare. Si maledisse per essere ignorante e incapace di esprimersi, come quando Chad gli aveva chiesto perché amava la letteratura. Ma era anche uno sprone a studiare e leggere di più, a pensare e combinare fatti e opinioni in modo di dar voce alla propria visione della realtà.

Shahid rivolse uno sguardo a Chad. Si alzò e andò verso la porta.

"Faccio un salto fuori," bisbigliò a Riaz, lasciando la stanza più in fretta che poté.

In anticamera alzò la cornetta e compose il numero rapidamente.

"Ho paura," disse Tahira. "Tu no?"

Shahid annuì. La ragazza non aveva intenzione di andarsene. Quando udì la voce di Deedee, riattaccò.

"Torno subito," disse a Tahira, tirando i catenacci, girando le chiavi e togliendo la catena alla porta.

"Dove vai?"

"Uno di noi deve andare in ricognizione nel quartiere. Controllare lo schema delle strade e tutto il resto."

"Bene. Ma non da solo. Fammi venire con te."

"No, no."

"Guarda che, in realtà, non ho paura."

"Avrei paura io per te."

Shahid sgattaiolò fuori dalla porta.

Gli ci volle un po' per uscire dal caseggiato. Disperò che avrebbe mai trovato un telefono. Cadeva una pioggerellina fitta, ed era come camminare in una nube. Annusò la pioggia; ne era passato di tempo da quando aveva sentito un odore altrettanto fresco, in quella città. Dal marciapiede bagnato esalava fumo, come in un videoclip. Ormai aveva perso la strada per tornare nell'appartamento. Ma da lì non sarebbe stato capace neanche di tornare nel pensionato.

La zona era famigerata per i razzisti. Shahid cominciò ad affrettare il passo e poi a correre. Sotto uno scuro ponte della ferrovia vide il tassista che li aveva portati, che stava facendo scendere un cliente. Riconobbe Shahid, e lo portò alla stazione dei taxi. Dalla stanza sul retro venivano rumori disumani. L'uomo stese la mano sbarrando l'ingresso a Shahid, che però fece in tempo a dare un'occhiata dentro, e vide gli altri tassisti che giocavano a carte guardando un video porno.

Gli lasciarono fare una telefonata. Alla fine c'era riuscito.

"Ma dove sei stato? È da due ore che ti aspetto. Non potevi chiamare prima? Pensi che una donna si comporterebbe così con un uomo?"

Prima che la delusione e la rabbia nella voce di Deedee potessero avere effetto, Shahid le spiegò che i fratelli l'avevano chiamato per una questione urgente. Un anno prima al fratello di Sadiq, che aveva quindici anni, avevano spaccato la testa in dodici. Era un compito da non prendere alla leggera.

Per Deedee la giustificazione non bastava. Era come se addossasse a lui la colpa delle delusioni che le avevano dato gli altri uomini e delle speranze che, a quanto pareva, le aveva fatto nutrire.

"Scusa, scusa, scusa," ripeteva. "Che cosa potevo fare?" Mentre parlavano, vide in strada un ragazzo, la brace della sigaretta che luccicava nell'acquerugiola. Probabile che stesse aspettando un taxi; ma si girò, guardò Shahid, e gli fece un cenno.

"Anche adesso ci sono fuori dei razzisti che mi stanno aspettando," disse Shahid.

Deedee gli disse di prendere un taxi – l'avrebbe pagato lei – e di venire subito, almeno per bere qualcosa. Shahid si accorse quanto le costasse dire una cosa del genere.

"Ma non posso," disse, "non stanotte."

"Allora quando?"

"Presto, presto. Ti chiamo io."

"Promesso?"

"Certo," tagliò corto.

Riappese e chiese al tassista di riportarlo all'appartamento. Quando uscirono dalla stazione, il ragazzo non c'era più.

Il commando di Riaz vegliò tutta la notte, organizzando turni per dormire. La mattina seguente chi doveva andare a lezione o a studiare se ne andò, e arrivarono altri. Shahid, che aveva un giorno libero, rimase fino al pomeriggio, quando arrivò la notizia di un attentato nell'atrio principale di Victoria Station.

10

A quanto pare stavano portando via i cadaveri, nessuno sapeva quanti. I feriti riempivano gli ospedali vicini. Si diceva che la stazione stesse bruciando, ma sulla città era calata una cappa tetra che non lasciava vedere nulla.

Sotto la pioggia, la polizia aveva transennato la zona, facendo deviare la gente avanti e indietro per la stessa strada, e gridando ordini nei megafoni. In cielo volavano in cerchio gli elicotteri.

Una cosa era chiara: nessuno sapeva nulla. Ovviamente circolavano voci in abbondanza. Per strada qualcuno disse a Shahid che non si trattava del solito attentato casuale, bensì di diverse organizzazioni che si erano coalizzate per conquistare Londra, collocando bombe anche in negozi, automobili e aeroporti. Conferme o smentite era impossibile averne: gli schermi televisivi mostravano solo facce sporche di sangue e racconti di testimoni dell'esplosione.

Shahid aveva preso un appuntamento con Deedee, non a casa sua ma nell'appartamento della sua amica a Islington, in una traversa di Upper Street. Il che significava andare da un capo all'altro della città, un viaggio di ore. Un pezzo l'aveva fatto a piedi, attraverso la City, Fleet Street e poi lo Strand.

Era difficile immaginare un caos maggiore. Per il momento le stazioni erano chiuse, così come gli aeroporti e i terminal dei pullman. Le strade erano paralizzate. In Marylebone Road, in Talgarth Road, perfino nella City, i mezzi della polizia, dei pompieri e le ambulanze sfrecciavano nel traffico bloccato; la gente allungava il collo per vedere le facce degli eroi al volante, come se qualche segno speciale di coraggio e nobiltà d'animo potesse distinguerli dalle masse preoccupate che, malgrado tutto, non erano troppo stupite dalla sciagura.

Migliaia di pendolari turbinavano impazziti sotto la pioggia, contemplando l'acqua torbida dai ponti, sotto il cielo basso, e chiedendosi a che ora sarebbero tornati a casa, sempre che ce l'avessero fatta. Alcuni automobilisti si sdraiavano sui sedili posteriori delle loro vetture; altri le abbandonavano e facevano capannello attorno a chi aveva una radio. La gente andava di propria iniziativa negli ospedali più vicini, mettendosi in coda in silenzio per donare il sangue, mentre le troupe televisive zigzagavano in mezzo a loro come scienziati imparziali. Le chiese rimasero aperte, e gli scettici aspettarono in edifici in cui non entravano da anni. Caffè e pub erano stracolmi e, a quanto pare, vennero prosciugati. Amanti, adulteri e opportunisti cercarono di approfittarne. Gli hotel erano esauriti.

Una volta in cammino, Shahid esitò a rinunciare al suo viaggio in questa strana giungla. Voleva essere in mezzo al caos, e non vedere l'evento in televisione, dove avrebbe già avuto una forma e una spiegazione, derubando i testimoni delle loro emozioni.

Dopo due ore a piedi scoprì che alcuni treni della metropolitana avevano ripreso a viaggiare, su certe linee. Per quella notte era l'unica possibilità di muoversi. Scese nella metro e dopo un'ora salì su un affollato convoglio diretto a nord. Con stupore dei passeggeri, il treno passò attraverso varie stazioni senza fermarsi. La vicinanza della folla rassicurava Shahid: erano tutti guardinghi, spaventati, sudati. Una tragedia come quella era il massimo di emozione collettiva consentita a una città come Londra.

Che cosa provavano? Confusione e rabbia, poiché là fuori, non si sa dove, stavano in agguato le armate dell'odio. Ma quale fazione era? Quale gruppo clandestino? Era una dimostrazione di guerra o la rivendicazione di una causa? Il mondo era pieno di ingiustizie che gridavano vendetta – questo, almeno, si sapeva – mentre nelle città c'era chi, compiaciuto, si rimpinzava del superfluo, senza neanche alzare gli occhi. E oggi i "fortunati", quelli con un lavoro e un'assicurazione, che camminavano in strada alla ricerca di un telefono che funzionasse, avrebbero capito che non erano più al sicuro, che potevano essere individuati e presi di mira. Poiché erano colpevoli. E avrebbero dovuto pagare, e pagare.

Il conducente fece un annuncio all'altoparlante, anche se a parte la parola "urgente" non si capì nulla. I passeggeri erano così spaventati che parlavano tra loro. Molte delle stazioni erano ancora pattugliate da forze dell'ordine. Il treno si sarebbe fermato quando poteva. Una donna seduta davanti a Shahid boccheggiava. Il passeggero accanto le disse bruscamente di smetterla. Alla prima fermata, il treno non sarebbe più ripartito.

Il treno sfrecciò lungo piattaforme senza illuminazione. Sulle banchine erano di guardia uomini con torce e cani. Coni di luce si incrociavano in posti di solito affollati. Shahid osservò i suoi compagni di viaggio, man mano che sfumava la possibile salvezza di ciascuna stazione.

Fu una liberazione scappare quando finalmente si aprirono le porte, un paio di fermate dopo la stazione in cui Shahid avrebbe dovuto scendere.

Corse all'indirizzo che gli aveva dato Deedee, ma si fermò fuori. Sapeva che non avrebbe dovuto venire. Ma non aveva neanche intenzione di tornare indietro, e cominciò a scendere le scale, immaginando che Deedee fosse in attesa del rumore dei suoi passi sugli scalini di pietra. Così si sarebbe resa conto della sua esitazione.

Nei seminterrati abitava solo gente poco raccomandabile, mai però quanto chi frequentava il quartiere che aveva appena lasciato. Qui era tutto tranquillo, come tagliato fuori dalla realtà. Si sentiva già in colpa per avere lasciato i compagni in pericolo. Sarebbe stato con Deedee solo un paio d'ore, prima di tornare da loro. Aveva paura di ciò che questa donna avrebbe potuto volere o aspettarsi da lui, delle sue richieste, delle emozioni che avrebbe potuto trasmettergli. Eppure, senza potersene dare una ragione, aveva bisogno di lei, anche se non voleva ammetterlo.

Deedee aveva lasciato aperto il cancello e la porta d'ingresso. Entrò con un nodo allo stomaco, sentendo subito l'odore di marijuana. La stanza, piccola e col soffitto basso, era illuminata da due candele. Riuscì a distinguere un divano, una televisione, uno stereo portatile che suonava *Desire*. La intravide nell'ombra.

"Scusa se sono in ritardo. C'è stato..."

"Fa niente."

Era seduta sul pavimento, schiena contro il muro, con una camicia rossa larga, una maglietta nera e una calzamaglia nera. Sul tappeto era appoggiato un libro in brossura. Fumava un sottile spinello e sorseggiava un bicchiere di vino. Non si alzò; normale che non ne avesse voglia.

Shahid non riusciva ad avvicinarsi e tanto meno a parlare, tremava, avrebbe detto certamente la cosa sbagliata e Deedee l'avrebbe preso per un idiota. Si tolse il cappotto, sotto cui indossava un giubbotto di pelle e una T-shirt. Camminò avanti e indietro con lo spinello che Deedee aveva preparato per lui, guardandola di sfuggita. Deedee lo lasciò fare.

Poi Shahid scoppiò a ridere. Forse Deedee lo trovava strano, ma fece solo un cenno divertito, come per chiedergliene la ragione.

Shahid si era ricordato di quando, la notte prima, Hat e Chad stavano facendo il loro ennesimo piano di attacco contro gli skinhead. Chad era seduto sul pavimento con le ginocchia contro il petto e il suo arsenale – un martello e un coltello – tra le gambe. Per un po' Tahira gli aveva lanciato delle occhiatacce. Poi, proprio mentre Chad si stava vantando di come avrebbe conciato i razzisti, era sbottata: "Fratello, non potresti chiudere le gambe, per favore?"

Chad aggrottò le sopracciglia ma unì le ginocchia, facendo spallucce a Hat.

"Chad, ho notato che ti piace portare pantaloni aderenti," continuò Tahira.

"Sì."

"Ma noi donne ce la mettiamo tutta per nascondere le nostre forme. Dovresti sapere che peso è portare l'*hijab*. Ci umiliano e ci prendono in giro in continuazione, come se fossimo noi a essere sporche. L'altro giorno, in strada, un uomo mi ha detto: 'Qui siamo in Inghilterra, non nel Dubai!' e ha cercato di strapparmi il velo."

"Sorella..." disse Chad inorridito.

"Voi fratelli ci fate coprire, ma svicolate quando si tratta dei vostri vestiti. Non puoi indossare qualcosa di più largo?"

Chad scambiò un'occhiata con Hat e disse, non senza malizia, che era da un pezzo che cercava dei pantaloni larghi di flanella.
"Sarebbe un passo avanti," disse Tahira. "Ma non hai pensato di farti crescere la barba? Guarda Hat, sta proprio facendo dei progressi. Anche a Shahid sta cominciando a spuntare qualcosa."
Hat stava sorridendo con orgoglio.
"La mia pelle ha bisogno di respirare, altrimenti si irrita," ribatté Chad, scocciato.
"La vanità dovrebbe essere l'ultima delle tue preoccupazioni," disse Tahira.
Fu il colpo di grazia. Chad si chiuse in sé, e si mise a sfregarsi il mento e a risucchiarsi la saliva, facendo il rumore di un ceppo bagnato che viene buttato sulle fiamme.
Più tardi, quando Shahid, Hat e Chad andarono in cucina, Hat disse a Shahid: "È vero che ti sta spuntando qualcosa?"
"L'hai detto," disse Shahid, "mentre a Chad non spunta un bel niente!"
"Ti faccio spuntare qualcosa in faccia, se non la smetti!" scattò Chad.
Shahid pensò che non era il caso di raccontare a Deedee l'episodio. Aveva creduto di farle colpo con le sue imprese antifasciste, ma quando, al telefono, le aveva descritto Chad che provava il tirapugni e Hat che insegnava a Riaz come far mulinare nell'aria il machete, aveva sentito aria di disapprovazione.
"Stai pensando ai tuoi amici?" chiese Deedee.
"Sì."
"Lo sai, quel ragazzo che chiami Chad..."
"Cos'ha che non va?"
"Una volta si chiamava Trevor Buss."
"Chad? Non ti credo."
Deedee alzò le spalle.
"Chad?" ripeté Shahid.
"È stato adottato da una coppia bianca. La madre era una razzista, ce l'aveva coi pakistani e ripeteva sempre che erano loro a doversi adattare." Gli porse la bottiglia di vino. "Vuoi bere qualcosa?"
"In questo periodo cerco di essere lucido."

"Chad è cresciuto ascoltando le campane di qualche chiesa. Ha conosciuto le classiche case di campagna inglesi e i loro ancora più tipici abitanti. Proprio l'Inghilterra di cui parla Orwell. Hai letto i suoi saggi?"

"Non a fondo."

"In ogni caso il senso di esclusione l'ha fatto quasi impazzire. Avrebbe voluto mettergli delle bombe."

"Ma perché? Perché?"

"A quattordici anni si è accorto di non avere radici, di non avere nessun rapporto coi pakistani, di non conoscere neanche la lingua. Così è andato a lezione di urdu. Ma quando a Southall[1] chiedeva il sale, tutti scoppiavano a ridere per il suo accento. In Inghilterra i bianchi lo guardavano come se stesse per rubargli la macchina o la borsa, specialmente quando si vestiva come un teppista. Ma in Pakistan lo guardavano con diffidenza ancora maggiore. Come avrebbe potuto adattarsi a una teocrazia del Terzo Mondo?"

Anche papà si era sentito così, avrebbe voluto dire Shahid, e aveva finito col considerare l'Inghilterra come la propria patria. Circondato dai suoi fratelli e nipoti, papà non smetteva di imprecare nel suo club di Karachi, anche se i tavoli erano coperti da tovaglie inamidate, le posate erano d'argento e i camerieri portavano uniformi bianche e turbanti. Alle pareti erano appese foto autografate di Cowdrey e May, e una stampa di Giorgio V che parlava all'impero dalla radio; il *Times* era sempre aperto su un leggio di quercia. Sul retro c'era una veranda e aiuole coltivate da un esercito di giardinieri. Il Pakistan lo faceva infuriare: la religione chiudeva la bocca a tutti; non si vedeva altro che delinquenza, corruzione, censura, pigrizia e buche nelle strade, quando c'erano e non venivano incendiate. Per papà non c'era niente che funzionasse. Nei momenti di maggiore sconforto, rimpiangeva che gli inglesi se ne fossero andati. "Il 1945! Un nuovo stato!" gemeva. "In quanti hanno avuto un'opportunità come questa? Perché non possiamo far funzionare le cose senza torture, omicidi, corruzione e ingiustizie? Che cosa c'è che non va in noi?"

Magnificava tanto l'Inghilterra che un fratello gli disse: "Cos'è, sei imparentato con la famiglia reale, *yaar*?" Eppure, quan-

[1] Un quartiere indiano nella zona occidentale di Londra. (*N.d.T.*)

do partiva, gli occhi gli si riempivano di lacrime, come un ragazzino che riparte per il collegio alla fine delle vacanze.

"Trevor Buss ha perso l'anima nel 'processo di traduzione', per così dire," continuò Deedee. "Pare anche che abbia tentato di entrare nel partito laburista, pur di trovare una collocazione. Ma l'ambiente era troppo razzista e lui non riusciva più a controllare la sua rabbia."

Shahid sospirò. "Non sapevo niente di tutto questo. Non mi sono mai sognato di chiederglielo."

"Una volta mi ha detto: 'Sono senza casa.' E io: 'Non hai un posto dove dormire?' 'No,' rispose, 'non ho una patria.' 'Non ti perdi molto,' gli ho detto io. 'Ma così non so neanche cosa vuol dire essere un cittadino normale.' Trevor Buss si vestiva meglio di tutti e mi ha registrato della musica che non avevo mai sentito. Gli piace ancora la musica?"

"Sì e no."

"Beveva e si faceva. Un giorno l'ho sorpreso che tirava coca a lezione e l'ho sospeso. Se ne stava fuori con una scarpa in equilibrio sulla testa, a guardare dentro la finestra. Si era messo anche a spacciare. Era come una molla tesa, una bomba pronta a esplodere."

"Ma non è esploso, vero?"

"No."

"Forse perché ha incontrato Riaz?"

"Può darsi."

"Così ha smesso di pensare coi piedi," disse Shahid, schioccando le dita. "E dopo cos'è successo?"

"Ha cambiato il suo nome in Muhammad Shahabuddin Ali-Shah."

"No!"

"E ci teneva, al suo nuovo nome. Ma giocava a calcio e i suoi compagni si erano stufati di dire: 'Passami la palla, Muhammad Shahabuddin Ali-Shah', oppure: 'Di testa, Muhammad Shahabuddin Ali-Shah', e non gliela passavano più. Così è diventato Chad." Deedee bevve un altro sorso di vino. Fu percorsa da un brivido. "Ma non è Trevor che mi spaventa."

"Chi allora?"

"Il peggiore è Riaz."

"Riaz?"

"Proprio lui."

Strada facendo, Shahid aveva pensato a Riaz. Non erano cresciuti tutti in un'epoca in cui si ammiravano i ribelli, gli stravaganti, gli outsider di ogni specie, da David Bowie a Billy Idol, da Boy George a Madonna? Gli amici d'infanzia di Shahid si tagliavano i capelli alla moicana e si bucavano il naso – uno addirittura la lingua – facendo dei loro corpi un oltraggio permanente. Ma era una ribellione a buon mercato. Solo i vecchi potevano ricordarsi che cos'era stata la "rispettabilità". I suoi amici, che ogni notte si chinavano sul tavolo da biliardo, erano fantasmi: se gli anziani erano zombi, "non-morti" – così li chiamavano – loro potevano essere a buon diritto dei "non-nati".
In un'epoca di ambizioni egoiste e di culto della carriera, Riaz si era dedicato a una causa e aveva conservato la propria identità, per quanto impopolare. Alla fine era più anticonformista lui – e senza affettazione – di chiunque altro Shahid avesse incontrato. Se tutti prendevano una strada, Riaz imboccava l'altra.
Deedee gli offrì la bottiglia un'altra volta.
Shahid scosse il capo. "Ti mangi le parole. Perché cerchi sempre di farmi prendere della roba?"
"L'alcool è uno dei piaceri della vita."
"Si vive solo per il piacere, allora?"
"C'è qualche altro motivo?"
"Non lo so. So solo che cerchi di provocarmi. Ma il piacere non basta, non pensi?"
"Come inizio non è male."
"Non si potrebbe cercare di rendere il mondo migliore?"
Deedee fece una smorfia. "È quello che pensi faccia Riaz?"
"In questo momento sta rischiando la vita per proteggere la casa di una famiglia perseguitata."
"Riaz è stato sbattuto fuori di casa dopo che ha denunciato suo padre perché beveva alcool. Lo sgridava anche perché pregava in poltrona e non in ginocchio. Ha detto ai suoi amici che se i genitori commettono dei peccati, meritano di essere gettati nelle fiamme dell'inferno."
"Non sperare che ci creda, Deedee."
"Perché?"
"Riaz è una delle persone più gentili che abbia mai conosciuto." Deedee fece per interromperlo, ma Shahid proseguì: "Ed è uno che ha sfidato l'intera società. Sai quanto coraggio ci vo-

glia. Non prendertela con lui. Ti ho solo chiesto che cosa è successo quando ha incontrato Chad."

"Si è preso cura di lui, e col suo miscuglio di gentilezza e disciplina l'ha fatto uscire dalla droga meglio di qualunque centro di riabilitazione."

"L'ho pensato anch'io. Senza Riaz..."

"... Trevor, o Chad, probabilmente sarebbe morto."

"Adesso anche Chad si preoccupa del suo prossimo in modi che non ti immagini neanche."

Deedee lo stava fissando. "Ma non ti fanno paura?"

"Chi?"

"I tuoi amici."

"Perché dovrebbero?"

"Sono privi di dubbi."

Shahid scosse il capo. "Meno male che c'è qualcuno che mette tutta la sua rabbia e la sua passione in quello che crede. Altrimenti non si farebbe più nulla."

"Anche tu metti la tua rabbia e la tua passione in quello che credi?"

Shahid arrossì. "Il fatto è, Deedee, che i bianchi intelligenti come te sono troppo cinici. Vai sempre oltre la superficie, smonti tutto a pezzetti, ma non agisci mai. Perché mai ti dovrebbe venire voglia di cambiare qualcosa, quando hai già tutto quello che vuoi?"

"Non ti conosco bene, Shahid, ma ti sto solo dicendo che spero che nessuno ti faccia del male."

"Ma chi?"

"I tuoi nuovi amici."

"Ma se siamo noi le vittime! E quando lottiamo, secondo te perderemmo il nostro tempo! Mentre tu te ne stai qui seduta tutto il giorno a farti canne, e a insultare chi almeno cerca di fare qualcosa!"

Deedee aveva abbassato lo sguardo, come per non peggiorare la situazione. Ma non intendeva battere in ritirata.

"Non so neanche perché ho fatto tutta questa strada per venire qua," disse Shahid.

"Non volevi vedermi?" sibilò Deedee con tale astio da farlo sobbalzare. "Ti ho forse costretto?" Si alzò, afferrò la borsa e cominciò a infilarvi le sue cose. "Mi sono comportata proprio da scema. Con uno studente. Devo essere proprio uscita di testa. Ma che cazzo avevo in mente? Devo essere alla frutta. Peggio per me. Immagino che lo pensi anche tu." Si batté il palmo contro la fronte. "Spero solo di dimenticare in fretta tutta questa faccenda."

"Deedee..."

"Non c'è altro da fare. Torniamo alle nostre vite."

Spense la musica e il riscaldamento, ficcò il tappo nella bottiglia e lavò i bicchieri con furia, singhiozzando, mentre gli dava le spalle. Shahid si chiese che cosa avrebbe detto Chili, con tutta la sua esperienza, per sdrammatizzare. Il bastardo, probabilmente, le avrebbe fatto un sacco di complimenti; l'adulazione era una tecnica che funzionava sia con gli uomini che con le donne. Ma Chili aggiungeva che era meglio individuare subito il punto sensibile, altrimenti facevi la figura dell'ipocrita.

Prima che si infilasse il cappotto, Shahid le si accostò dicendole: "Sei una meraviglia oggi, lo sai?"

Deedee inclinò il capo e sorrise. "Davvero? Grazie."

"Ci sono stati tanti imprevisti. Abbiamo avuto una stupida discussione. Mi ero dimenticato quanto sei attraente. Non andartene."

"Va bene."

"Cosa vuoi fare?"

"Andare a letto."

"Perché no?"

"Il letto è da questa parte. Scusa, puoi non guardarmi quando mi spoglio?"

"Perché?"

"Guarda le tende, o qualcos'altro. Sei troppo giovane per vergognarti del tuo aspetto. Ma ho ricominciato ad andare in palestra. E un'altra cosa, scusa."

"Dimmi."

"Ti puoi tenere il giubbotto?"

Più tardi il cielo si era schiarito: era immobile e diafano. Bocca a bocca, lui e Deedee si erano appisolati, senza però cadere in un sonno profondo. Poi, soddisfatti e in vena di avventure, si erano vestiti ed erano usciti dal seminterrato. Camminavano a braccetto, e ogni volta che Shahid le dava un bacio – per esempio se erano fermi a un semaforo – Deedee si girava e lo abbracciava. Avevano fatto l'amore; era la sua amante. A Shahid era piaciuta quella sauna nel giubbotto di pelle; Deedee l'aveva letteralmente scopato, mettendosi di sopra, non stando seduta, ma sdraiandosi proprio su di lui, a gambe divaricate, spingendogli giù il cazzo. Shahid aveva aperto le braccia dicendo: "Voglio che mi scopi."

"Non preoccuparti," aveva ansimato Deedee, "lascia fare a me."

Le vetrine offrivano T-shirt, bigiotteria, cinture, borse, sciarpe indiane di tessuto stampato. Ex studenti con creste rosa e cani sporchi circondavano un banchetto che vendeva bastoncini di incenso e *bootlegs* dei Grateful Dead, dei Sex Pistols e di Charlie Hero.

Le strade, pulite dalla pioggia, erano affollate. Il caos, in parte, si era placato; attorno all'uscita della metropolitana c'erano i soliti gruppetti di amici che si erano dati appuntamento. La gente era calamitata dai pub o dalle *brasseries* che stavano diventando di moda; o facevano la coda per l'ultimo spettacolo. Nel cinema lì vicino davano *Fahrenheit 451* di Truffaut. Era raro vedere qualcuno sopra i quaranta, come se ci fosse un coprifuoco per i meno giovani.

Shahid osservò la sua amante in fondo alla libreria, un vasto locale su due piani coi libri disposti sopra grossi tavoli; le librerie non erano più squallide come una volta. Vedendo le pile di libri nuovi, a Shahid veniva voglia di rubarli, non sapendo come avrebbe fatto a sopravvivere senza di essi. Deedee comprò un saggio sui Sex Pistols, e Shahid la seguì alla cassa, mentre aspettava il sacchetto e il segnalibro, con una raccolta di racconti di Flannery O'Connor e un paio di antologie, in cui aveva deciso di investire i soldi che gli aveva dato Chili.

Andarono in un pub. Le ragazze erano in minigonna o Levi's bianchi; i ragazzi in jeans neri o azzurri strappati alle ginocchia; alcuni avevano giubbotti di pelle sopra polo nere o gilè. Due dark con un trucco sepolcrale sembravano pesci fuor d'acqua. E c'erano anche tipi più eleganti in giacca e cravatta, che avevano appena finito di lavorare e avrebbero preso un taxi per andare a Soho e mangiare da L'Escargot, Alastair Little o Neal Street.

Molti di quei ragazzi, spiegò Deedee, erano dei perdigiorno, che fingevano di stare scrivendo delle sceneggiature. Ma alcuni lavoravano nei video o nei film a basso costo: erano fattorini, assistenti al montaggio, comparse, giovani registi che più tardi sarebbero andati nei locali alla moda: il Moist, il Future, il Religion.

In un angolo c'era un gruppo di tipi più duri, in tute col cappuccio e jeans sformati, che distribuivano volantini sbiaditi di *rave parties*. Aspettavano i taxi con cui avevano conto aperto, e facevano un sacco di soldi vendendo ecstasy. I *rave* si tenevano in spiazzi nell'estrema periferia o in capannoni sotto i ponti della ferrovia. Deedee disse che avrebbero potuto andarci quella notte stessa, se non ci fosse stato un gruppo punk indiano che non voleva perdere, i Maestri dell'Illuminazione.

Shahid le disse di parlare di sé. Deedee divenne inquieta, e cominciò a girare sullo sgabello, come la prima volta che si erano parlati veramente, in mensa. Voleva aprirsi, ma non sapeva da dove cominciare. Non aveva avuto tempo di assimilare ed esaminare il passato, la sua vita era andata sempre di corsa, gli anni erano volati, e lei non si era fermata.

Essendo una piantagrane con la parlantina sciolta, venne espulsa da scuola a sedici anni. Un sabato mattina, anziché andare al lavoro – come faceva durante i fine settimana – mise sul giradischi *She's Leaving Home*,[2] buttò un po' di vestiti in uno zaino, e se ne andò definitivamente da casa.

"Già che c'ero, pensavo, era meglio fare tutto e subito, capisci?" La madre di Deedee era segretaria al *Daily Express*, e il padre aveva un bugigattolo dove in teoria riparava radio, televisori e giradischi. "Diventavano idrofobi all'idea che uscissi con addosso un sacco di plastica nero, guanti di pizzo e un chilo di rossetto sulle labbra. Non avevano idea di cosa fossi, semplicemente lo odiavano."

A Deedee piacevano la musica, i vestiti e gli uomini. Aveva fretta: di arrivare dove, non lo sapeva. Non l'avrebbe fermata nulla; la velocità era tutto. Frequentava i locali punk: Louise's, a Soho, dove tenevano corte Vivienne Westwood e Malcolm McLaren, e il Roxy, dove suonavano Elvis Costello e i Police. Si mise a fare la barista, finendo in un topless-bar di lusso nel West End.

"Per un po' ho fatto la hostess." Non lo stava guardando. "Te lo dico solo perché potresti sempre venirlo a sapere. In ogni caso è acqua passata."

[2] Una canzone dei Beatles. Alla lettera, "Se ne va da casa". (*N.d.T.*)

"Bene."
"In quel periodo Londra era piena di arabi, convinti che gli piacessero le ragazze. Non ti trattavano male, ma non parlavano. E noi sempre a chiedergli: 'Com'è tua moglie?' Non ci tenevano in grande considerazione. Passavamo la notte a casa loro, sniffando cocaina e aspettando di essere scelte."
"Per i soldi?"
"La mattina, sul comodino, ne trovavo a palate, centinaia di sterline. Come la cocaina, li sentivi scivolare tra le dita e dissolversi in vestiti, cene al ristorante, droga. Finché... Finché una delle altre ragazze mi diede un articolo di Gloria Steinem, che raccontava come si diventa una coniglietta di *Playboy*. Mi sono sempre ritenuta una ribelle, lo sai. Ero una ragazza poco raccomandabile, un'individualista, una che se ne stava fuori dal gregge. Ma quell'articolo mi scoperchiò il cervello. Cercai altri libri e li riempii di sottolineature. Non essere stupide, questo era il vero modo di ribellarsi. Provai a frequentare un gruppo di femministe; prendevo il bus fino a Kentish Town, sognando dibattiti sul perché gli uomini fossero casi così disperati. Ma erano passate al gradino successivo: erano solo lesbiche interessate le une alle altre. Due lavoravano in una stalla per asini. Fu la goccia che fece traboccare il vaso. Misi un annuncio su *Spare Rib* e organizzai un mio gruppo." Il suo giorno più felice fu quando venne ammessa all'università. "Il commento di mia madre fu: 'Vuol dire che adesso ti dobbiamo mantenere?' Il mio vecchio disse che una come me non meritava di ricevere un'istruzione."
L'università fu faticosa. Deedee non gradiva per niente l'idea di essere più vecchia degli altri ma meno preparata. In pratica non aveva mai scritto una relazione, e le biblioteche la facevano diventare narcolettica. Viveva da sola e lavorava il doppio degli altri, evitando i morbi infettivi della borghesia: l'insicurezza, il disprezzo per la cultura e la noia. Dopo essersi laureata, ottenne l'abilitazione all'insegnamento. "Poi ho trovato questo lavoro. È da un pezzo che sono lì." Gli prese la mano. "Comincia a esserci troppa gente in questo locale."
Uscirono e si diressero a piedi verso l'Underworld.
"Spero di essere stata abbastanza chiara."
"Sì, certo. È molto interessante, anche se ho un po' di confusione in testa. Continua."

"All'università mi sono irrigidita. Un po' come te adesso, ero un'estremista in fatto di politica. Dalla metà degli anni settanta è cominciato il periodo del partito. Quando non studiavo, andavo alle riunioni, vendevo giornali, facevo picchetti. È così che ho incontrato Brownlow."

"Che cosa vedevi in lui?"

"Ci piacevano i Beatles, e avevamo in comune l'impegno politico e l'amore per la conversazione. Immaginavamo di essere sulla Rive Gauche, di incontrare i nostri amanti nei caffè e vivere senza la gelosia borghese, lottando per una rivoluzione sia personale che politica. Sartre e Simone de Beauvoir in questo hanno una grossa responsabilità."

Il lavoro per il partito divenne prioritario. Facevano picchetti e andavano a Greenham a manifestare contro gli armamenti nucleari. Ancora oggi, Deedee non sapeva che posizione prendere rispetto all'impegno, a parte il timore che la politica non fosse altro che un'estensione dell'istinto materno: prendersi cura degli oppressi anziché di un figlio.

Shahid prese da bere al bar. L'Underworld era una scatola nera col soffitto basso, piena di studenti. La birra chiara sembrava colare dalle pareti. Il cantante, un indiano occhialuto, era così nervoso che lasciò cadere la chitarra nel tentativo di sfondare una cassa. Il batterista faceva lo stesso rumore di una trebbiatrice. Non suonavano molto bene, e sembravano la versione heavy metal dei Velvet Underground, senza le melodie. Non che Shahid vi prestasse molta attenzione. Si stava sforzando di capire il racconto della vita di Deedee.

Dopo un paio di canzoni, Deedee si mise una pillola sulla lingua, e ne diede una a Shahid. Decisero di andarsene quando il batterista, durante un assolo esagitato – era chiaro, come fece notare Deedee, che nessuno gli aveva spiegato che la batteria non era uno strumento solista –, vide il suo turbante volare tra il pubblico, aprendosi come un aquilone.

Si fecero largo tra la folla e uscirono in strada, felici di essere fuori. L'aria fresca e il silenzio erano un sollievo. Pian piano tornarono all'appartamento. Deedee si sdraiò per terra nella penombra, slacciandosi i vestiti e osservando Shahid che la accarezzava. Gli chiese di massaggiarle le spalle, il collo e le braccia.

"Quando penso a dove sono arrivata, sono fiera di quello che ho fatto. Non mi ha aiutata nessuno. Qualche amicizia, ma non in quello che conta. E ne sono felice."

"Perché sei triste, allora?"

"Lo sono?"

"Un pochino."

"Sì. Fa male ammetterlo. Sono arrivata a un punto in cui il prezzo mi sembra sia stato troppo alto."

Negli anni ottanta, disse, le donne, anche quelle di sinistra, avevano cercato di raggiungere posizioni di potere, di essere indipendenti. Ma l'avevano pagata cara. Avevano sacrificato tutto al lavoro, e avevano esaurito le proprie energie. Troppe avevano rinunciato alla possibilità di avere dei figli. Per che cosa? In fin dei conti la carriera non rappresentava tutta la vita.

Di divertimento se n'era visto ben poco. In quei giorni di impegno che non cambiavano il mondo, e in attesa della rivoluzione, il piacere poteva essere solo fugace e colpevole. E poi lei usciva di rado dal cerchio della politica; era implicito che solo chi si batteva per il cambiamento poteva essere buono. Il resto del mondo si divideva in cinici, ignoranti per scelta e vittime dei pregiudizi.

"C'è stato un periodo, verso la metà degli anni settanta, in cui immaginavamo che la storia si muovesse nella nostra stessa direzione. Gay, neri e donne rivendicavano i propri diritti e si organizzavano. Dieci anni più tardi, dopo le Falkland, la campagna per il disarmo nucleare e lo sciopero dei minatori, mi sono resa conto anch'io che la storia aveva cambiato corso. La lotta si era concentrata contro la Thatcher, ma lei ha finito per logorare tutti. Dove siamo arrivati?"

"Dove?"

"Chi lo sa? Chiedilo a Brownlow. È già stato abbastanza duro ammettere la sconfitta e poi l'incertezza. Adesso non ho più voglia neanche di certezze." Avrebbe aspettato nuove esperienze e conoscenze, con una sola sicurezza: esisteva solo il presente, quella notte apparteneva a loro, e Shahid le piaceva. "Era da secoli che qualcuno non mi faceva così felice."

Shahid fece un po' il timido a spogliarsi. Deedee aveva detto che gli piaceva quando lui era nudo e lei vestita. Ma quando Shahid alzò lo sguardo, lei non era più lì. Stava piegando i suoi vestiti quando fece un balzo e Shahid si tirò indietro.

“Mi guardi come una fetta di torta. A cosa pensi?”
“Che ti merito e ti voglio mangiare. Vieni qui. Su.”
Shahid le si avvicinò carponi. Deedee gli sussurrò se c’era qualcosa che poteva fare. Mano nella mano, tornarono in camera da letto, e spostarono il materasso sul pavimento. Poteva fare molto, pensò Shahid. Gli arretrati erano tanti che quasi non sapeva da dove cominciare; il proibito non era tale senza un motivo. “Sto bene così, sul serio,” disse Shahid.
Deedee sapeva insistere. Dalla prima volta che l’aveva visto, aveva desiderato che si truccasse; era sicura che gli donasse.
“Adesso?” chiese Shahid.
“È l’unico momento che esiste.”
Di certo non si era mai sognato di assomigliare a Barbara Cartland. Poi si ricordò della loro prima notte, quando “sì” era una parola migliore che “no”. Perché avere paura? Vivi qui e questa notte, se puoi. Questa notte sarebbe durata per sempre. Non si fidava più di lei? Invece doveva.
Deedee andò a mettere *Vogue* sullo stereo. “Che cosa stai guardando?” cantava Madonna. Shahid amava quel pezzo. Deedee andò a prendere la borsa e la rovesciò su un asciugamano. Shahid si sedette accanto. Canticchiando, Deedee gli mise il rossetto sulle labbra, gli scurì le ciglia, gli mise il fard e sottolineò i suoi occhi con una matita. Poi gli pettinò i capelli all’indietro. Shahid era a disagio; gli sembrava di perdere se stesso. Che cosa stava vedendo Deedee?
Deedee sapeva quello che voleva, e Shahid decise di abbandonarsi; fu un sollievo. Per il momento non lo lasciò guardarsi allo specchio, ma gli piaceva la sensazione della sua nuova faccia femminile. Poteva essere timido, seducente, capriccioso, una star; sentì cadere un peso, dissolversi le responsabilità. Non toccava a lui prendere l’iniziativa. Si chiese che effetto faceva andare in giro vestiti da donna, ed essere guardati in modo diverso.
Per esaminare la sua opera, Deedee si muoveva avanti e indietro, ordinandogli di girare la testa, di spostare le braccia, di fare questo e quest’altro. La cosa più facile era non cercare di resistere, neanche quando lo fece camminare sulle punte come una modella. Senza provare imbarazzo Shahid oscillava fianchi e braccia, buttando la testa all’indietro, sporgendo le labbra, sollevando le gambe, e mostrandole il sedere e l’uccello. Deedee accompagnava la danza con sospiri e risatine.

Shahid si inchinò, prese un'arancia dal vassoio accanto al letto, e cominciò a sbucciarla.

"Adesso tocca a me?" chiese Deedee.

Shahid annuì.

Deedee aprì l'armadio, e prese alcune cose che potessero piacere a lui. Impassibile come l'assistente di un prestigiatore, tirò fuori un paio di calze e un cappello di paglia con una fascia di seta rossa. Si sedette sul letto per infilarsele. Poi aprì un preservativo, se lo infilò su un dito e lo lubrificò con una crema.

"D'ora in poi ti penserò sempre così, specialmente quando farai lezione," disse Shahid.

"Non avere inibizioni. Certe volte, quando torno a casa da scuola e voglio rilassarmi, faccio così, prima di mangiare. Guardo anche delle foto. O leggo."

"Che cosa?"

"*Crash*. Lo conosci? Anche *Storia di O* è ideale. Passano ore e ore a preparare la protagonista e a colorarle i capezzoli. Le fanno indossare scarpe di camoscio nero coi tacchi a spillo, guanti, una pelliccia, biancheria di seta. Quando diventa la loro schiava e la frustano, deve ripetere: 'Sarò tutto quello che volete che sia.' La sua vergogna suprema è quando la costringono a masturbarsi di fronte a loro. Penso di passare ai miei studenti un elenco di classici da leggere con una mano sola."

"E tu come fai a girare le pagine?"

"Spiritoso!"

Lo invitò a osservare mentre alzava una gamba e infilava il dito nell'ano fino a farlo scomparire.

"Guarda," disse.

Con le dita si aprì la fica. Shahid prese una candela e si avvicinò a guardare. Oltre all'eccitazione, la droga dava una specie di fissità al sorriso di Deedee, la patinava come la foto di una rivista; senza perdere l'anima, si stava trasformando in pornografia.

Rapito, Shahid trattenne il respiro mentre Deedee prendeva una bomboletta di deodorante e se ne infilava il tappo nella fica. Riaz aveva mai visto uno spettacolo del genere? Lo desiderava, in segreto? Forse Deedee gli avrebbe dato una dimostrazione, così si sarebbe reso conto che anche questa era una cosa umana.

La pelle intorno allo stomaco di Deedee si contrasse come una mano. Cadde in ginocchio e si masturbò con furia e concentrazione. Cominciò ad ansimare mentre le dita passavano dalla fica ai capezzoli, che avevano delle aureole color petalo di rosa. Shahid si inginocchiò anche lui e si sputò in una mano; faccia a faccia, si masturbarono assieme e caddero riversi quando vennero simultaneamente.

Deedee rimase sdraiata e si appisolò, come se avesse perso i sensi. Shahid si mise comodo e lasciò vagare i propri pensieri. Non poté non ricordare una cosa che Riaz aveva detto un paio di giorni prima. Hat aveva dichiarato che gli omosessuali dovevano essere decapitati, anche se prima bisognava offrirgli la possibilità di sposarsi. Riaz aveva commentato che Dio brucerà gli omosessuali tra le fiamme dell'inferno, arrostendone la carne in una fornace prima di ridargli una pelle nuova, in modo da continuare il supplizio per tutta l'eternità. "Se vi siete mai scottati su una stufa, sapete quello che intendo. Pensatelo moltiplicato per un milione di volte!"

L'odio di Riaz era così impassibile, così sicuro. Shahid avrebbe voluto parlarne a Deedee, ma temeva di farla arrabbiare. Eppure Riaz non era suo amico? Se solo Shahid fosse riuscito a capire da dove venivano tali idee.

Più tardi, nel dormiveglia, Shahid e Deedee si confessarono a mezza voce quanto si divertivano a guardarsi a lezione. Quando Deedee aveva scritto il biglietto per invitarlo a casa sua, era stato difficile metterlo sul banco in biblioteca. Si era anche pentita, ma poi l'aveva rimesso al suo posto ed era fuggita dal college immaginando che tutti si accorgessero della sua eccitazione. A casa si era sentita come una quindicenne, guardando dalla finestra e pensando: verrà o non verrà? Che cosa ho fatto, penserà che sono una pazza? Era la prima volta che faceva un'avance del genere, almeno a uno studente. Quando erano usciti era così nervosa, senza sapere il perché, che aveva dovuto andare su di giri. Alla fine, dopo che si erano salutati, aveva fatto tornare indietro il taxi, rifacendo la strada in entrambi i sensi, ma non era riuscita a ricordare dove fosse entrato Shahid.

Deedee si riaddormentò, accoccolata al suo fianco, col pollice in bocca.

Osservandola prima di chiudere gli occhi anche lui, Shahid si sentì un intruso, in questa intimità. Ma sapeva anche che era impossibile non innamorarsi della persona che avevi visto addormentata. La baciò e la lasciò dormire.

La mattina Deedee bussò alla porta del bagno mentre Shahid era in vasca, il caffè in equilibrio sui rubinetti e un panno sulla faccia. Dall'appartamento di sopra si sentiva un pezzo per violino di Bach.

Deedee si arrotolò le maniche e lo insaponò dappertutto – la faccia, dietro le orecchie, in mezzo alle gambe – rovesciandogli l'acqua con una brocca sopra la testa, e fermandosi solo per baciargli il collo, i polsi, le ascelle. Lo aiutò a uscire, prese gli asciugamani dal termosifone, lo avvolse e lo asciugò. Lo fece sedere sul bordo della vasca e gli fece mettere una T-shirt. Poi, inginocchiandosi, gli asciugò le gambe e gli prese in bocca il cazzo. Shahid non aveva mai sentito delle labbra che ti davano l'impressione di poterti risucchiare l'anima dalla punta dell'uccello.

Shahid si sentiva un po' a disagio nella parte di chi prende senza dare nulla. Deedee disse che non c'era problema, le piaceva solo soddisfarlo in quel modo, la pratica non le mancava. Adesso era soddisfatta, non voleva nulla. Quando avrebbe voluto qualcosa, gliel'avrebbe chiesto.

Si mise nuda davanti allo specchio, bagnò una spugna e si lavò. Shahid le porse i vestiti e l'aiutò a infilarseli.

"Ho guardato nel frigo, e non c'è niente. Che ne dici di uscire?" disse Deedee.

Per Shahid era un lusso; la mattina era sempre di corsa, e in genere lavorava.

La giornata era fredda ma serena, in accordo col loro umore. Deedee si mise gli occhiali da sole e Shahid la prese a braccetto. Il posto che scelsero era vicino. Le cameriere la conoscevano perché le piaceva fermarsi lì a leggere i giornali, e informarsi sulle discoteche e i locali dove andare. Era abbastanza caldo, e le *baguettes* e i *croissants* venivano cotti sul posto. Il profumo fece venir loro l'appetito.

Si misero in tasca i guanti e appesero soprabiti e sciarpe dietro il bancone. C'era solo qualche studente, qualche attore e qualche coppia di amanti. Deedee scelse un tavolino con la tovaglia a scacchi rossi che dava sulla strada. C'erano manifesti teatrali, Verdi in sottofondo, e le cameriere – tutte attrici – non mettevano fretta; portavano addirittura i giornali.

Deedee ordinò due caffè e studiarono il menu. I toast erano caldi, avvolti in un tovagliolo; il pane era buono, e le fette non erano troppo sottili. La marmellata era in vasetti, ed era ottima. Mangiarono in fretta, quasi senza parlarsi, anche se Shahid si accorse che Deedee lo guardava sia con tenerezza sia come se avesse in mente qualcosa. Deedee propose di ordinare qualcos'altro, magari uova strapazzate, o una cioccolata calda con la panna montata. Si chiesero se non fossero già troppo grassi, ciascuno negando che l'altro lo fosse, e indicando invece la propria pancia.

Erano intimiditi l'uno dall'altra più che la notte passata. Deedee aveva un lato del viso arrossato, e continuava a girare la testa dall'altra parte.

"Volevo farmi bella per te," disse. "Che scocciatura. Devo evitare tutti gli specchi che non conosco."

I giornali offrivano molti spunti di conversazione, e dopo aver deciso di ordinare *pain au chocolat* e cappuccino, si slacciarono entrambi la cintura dei pantaloni e si misero a fumare. La gente entrava e usciva, ma l'unico con la pelle scura era Shahid. Come capitava in quasi tutti i posti in cui andava con Deedee.

Deedee guardò fuori e disse che Londra continuava a piacerle. Avesse avuto la scelta – cosa che al momento non aveva – era convinta che non avrebbe potuto vivere da nessun'altra parte: le strade non erano strette come quelle di Parigi o Roma, né pericolose come quelle di New York; di solito riuscivi a vedere il cielo.

Era andata in giro per l'Europa con un sacco a pelo, e non le era passata la voglia. Shahid disse che avrebbe voluto andare a Barcellona e vedere il Barrio Chino di Jean Genet; tramite sua madre, avrebbe potuto trovare dei biglietti a buon mercato. Avrebbero messo in valigia solo T-shirt, jeans e un mucchio di libri; avrebbero cercato il caldo e l'indolenza, e avrebbero vissuto alla giornata. A parte Londra, l'Inghilterra poteva essere così provinciale che ti veniva voglia di spalancare le braccia e di scoperchiare tutto, di lasciarti alle spalle la tetraggine, la stanchezza, la decadenza, le liti politiche, l'immobilismo, la generale mancanza di ottimismo.

L'idea di partire sollevò loro il morale. Rimasero nel caffè a bere cognac finché le cameriere non prepararono i tavoli per il pranzo.

Una volta fuori, Shahid prese Deedee a braccetto, ma non bastava: la baciò finché un passante fece loro un fischio, e quasi persero l'equilibrio. Deedee aveva la giornata libera, e fosse stato per lei non sarebbe più tornata in quel college che le toglieva ogni forza. Mangiarono e passeggiarono senza una meta, pensando a cos'altro avrebbe potuto divertirli, come se Londra esistesse solo per procurare loro piacere.

Si provarono vestiti e gioielli; Deedee avrebbe voluto regalargli un paio di stivali. Ma Shahid rifiutò, anche se gli sarebbe piaciuto, e Deedee si arrese. Deedee gli mostrò poi le case che le piacevano nella sua zona, ed esaminarono la vecchia insegna di un macellaio. In ricordo dei tempi passati, Deedee comprò un *bootleg* di Bob Dylan da un ragazzo che ne aveva una scatola fuori da una stazione della metro. Alla fine lo portò in un pub a bere lemon-vodka. Rimasero in piedi davanti al bancone e ingollarono tre bicchierini in un sorso solo, tirando un respiro e restando ogni volta senza fiato.

L'unica cosa da fare era tornare nell'appartamento, tirare le tende e spogliarsi a vicenda. Shahid voleva scoparla un'altra volta, e spingersi oltre. Era dopo la seconda volta, svanita la paura, che le cose miglioravano.

Mentre Deedee sonnecchiava, Shahid si sedette sul letto a bere il vino inacidito del giorno prima e a leggere un racconto di Márquez. Pensò a Chili e prese un appunto sul taccuino. Dopo un po', senza sapere che ora fosse, baciò Deedee, si mise la sua T-shirt e cercò di infilarsi i pantaloni senza svegliarla.

Deedee aprì gli occhi e gli chiese perché se ne andasse.

Non voleva lasciarla. Non ce n'era bisogno, era libero e lo sapeva. Ma quando Deedee gli chiese se aveva voglia di vedere il nuovo film di Woody Allen, Shahid rispose che doveva andare a casa a studiare. Allora avrebbe potuto studiare con lei, disse Deedee. No, rispose Shahid, non quella sera, aveva delle cose da fare.

Deedee gli rivolse un'occhiata inquisitrice. Ma a Shahid non piaceva rimanere intrappolato nei suoi programmi, come se fosse stato ingaggiato per un lavoro già organizzato. Deedee non volle discutere; adesso che le cose andavano bene, era contenta di restare da sola; il resto della serata sarebbe passato magnificamente.

Si vestì e lo accompagnò alla metro. Rimase sulla banchina per salutarlo, osservandolo finché il vagone scomparve nel tunnel.

11

Il viaggio di ritorno, questa volta, comportava un'ansia diversa. Una notte come quella passata voleva continuare a sognarla, e crogiolarsi nel ricordo.

Seduto sui sedili stinti della Northern Line, nei tunnel tra una stazione e l'altra, sentendo in bocca il sapore della fica, del culo e del sudore di lei, Shahid si accorse di essere immerso in un'atmosfera carnale. Un orgasmo impareggiabile, come una bella serata, può durare tutto il giorno: aveva ragione Deedee.

Certo, c'entrava anche una fantasia masturbatoria che gli aveva raccontato Deedee. Andava in giro per le strade con tacchi a spillo, trucco pesante e un vestito trasparente, tette e fica in mostra, senza essere toccata, ma solo guardata. E mentre camminava, osservava gli uomini che osservavano lei, e se la sfregava mentre loro se lo menavano.

Ma era soprattutto perché si accorgeva che oggi, benché i segreti del desiderio fossero velati, la tensione sessuale era ovunque. Era convinto fosse tangibile e onnipresente. Come l'aria calda che riempiva i tunnel della metropolitana, sotto la superficie di una giornata banale e ripetitiva come quella circolavano seduzioni, passioni e curiosità inconfessabili. La gente si vestiva, si atteggiava e si muoveva per esibirsi e per attrarre. Ciascuno voleva catturare il prossimo, fantasticando e sognando di desiderare ed essere adorati.

Gonne, scarpe, pettinature, sguardi, gesti: l'allettamento e il fascino erano dappertutto, proprio mentre il mondo andava a lavorare. E questa seduzione non era un preliminare al sesso vero, era sesso in sé. Non c'era innocenza lì attorno. La gente agognava passioni romantiche, desideri, sensazioni. Volevano essere baciati, accarezzati, succhiati, abbracciati e penetrati più di quanto potessero dire. La banchina di Baker Street era come l'Arcadia. Quando mai avrebbe pensato che lo straordinario era a portata di mano, sulla Jubilee Line? Oggi era in grado di vedere e sentire il richiamo. Deedee aveva spalancato la porta delle sue percezioni.

Camminando, Shahid si ricordò di una cosa che gli aveva raccontato suo fratello. Una sua ragazza lo aveva accusato di essere il peggior puttaniere che avesse mai conosciuto. Se Chili incontrava qualche bellezza per strada, soprattutto quando sfoggiava uno dei suoi vestiti di Comme des Garçons, in pratica pretendeva di leccargliela seduta stante. Quasi non la guardava neanche in faccia. Chili non aveva avuto problemi ad ammetterlo. I suoi impulsi non erano selettivi perché sapeva trovare qualcosa di unico e inestimabile in qualsiasi donna. "È tutto oro quello che si trova sotto le lenzuola."

Chili, inoltre, era sicuro che tutte trovassero in lui qualcosa di eccitante. La ragazza gli obiettò che stava solo cercando giustificazioni per un comportamento da vampiro, ma Chili disse che non era questo il punto. Non voleva rinunciare all'idea che, alle volte, ci potesse essere qualcosa di sacro nell'impersonalità. "Non è un'idea tipicamente cristiana?" disse.

"Dio santo, Chili," ribatté la ragazza, "questa volta l'hai sparata grossa."

"Naa," disse Chili, "lo sai bene che posso fottere come un padreterno."

Uscito dalla stazione, Shahid passeggiò per una decina di minuti, dirigendosi deciso verso il pensionato, e poi tornando indietro. Magari fosse rimasto con Deedee a mangiare *croissants* burrosi e a bere cappuccini in quel locale! Perché aveva dovuto lasciarla? Che cosa lo premeva con tanta urgenza?

Be', qualcosa d'importante c'era. Non poteva abbandonare i suoi amici; loro avevano una causa per cui lottare; erano la sua gente, e aveva preso un impegno con loro.

Scese di corsa nella metro. Prese un treno per l'East End e tornò di gran fretta nel caseggiato, passando davanti alle automobili bruciate e arrugginite.

"Dove sei stato?" Gli occhi di Chad si chiudevano dalla stanchezza. "Sei in super ritardo."

Shahid si rendeva conto che in quell'appartamento deprimente i propri occhi brillavano come diamanti. L'ultima cosa che voleva era che Chad si accorgesse della gioia che trasudava. Adottò la sua espressione più afflitta.

"Adesso ti puoi riposare. Ho avuto delle consegne da fare."

"Consegne? Di che si tratta?"

"Una *baguette*. Pane francese."

"Il cibo indiano non è abbastanza buono per te?"

Chad portava i soliti vestiti senza pretese, con un berretto bianco. Ma oggi aveva appeso al collo un fischietto d'argento attaccato a una corda verde fluorescente. Shahid si ricordò del Trevor di cui gli aveva parlato Deedee, il Trevor che ora Chad rinnegava. Era quella parte di Chad che Shahid voleva raggiungere. Aveva deciso di chiedere a Chad se sapeva chi era Trevor.

"Ascolta, Chad..."

"Sì?"

"Volevo chiederti, fratello..."

Ma Chad si girò dall'altra parte e provò un paio di fendenti con la sua arma. Shahid si sedette e canticchiò tra sé *Sexual Healing*, l'inno di Chili. A Sevenoaks si sentiva tutto il giorno Marvin Gaye che sussurrava: "Svegliati, alzati, stanotte facciamo l'amore" dal retro dell'agenzia di viaggi o dallo stereo della macchina di Chili, per le strade di campagna.

"C'è qualcosa che non va? Non è successo niente, vero?" chiese Shahid.

"No. Fanno i vigliacchi, quando arriva il momento. Che cos'hai tu, piuttosto?"

"Mi vuoi ascoltare?"

Chad si accovacciò in mezzo al suo arsenale, il più lontano possibile da Nina e Sadiq. I due si erano offerti volontari per il turno più lungo. Essendo proibiti baci e toccamenti, stavano facendo la lotta: Sadiq le aveva dato un pizzicotto, e Nina stava per restituirglielo, guardando Chad e Shahid con diffidenza, come se fossero degli insegnanti. A Chad non piaceva che ci fossero di mezzo anche le sorelle, per quanto fossero loro a insistere, per dedizione alla causa; poi erano loro, su consiglio di Riaz, che dovevano fare le scuse ai genitori.

"Ti ricordi, fratello Chad, la prima volta che ci siamo incontrati, nel ristorante di Hat, e ti ho raccontato tutta la merda che ho dovuto mandare giù per il fatto di essere pakistano?"
"E allora?"
"Immagino che anche tu te la sia vista brutta."
"Già," disse con voce strascicata. Era evidente che c'era qualcosa che lo preoccupava, anche se non le parole di Shahid.
"Volevo dirti, Trev..."
Chad lo interruppe. "Sei stato con tuo fratello?"
"Chili?"
"Quello lì. L'hai visto?"
Shahid stava per dire di no, ma l'acredine della voce di Chad lo trattenne. In ogni caso, perché non avrebbe dovuto vedere suo fratello? Ma qualunque cosa fosse successa, non voleva litigare con Chad e rovinarsi l'umore, quando in volto sentiva ancora le tracce dei baci di Deedee, e il suo profumo sulle mani.
"Perché, fratello?"
Chad prese un maglione di lana e lo buttò a Shahid. "Da parte di Chili. Per tenerti caldo il culetto, ha detto."
"Come faceva a sapere dov'ero? Dove l'ha preso il maglione?"
"Come? Indovina un po'. Stava nella tua stanza, e fratello Riaz ha avuto il piacere di incontrarlo in corridoio. E sai cos'è successo? C'è stato un incidente."
Shahid si sentì la gola secca. Nina e Sadiq smisero di giocare.
"Che incidente?"
"Chili ha minacciato fratello Riaz."
"Come?"
"Secondo lui, il fratello portava una delle sue camicie."
"Oh no."
"Riaz non sapeva di cosa stava parlando."
"Che è successo?"
"Riaz l'ha ignorato. Ma prima, rispondi a questa domanda: 'Hai fatto entrare tuo fratello nella tua stanza?'"
"No! Le porte non lo fermano, quel pazzo. Va e viene come il vento."
"Va bene, tanto non è lui che mi preoccupa adesso. Sei tu."
"Io?"
Chad si avvicinò. "Stanotte eri da qualche parte. Dov'è che hai dormito?"

Chad dava per scontato che Shahid fosse una loro proprietà; volevano possederlo interamente, e niente poteva sfuggire loro. Ma Chad aveva commesso l'errore di arrabbiarsi con lui.

"Che cosa sono queste domande? Non ti fidi di me? È questo che vuoi dire?" Shahid guardò Chad con fermezza. "Dimmi tu, piuttosto, dove si trova adesso mio fratello."

Chad borbottò: "Stai nascondendo qualcosa, Shahid?"

"Per esempio?"

"Che ne so."

"Per favore, Chad, non essere un fratello tanto indisponente. Avevo delle questioni da sistemare in famiglia. Non ti ho detto che i miei hanno un appartamento a Knightsbridge?" A queste parole Chad aggrottò le sopracciglia. "Ma adesso sono qui! Non mi vedi?"

"Fin troppo bene."

Shahid aveva bisogno di sapere perché Chili fosse passato da lui; in genere i suoi mocassini non onoravano un linoleum così dozzinale. Ma Chad non era la persona con cui discutere.

Shahid continuava a sentirsi addosso gli occhi dell'ex Trevor, e si augurò che Deedee gli avesse tolto tutto l'ombretto e il rossetto.

La voce di Chad si alzò. "Come mi hai chiamato prima? 'Pakistano'?"

"Quello che cercavo di dire..."

"Basta pakistano. Sono un musulmano. Non dobbiamo chiedere scusa per la nostra esistenza. Siamo persone con una cosa importante da dire: il piacere e l'egoismo non sono tutto."

"Riaz dice che sono un pozzo senza fondo," mormorò Shahid

"Non è una definizione fantastica?" Chad cominciava a sentirsi ispirato. Shahid capì che, per un po', l'arrabbiatura era passata. "Un piacere può portare soltanto a un altro piacere, sempre se non ci sono ostacoli. E maggiore è il piacere fisico, minore il rispetto per il prossimo e per se stessi. Fino al punto che diventiamo delle bestie. Come quelli che si dipingono la faccia."

"Cosa?"

"Si mettono il dopobarba, ma dentro sono sporchi, marci Ma noi siamo diventati diversi."

"Come possiamo esserlo," Shahid notò che Nina e Sadiq si erano allontanati uno dall'altra, "se viviamo in tutta questa... decadenza?"

"Domanda eccellente," disse Chad, gratificato.

Shahid si mise ad ascoltare attentamente: una terribile angoscia stava prendendo forma nella sua mente.

"Noi, invece, siamo andati al di là dei limiti delle sensazioni, verso una concezione della vita basata sullo spirito. Per prima cosa, rispettiamo il prossimo, e non pensiamo a come usarlo. Lavoriamo per gli altri, come stiamo facendo proprio adesso," disse Chad.

"Giusto."

"Se osserviamo questi principi, potranno cercare di corromperci in tutti i modi, ma noi resisteremo."

"Capisco."

"Sono felice, fratello, sono tanto felice di vedere la tua debolezza!"

"Sul serio?"

"Non c'è niente da ridere, ma Allah è al nostro fianco. Che cosa ci può essere di sbagliato con un simile ideale di purezza?"

"Niente."

"Giusto. Niente. È più intelligente l'uomo che vince se stesso o quello che è schiavo di ogni suo desiderio?"

"Il primo, direi."

"Giusto! Un giorno ci sarà una grande trasformazione. Non vedo l'ora!"

Chad andava avanti e indietro come avrebbe fatto Riaz, compiacendosi di quanto diceva, e declamando come se si rivolgesse alla folla di una moschea.

L'assenza di Riaz cominciava a pesare. Senza la guida spirituale, ci si disperdeva, si rischiava di diventare puerili, di dimenticare il motivo della missione. E Chad sembrava sorridere all'idea di esercitare una certa autorità sul gruppo. Shahid si chiese se non si immaginasse già al posto di Riaz. In ogni caso, Shahid capì quello che voleva dire. Aveva sbagliato a schernire o trascurare le sue idee. Chad poteva essere prepotente, ma parlava sulla base di un'esperienza straziante.

Shahid se ne stava seduto tranquillo, ma l'atmosfera era tesa. La padrona di casa all'inizio era stata contenta della loro compagnia, ma adesso aveva cominciato a guardarli storto e a ritirarsi in camera da letto con i bambini. Doveva dipendere anche dall'insistenza di Chad a parlare con lei in urdu, adesso che aveva ripreso a studiarlo. La donna lo guardava come se parlasse in gallese, e la mimica frenetica che accompagnava i suoi tentativi l'avevano innervosita.

E così, in quella stanza sporca e troppo illuminata, dove tutti erano stanchi e avevano preoccupazioni così prosaiche – a cominciare dall'attacco razzista –, Shahid tornò a pensare a Deedee. Pensare a lei fu come ascoltare la sua musica preferita; Deedee era una canzone che gli piaceva suonare. Voleva ricordare come gli faceva girare la testa per baciargli l'orecchio, come se in quel momento la attraesse solo quella parte di lui. Pensò anche a come gli baciava la mano per poi premergliela contro occhi, guance e bocca, una specie di timbro amoroso.

Ma invece di immergersi nella calda memoria dell'amore che avevano fatto e dei piaceri cui l'aveva iniziato, e che in futuro si sarebbero ripetuti e accresciuti, fu invaso da un'amara disillusione. Nelle ultime ore aveva saturato i suoi sensi. Quante illusioni si era fatto! Che fiumi di spazzatura ispirata dalla droga aveva lasciato che gli spazzassero il cervello! Che banali fantasie aveva scambiato per visioni! Addirittura alla fermata di Baker Street!

Per fortuna, i suoi pensieri vennero interrotti dall'arrivo di Tariq. Shahid ne approfittò per dire a Chad che andava in moschea. Dopo avrebbe fatto la guardia per i corridoi, tenendo d'occhio la strada.

Chad non poté obiettare nulla. "Cerca solo di stare attento," l'avvertì. "Quelli sono capaci di prenderci a uno a uno."

Sfuriata a parte, Chad doveva essere stato colpito da Shahid, poiché gli disse di avere qualcosa per lui. Mentre Shahid raccoglieva i suoi taccuini e le sue penne preferite, Chad andò a prendere una borsa di plastica e gliela porse.

"Per te."

"Cos'è?"

"Guarda."

Shahid estrasse un *salwar kamiz* di cotone bianco e lo spiegò. "Bello."

"Eh sì."

Shahid lo appoggiò alla guancia. "È per me?"

"Ma certo. Io ho il mio. Non te lo metti?"

"Adesso?"
"Forza."
Chad osservò Shahid indossare, per la prima volta, il "costume nazionale". Lo squadrò prima di trarre un copricapo da dietro la schiena. Glielo mise in testa, considerò l'effetto, e l'abbracciò.
"Fratello, stai benissimo!"
"Grazie, Chad."
"Lo sapevo che ti sarebbe stato bene. Aspetta un po' che ti veda Riaz. E Tahira. Saranno così orgogliosi. Come ti senti?"
"Un po' strano."
"Strano?"
"Sì, ma bene."
"Fantastico."
Shahid si infilò il maglione, si rimise il giubbotto e uscì. Chad stette sulla soglia, salutandolo quando girò l'angolo. Sentendosi ancora più vistoso tra le ampie pieghe del *salwar*, Shahid fece tre fermate con la metropolitana.
Pregò con più convinzione che poté, sentendo in testa le esortazioni e le istruzioni di Hat; chiese a Dio di concedergli di realizzarsi, di capire sé e gli altri, e di essere tollerante. Sentendosi libero dalla passione e in qualche modo purificato, si sedette col suo taccuino.
Disposti su tre piani, i locali della moschea erano grandi come campi da tennis. Vi si raccoglievano uomini di tante nazionalità che sarebbe stato difficile dire in quale paese ci si trovasse: tunisini, indiani, algerini, scozzesi, francesi, tutti si fermavano a chiacchierare nell'atrio, dove si toglievano le scarpe prima di andare a lavarsi.
Le barriere di classe e di razza erano sospese. C'erano uomini d'affari in vestiti costosi, impiegati delle poste e della metropolitana nella loro uniforme, e vecchi ricurvi in *salwar kamiz* che si gingillavano con i rosari. Ragazzi con la coda di cavallo che lavoravano coi computer scambiavano biglietti da visita con giovani in giacca e cravatta. In un angolo c'erano una quarantina di etiopi con la tunica, arringati da uno di loro.
Tra gli uomini che pregavano sul grande tappeto correvano ragazzini coi vestiti della festa e bambine in abito bianco, con fiocchi tra i capelli. Alcuni pellegrini dormivano su un materasso contro il muro, circondati da sacchetti di plastica con le loro

cose, pentole e bottiglie d'acqua. Altri sedevano a gambe incrociate contro i pilastri, parlando per ore e ore. Altri ancora dormivano supini in mezzo alla stanza, un braccio sugli occhi. Si sentivano dozzine di lingue. Perfetti estranei si rivolgevano la parola. Non si avvertivano tensioni, e tutto invitava alla pace e alla meditazione.

Sì, rifletté Shahid, si era immerso in in fiume di desiderio e di eccitazione. E certo, presto, si sarebbe gonfiato, senza essere sazio; tali sensazioni non bastavano mai. Cercandone altre, si sarebbe gettato nel "pozzo senza fondo". Riaz l'aveva capito. Shahid doveva imparare da lui e da Chad.

Era stato tentato. Si era tuffato a capofitto. Ma venire lì era stata una buona idea. Era tornato in sé prima che fosse troppo tardi. Adesso si detestava, certo, ma doveva anche essere fiero di avere riacquistato la sua purezza. Non si era allontanato dal vortice, non si era riscattato tornando dai fratelli? Sì e no. Si sentiva ancora a disagio; non riusciva a rilassarsi. Anche in questi freddi saloni dove si sentiva più tranquillo che in qualunque altro posto, la sua mente ruminava, cercava giustificazioni, muoveva critiche. Sapeva una sola cosa. Avrebbe lasciato Deedee prima di dissipare altre emozioni. Gliel'avrebbe detto domani. Così si sarebbe potuto concentrare sul lavoro con Riaz.

Una volta arrivato a questa decisione, si alzò, prese le scarpe dalla rastrelliera e tornò in strada, sbattendo le palpebre. Attraversò un mercato chiassoso dove erano esposte valigie, orologi, cassette; gli ambulanti vociavano per vendere aggeggi per infilare il filo negli aghi, trabiccoli per spremere le arance e affari di plastica per increspare le tende. Il passaggio era stridente; era difficile conciliare quello che accadeva nella moschea col brulicare della città.

I suoi amici raccontavano parabole sull'origine di ogni cosa, su come Dio voleva che vivessero, su quello che sarebbe loro capitato dopo la morte, e sul perché venivano perseguitati in questa vita. Erano storie antiche e preziose se non che, oggi, rischiavano facilmente di essere ridicolizzate da racconti più dimostrabili, che forse rendevano ancora più convinti coloro che si attenevano a quelli del passato.

Il problema era che, quando stava con i suoi amici, Shahid sentiva di dovere obbedire alle loro storie. Ma quando camminava per strada, come qualcuno appena uscito da un cinema, trovava la realtà molto più sfumata e irriducibile. Sapeva anche che tali storie erano state inventate dall'uomo; e non potevano essere vere o false, essendo prove della più splendida e inaffidabile delle facoltà umane, l'immaginazione, quella che Blake chiamava "il corpo divino presente in ogni uomo". Eppure i suoi amici non avrebbero ammesso che l'immaginazione avesse a che fare anche solo lontanamente con l'insieme delle loro credenze, se non volevano contaminare tutto e rendere le loro convinzioni umane, estetiche e fallibili.

D'altra parte Shahid vedeva dove aveva sbagliato Brownlow. L'essenziale non stava nella verità o nella falsità della fede, nella sua dimostrabilità, ma nel fatto di unirsi agli altri. Durante quei giorni di guardia aveva notato quanto fossero divise le razze. I ragazzini neri se ne stavano per conto loro, i pakistani frequentavano solo i loro simili, gli indiani si riconoscevano lontano un chilometro, e lo stesso i bianchi. Anche se non c'era ostilità esplicita tra i vari gruppi (e comunque ce n'era molta sotterranea: sua madre, per esempio, faceva spesso commenti sulla scarsa voglia di lavorare dei neri, mentre venerava i borghesi bianchi), non c'era mescolanza. Sarebbero cambiate le cose? Perché avrebbero dovuto? Una minoranza ci stava provando, ma il pianeta non si stava dividendo in tribù religiose e politiche? Le divisioni venivano date per scontate, ognuno coi suoi. Ma dove avrebbero portato, se non a nuove forme di guerra civile?

Più concretamente, se ognuno si identificava tanto gelosamente col proprio gruppo, a quale apparteneva Shahid?

Tornato nel caseggiato, si sentì mancare il cuore, per quanto avesse i sensi allerta. Alla ricerca di possibili aggressori, estrasse il coltello che gli aveva dato Chad, che non avrebbe lasciato uscire nessuno disarmato. In giro c'era poca gente. Si mise di guardia su un muretto, *Sign o' the Times* in cuffia, solo, coi suoi taccuini neri che stava riempiendo velocemente. Partendo dalle ultime pagine, cominciò a scrivere un racconto erotico per Deedee, intitolato *Il tappeto di preghiera di carne*, che le avrebbe mandato come regalo di addio.

Ma non erano solo sensazioni fisiche quelle che si erano scambiati lui e Deedee. L'altra notte, quando le aveva detto di avere prestato a Chili *Cent'anni di solitudine*, Deedee gli aveva raccontato di avere appena finito *L'educazione sentimentale*. C'erano dei punti bellissimi, diceva, che sembravano pronti per diventare un film. Ma molti passaggi aveva dovuto costringersi a non saltarli, mentre andava in palestra con la metro. A Natale aveva iniziato anche *La piccola Dorritt*. La lettura seria richiedeva impegno. Ma in quanti erano convinti che servisse a qualcosa? E quanti conoscevano un libro come conoscevano *Io e Annie* di Woody Allen, *Blonde on Blonde* di Bob Dylan o i dischi di Prince? La letteratura era in grado di esprimere una generazione con uguale efficacia? Alcuni studenti affrontavano libri difficili, ma erano delle eccezioni; la maggior parte non li toccava neanche, e non per questo erano degli idioti.

La musica che amavano i suoi studenti, il modo in cui ballavano, i loro vestiti, il loro linguaggio, appartenevano solo a loro, erano un modo di vivere. Deedee cercava di penetrare in quel mondo e al tempo stesso di allargarlo, di porre domande. Non era piacevole dire alla gente che un po' più di cultura avrebbe rappresentato un vantaggio, specialmente se non ne vedevano l'utilità. E in ogni caso si finiva sempre col ricordargli che erano inferiori. Ma agli occhi di molti la cultura dell'élite bianca era fasulla e ipocrita. Certi si spingevano ad accusarla di essere una scusa per la pigrizia. Altri ancora, semplicemente, non volevano avere a che fare con una cultura che li metteva al gradino più basso.

Quanto ai gusti letterari, Deedee nutriva una nuova passione. Aveva confessato di leggere di nascosto i romanzi a base di "soldi e scopate": come altra gente mangiava cioccolata a letto. Hotel, ristoranti, sesso e vestiti: nulla di così avvilente, tuttavia, quanto i manuali su come essere felici, che si scolava per lo stesso gusto dell'orrido. Molte donne li leggevano, cercando di capire perché non erano soddisfatte o non avevano realizzato le loro aspirazioni. In definitiva, diceva Deedee, era più interessante capire quali bisogni soddisfavano libri del genere, piuttosto che importunare la gente con la letteratura, che solo i vecchi barbogi credevano fosse al centro dell'universo, e che la gente normale leggeva, nel migliore dei casi, solo quando era in vacanza.

Shahid, testardamente, le aveva detto di non poter essere d'accordo. Aveva anche provato a leggere quella robaccia, ma la letteratura era un'altra cosa, e la differenza si vedeva subito, bastava prendere l'inizio di *Tom Sawyer*. Era per questo che si chiamava letteratura. Quanto a lui, voleva affrontare proprio i mattoni più temibili. Turgenev, Proust, Barthes, Kundera: che cos'avevano da dire? Perché erano tanto venerati?

Un'altra cosa. Non sempre gradiva che a lezione Deedee suonasse sempre Madonna o George Clinton, o gli offrisse una conferenza sulla storia del funk come se gli "appartenesse" di più che *Padri e figli*. Qualunque tipo di arte poteva essere "sua", purché avesse valore. Non si voleva privare del meglio.

Avevano discusso con passione ma senza rancore, modificando entrambi i rispettivi punti di vista. Deedee lo spingeva a riflettere. E adesso stava per lasciarla.

Si mise a saltellare per riscaldarsi. Gli passò accanto un vecchio, incrociò un ragazzino nero, e scansò un ragazzo dall'aria bellicosa che veniva dritto contro di lui. Per il resto non c'era in giro nessun altro.

Poi, non molto lontano, sentì delle grida. Erano tre o quattro uomini che cantavano. Ma cosa? Frugò nella memoria finché riconobbe *Rule Britannia*, l'inno che avevano adottato gli skinhead. Per fortuna si interruppe. Ma ricominciò qualche minuto dopo: prima in lontananza, poi più vicino. Shahid era convinto che lo stessero cercando. Continuò a camminare, voltandosi continuamente. Adesso gli avrebbero spaccato la testa a calci.

La gente che abitava lì, quando non gli faceva paura, non riusciva a capirla. Avrebbe voluto portare lì Deedee e parlargliene, dirle che non gli piaceva andare in giro in quel posto sentendosi come un inglese in India.

Sulle prime pagine del taccuino aveva preso appunti sugli abitanti del quartiere che, benché fossero vicini da anni, si derubavano regolarmente. Una donna con cui si era messo a chiacchierare – lo aveva chiamato il suo "bel moretto", e gli aveva messo le mani nei capelli con la scusa di non sapere resistere – gli aveva raccontato che una volta era andata a iscriversi alla lista di collocamento, e quando era tornata aveva trovato il suo appartamento vuoto: tappeti, termosifoni, lampadine, letti, giocattoli, via tutto. Quando si usciva, la cosa migliore era ammucchiare tutto in una stanza con la porta blindata. Oppure comprarsi un rottweiler, tranne che però rischiava di morire di fame, visto che non c'erano i soldi per la carne, e che magari si mangiava qualche bambino.

I ragazzi intraprendenti, quelli che non intendevano restare delle nullità, magari gli stessi che stanotte gli avrebbero dato la caccia, rovistavano tra i rifiuti, rubavano le macchine, spacciavano erba e coca. Alcuni erano specialisti del furto con scasso. Andavano in giro armati di coltelli, stupravano in gruppo, sapevano di dover essere spietati. Non si raccontava di ragazzi come loro che andavano in giro in BMW, abitavano sul Tamigi e avevano tutte le fighe che volevano? Solo che i soldi non erano lì a farsi raccogliere. Tutto quello che ottenevano erano la dipendenza dalla droga, cicatrici in faccia e cinque anni di galera, minimo.

A volte Shahid scopriva di essere d'accordo con Riaz. Che vita faceva questa gente? Non moriva di fame, d'accordo. Non zappavano la terra. Ma dove vivevano non c'erano né Dio né ideali politici né alimenti spirituali. Quale governo, quale partito si preoccupava di gente come loro? Gli unici lavori disponibili erano i più degradanti. La donna aveva detto a Shahid che avrebbero potuto migliorare la loro situazione solo se avessero attirato l'attenzione.

"Come?"

"Bruciando questo cazzo di posto."

Attorno a Shahid c'era gente i cui occhi ardevano di rimproveri e di rancore. Forse erano della stessa razza degli aguzzini dei campi di concentramento. Non avevano orgoglio o vergogna? Come potevano sopportare la propria ignoranza e vivere senza cultura, riducendosi a vedere *soap operas* per tre quarti della giornata? Erano inermi e senza speranza. A Shahid venne in mente che il gruppo di Riaz avrebbe dovuto fare qualcosa per la gente del quartiere, ascoltarli, fornire loro informazioni, non respingerli. Si ripromise di parlarne a Riaz.

Riaz si fece vivo solo la sera successiva. Shahid era stato di guardia tutta la notte ed era restato a dormire. Il freddo, la paura e gli strani canti l'avevano stremato. Mentre Sadiq e Hat rimasero alzati alla finestra della cucina, nel caso si sentisse *Rule Britannia*, Shahid si mise a sonnecchiare nel sacco a pelo sul pavimento; ma alla fine andò in cucina a leggere. Moriva dalla voglia di vedere Deedee, come se l'avesse già lasciata. Era convinto che l'avrebbe dimenticata in un paio di giorni, e che era meglio troncare la relazione prima di rimanere troppo coinvolti.

Riaz non volle neanche sentire degli inni razzisti minacciosi; filò in cucina con Chad, salutando a malapena Shahid e gli altri. Shahid li seguì e si fermò vicino alla porta chiusa. Riaz stava spiegando qualcosa con un tono di voce basso ma energico. Poi Chad batté il pugno sul tavolo ed esclamò: "Dio ci ha parlato. Ha detto: 'Sì, è qui!' Lui vede quello che accade e punirà i malfattori!"

Qualche minuto più tardi, Shahid andò sul balcone per vedere Hat e Riaz che correvano alla fermata dell'autobus. A Hat era toccato l'incarico di organizzare le pattuglie di guardia, e sarebbe tornato con viveri e volontari riposati. Ma anche lui, nelle ultime ore, aveva un'aria preoccupata, come se suo padre potesse cominciare a sospettare che invece di studiare i manuali di ragioneria passava il tempo con Riaz.

Qualcuno doveva averli spiati. Non molto dopo che Riaz se n'era andato, e circa un'ora prima della fine del turno di Shahid, accadde qualcosa.

Chad era in cucina. Sadiq se n'era andato. L'altro ragazzo non si era ancora fatto vedere. Shahid e Tahira stavano studiando. Tahira offrì a Shahid un sacchetto di *gulab jamans* appiccicosi, di cui sapeva era ghiotto. "Viziamoci un po'," disse ridendo. Mentre erano di guardia assieme, avevano stabilito che i razzisti si erano accorti della loro presenza, e o non volevano dare battaglia, o stavano aspettando il momento opportuno. A Sadiq avevano lanciato una bottiglia da un'automobile, ma vivendo nell'East End si era abituato a schivare i vetri rotti.

D'un tratto si sentì un rumore venire dalla cassetta delle lettere, seguito dal tonfo di un mattone scagliato contro la finestra sbarrata vicino alla porta. Chad balzò in piedi afferrando il machete. Shahid prese un trinciante. Per fasi coraggio, si strinsero per un attimo la mano libera.

Chad aprì la porta. Tahira si mise il cappotto.

"Rimani qui," la ammonì Chad, sporgendo la testa.

Non si vedeva nulla. Chad e Shahid uscirono con cautela. Tahira li seguì. Alcune lampade del corridoio erano state rotte; l'aria era così fredda che era palpabile come una garza.

"Meglio chiamare rinforzi," bisbigliò Shahid a Tahira.

I due ragazzi guardarono in entrambe le direzioni. Shahid scorse una donna abbastanza giovane che stava in fondo al corridoio con un oggetto in mano. Assieme c'erano due ragazzini, nessuno dei quali poteva avere più di otto anni.

"Ehi!" la chiamò.

A queste parole la donna, che portava delle ciabatte, gettò un pezzo di mattone contro di loro, e scappò. Chad e Shahid si buttarono all'inseguimento. La più piccola – era una bambina – scivolò in cima alle scale, e Chad la prese per il colletto. La madre, con un impermeabile sporco sulle spalle sgraziate, si fermò e li guardò con aria di sfida, tenendo stretto il bambino.

"Chad!" gridò Shahid. "No!"

Chad stava agitando il coltello sopra la testa della bambina. Aveva urgente bisogno di darsi una calmata.

La squadra di Riaz non vedeva l'ora di una guerra santa purificatrice, ma questa non era la situazione che avevano previsto. Intorno si accesero delle luci. Si aprì una porta, da cui spuntò una faccia tatuata. Dei cani si misero ad abbaiare. Senza dubbio stava arrivando la polizia.

"Non sei capace di lasciare in pace questa gente? Che male ti hanno fatto? Sono mai venuti a buttare sassi contro casa tua? Ti hanno costretto loro a vivere in questa topaia?" gridò Shahid, sperando che ciò potesse bastare a Chad.

La bambina si liberò dalla presa di Chad, corse dalla madre e si mise a urlare contro di loro. La donna, per nulla intimorita, sputò verso Chad e Shahid, ma colpì in testa proprio sua figlia.

"Pakistani bastardi!" gridò. Il suo corpo era diventato un concentrato d'odio, che rigurgitava ingiurie da un orifizio livido. "Ci avete rubato il lavoro! Ci avete preso le case! Vi siete presi tutto! Ridatecelo e tornatevene al vostro paese!"

La donna e i bambini scapparono via.

"Rimani qua," disse Chad a Shahid. Entrambi stavano tremando. "Può darsi che ce ne siano degli altri. Ma non preoccuparti. Hat, Sadiq e Tariq stanno arrivando coi rinforzi."

Shahid rimase solo a passeggiare per il corridoio, sapendo che la donna sarebbe tornata con bruti dalla faccia di topo armati di mazze. Avrebbe dato qualsiasi cosa per andarsene, ma doveva mostrarsi degno di suo padre che, come tutti quelli della sua famiglia, non era mai stato un codardo. Non che Chili potesse essere definito un difensore ortodosso della sua gente. Una volta una delle sue ragazze l'aveva convinto a partecipare a una manifestazione antirazzista e quando quelli del Fronte nazionale avevano urlato: "Tornate a casa, pakistani bastardi!", lui con addosso uno dei suoi vestiti firmati, aveva irritato tutti estraendo il suo grosso portafoglio e sventolandolo in faccia ai razzisti, gridando: "Tornate alle vostre case popolari, morti di fame!"

Per distrarsi, Shahid si mise a pensare a Deedee. La immaginò mentre toglieva i semi dalla marijuana prima di preparare uno spinello, buttandoli fuori dalla finestra. Mentre sminuzzava l'erba e la distribuiva sulle cartine, alzava gli occhi e gli sorrideva. Dopo si piazzava la canna tra le labbra e non se la toglieva più se non quando c'era qualcosa di importante da dire, e la prendeva tra le dita come se pesasse un quintale. Allora le piaceva ascoltare musica, alzando il volume e facendo anelli di fumo, persa in un'indolenza voluttuosa.

Shahid si ricordò di quando avevano tracannato la vodka; pensò alle sue mani che giocavano con lui, dotate di vita propria, e al fatto che il sesso per lei fosse come ballare. Tutto in lei era vivo e pronto a rispondere; lui, invece, si sentiva un imbranato, buono solo a infilarle l'uccello; non era capace di sentire o toccare come lei. Deedee gli aveva detto che non era riuscita a localizzare la sua sensualità. Era curioso di sapere se, con la pratica, si poteva stanarla. Pensare che avrebbe potuto essere da lei a leccarle la fica, e invece era sull'orlo del vulcano, con la paura che qualche ragazzo bianco gli piantasse un coltello nello stomaco.

Dietro un pilastro vide un'ombra e sentì qualcuno che rideva.

"Ehi!" gridò, e andò in quella direzione, più che altro per curiosità.

Era un ragazzo, solo. Non era grande. Ma scappò appena lo vide. Senza pensare, Shahid infilò di corsa un corridoio, girò un angolo e aprì una porta. Da quel poco che aveva potuto vedere gli sembrava di averlo già incontrato. Ma dove?

Se ne stava dentro l'ascensore, bloccando la porta con uno stivale. Shahid non aveva intenzione di entrare nella scatola d'acciaio. Rimasero a guardarsi. Il ragazzo aveva i capelli biondi e morbidi, anche se sporchi. Indossava un giubbotto di pelle nera con la lampo, pantaloni di cotone e mocassini economici.

"Vuoi qualcosa?"

Shahid ebbe paura di una trappola. Si guardò alle spalle. "Cosa?"

Il ragazzo gli tese la mano. "Sai cosa intendo?"

Shahid tirò un respiro. "Penso di sì." Gli toccò la mano. L'altro sorrise.

"Cos'hai?"

"È sempre festa con me, amico. Fumo, acido, ecstasy. Hai già provato la mia merce, e sai che è fantastica."

"Quando?"

Il ragazzo cominciò a ciondolare con un'andatura al tempo stesso sciolta e impettita. Shahid era stato in vacanza in Giamaica e riconobbe lo stile. Si chiese se l'aveva imparato a scuola.

"Fai due passi?"

Shahid esitò.

"Non avere paura, stanotte non ce sono di ammazzapakistani. Sono tutti in casa a vedere la partita alla tele."

"Allora facci vedere dove stanno quegli stronzi," disse Shahid, afferrandolo. "Se sai dove sono, diccelo."

"Sei sicuro di volerli incontrare? Che cosa vorresti fare, bruciargli la casa? Per questo ti serve l'assistenza di esperti. Sono bravissimo a incendiare, se vuoi."

Si chiamava Stratford, per gli amici Strapper. Stava come abusivo in un appartamento da cui era fuggita una famiglia di indiani, e si vantava di essere in affari.

Shahid si sforzò di ricordare dove poteva averlo visto. Dopo la debita insistenza – era chiaro che il ragazzo si divertiva a fare il misterioso – saltò fuori che Strapper era alla festa in piscina dove era andato con Deedee. "Non ti ricordi di me? Ti ho venduto della roba sulle scale. Ti ho anche seguito, quando ti ho visto qui in giro."

"Per cosa?"

"Per vedere quello che facevi. Sei andato a telefonare alla stazione dei taxi. Ho capito che stavi litigando con una ragazza." Aveva una risata sgradevole. "La civiltà capitalista è arrivata alla fine," aggiunse, come se ci fosse un nesso.

"Ah sì."

"Lo sai anche tu, no? È per questo che la combatti."

"Giusto."

Strapper condusse il diffidente Shahid fuori dal caseggiato, in uno spiazzo gelato. C'era un'automobile appoggiata su pile di mattoni, che due ragazzi stavano smontando in fretta e furia; vedendo Strapper e Shahid si fermarono un momento, prima di continuare.

"Sei sicuro che non viene più nessuno?"

"Se te lo dico io... Guarda che so come vanno queste cose. Polizia, tribunali, riformatori, centri di riabilitazione, assistenti sociali: conosco bene la legge, amico. E ti posso dire una cosa, sono stati i bianchi che mi hanno trattato come una merda. Nessuno ti ama, se non sei della sua famiglia. Il contrario dei neri, pakistani, musulmani e tutti gli emarginati. Loro sì che sono generosi, che sanno cosa vuol dire essere presi a calci in culo." Strapper si fermò, mani in tasca. "Però se non compri niente devo volare a ovest. Affari, capisci? Ci vediamo, allora."

"Vado anch'io da quella parte. Abito lì."

"Vuoi che torniamo assieme? Possiamo parlare."

"Ottimo."

Strapper chiese a Shahid di aspettare. Andò dietro un garage e tornò subito, ficcandosi qualcosa in tasca.

"Non posso portarmi dietro la roba."

Strapper si fidava di lui. Shahid sentì di potergli chiedere qualcosa di personale.

"Che cosa vorresti fare veramente della tua vita, se potessi scegliere? Lo sai?"

"Se te lo dico, penserai che ti sto pigliando per il culo."

"Per niente."

"Be', dico sul serio. Mi sarebbe piaciuto fare l'archeologo."

"Perché non lo fai, allora?"

"Pensi che potrei?"

"Perché non chiedi quello che vuoi?"

"E già, perché, no?" Strapper diede un calcio a un cane randagio e gli sputò sulla coda ricurva.

"Sai qualche mestiere?"

"Se vuoi, ti posso mettere le piastrelle in bagno. Ce l'hai il bagno?"

"Non mio."

"Be, quando ne hai uno, ricordati che in prigione mi hanno fatto fare l'imbianchino e il piastrellista."

Andarono insieme fino all'appartamento dove Shahid voleva controllare se gli altri erano arrivati per potersene poi tornare a casa.

Mentre salivano in ascensore, Shahid insistette: "Dove sono 'sti razzisti, Strapper? Indicaci solo la porta, che il resto lo facciamo noi."

Strapper non trattenne le risa. Era sicuro di sé; sembrava conoscere la vita più di tutti quelli della sua età. Gli piaceva dire di essere sopravvissuto a cose che la gente vede solo in televisione. Afferrava subito le situazioni, anche se gli mancava l'istruzione.

"Dov'è il problema?" disse Shahid, ridendo anche lui. "Mica ti sto chiedendo di scrivere i nomi."

"Vuoi trovare qualcuno che odia le razze diverse?" Strapper si fermò a grattarsi, indicando tutt'intorno. "Basta che bussi alla prima porta." Erano entrati nella piccola anticamera dell'appartamento. "Naturalmente, ero anch'io uno skinhead," aggiunse.

"Cosa?"

"Mi piaceva il calcio, capisci. Sono venuto su a Millwall. I ragazzi neri volevano sempre picchiarmi."

"Per l'amor di Dio, non farti sentire."

"Una volta mi hanno messo un cappio al collo e hanno cercato di buttarmi da un ponte."

In seguito allo spavento di prima, erano già arrivati un po' di rinforzi: Sadiq, Tariq e due sorelle erano seduti sul pavimento, coi soprabiti addosso e le armi in grembo, mentre Chad stava raccontando quanto era successo. Quando Shahid entrò con Strapper alzarono lo sguardo esterrefatti. Le due ragazze si girarono dall'altra parte. Strapper si tirò indietro, rabbuiandosi, pur mantenendo il sorriso stampato in faccia: forse pensava ancora alla volta che aveva rischiato di finire impiccato. Per fortuna sapeva essere cordiale.

"Vi presento Strapper," disse Shahid. "Lui è dalla nostra parte. Abita qui."

Ma il gelo non si sciolse. A dire il vero Shahid doveva ancora vedere il suo nuovo amico in piena luce. Adesso si accorse che, malgrado i lineamenti fini, Strapper aveva la faccia butterata e piena di croste, gli occhi iniettati di sangue e cinque borchie in un orecchio. Sul dorso della mano aveva tatuato una foglia di marijuana.

Shahid si ricordò di un'espressione che Chili aveva usato spesso negli ultimi, anni: "Conoscenza utile." Magari Chad avrebbe avrebbe apprezzato in questo senso Strapper, un ragazzo di strada che viveva lì e conosceva la zona.

"Sarà una conoscenza utile. Ci potrà essere d'aiuto."

"Come stai Chad, amico?" disse Strapper.

Chad era diventato ancora più pallido, e teneva d'occhio Strapper senza dire nulla.
Shahid raccolse in gran fretta la sua antologia di racconti di Maupassant, la relazione ancora da finire e un berretto di lana.
Strapper ghignò. "Non mi hai mai visto, eh?"
Chad incrociò le braccia. Shahid non osò guardarlo di nuovo. Strinse le mani a tutti tranne che a lui, si tolse il *salwar* in bagno e uscì, con l'impressione di tradirli.
Con Strapper andò verso la stazione della metro. Dopo un quarto d'ora, quando vide il cartello blu e rosso tirò un respiro di sollievo, come se fosse finalmente fuori pericolo. Alla stazione Strapper disse a Shahid di aspettare che il controllore guardasse dall'altra parte. Shahid infilò il biglietto e Strapper passò il cancello appiccicato alle sue spalle.
Quando furono nel vagone, fu Strapper a parlare per primo. "Lo conosco il tuo amico, Trevor, Chad o come diavolo si fa chiamare. Me lo vedo qui l'altro giorno, che sta affilando il machete. Ha fatto finta di non conoscermi, e sì che una volta era tanto amico mio."
"Amico tuo?"
"Eh già. Che ne sai, tu?" Strapper sogghignò. "Una volta o l'altra, tutti mi sono grandi amici. Non sai quanto posso essere popolare. Cocaina, crack, qualsiasi roba, ero io a procurargliela. Ne aveva di soldi, capisci."
"E come?"
"Faceva battere un paio di tipe. Adesso è fuori dal giro, vero?" Shahid fece cenno di sì. "È uno fortunato, allora. Quanti ce la fanno? La probabilità sono scarse. La sua gente gli ha salvato la vita. Sono puri." Strapper si allungò sul sedile, con lo sguardo perso. "Mi sembra di conoscerti da un pezzo. Sai perché?"
"Dimmi."
"Tu sei uno sporco pakistano, e io un delinquente." Aveva una risata laida e sarcastica, con cui tagliava corto ogni tentativo di affrontare argomenti seri. "Come ci si sente a essere un problema per questo mondo?"
Usciti dalla metro, Strapper disse che se Shahid voleva trovarlo, o se conosceva qualcuno che voleva rendersi più vivibile la vita, bastava fare un salto al Morlock, lì vicino. Shahid ascoltò le istruzioni, anche se non credeva gli sarebbero mai servite.
"Ci vediamo, amico."
"Ci vediamo."

12

Tornato nel pensionato, Shahid prese due biglietti con la scritta “urgente” che Riaz gli aveva lasciato nella cassetta delle lettere nell’atrio. Entrambi dicevano che aveva chiamato Zulma. Shahid li mise in tasca e salì preoccupato al piano di sopra.

Aprì la porta, che era stata scassinata, e rimase sulla soglia, temendo che suo fratello potesse saltare fuori da un angolo. La sua stanza non appariva cambiata, anche se tutto sembrava essere stato spostato. Perché Chili era venuto qui a nascondersi? In passato non aveva mai avuto bisogno di Shahid. Chi gli stava alle costole? Che cosa aveva fatto?

Shahid non poté non essere contento che Chili fosse nei guai. Era da una vita che mentiva, ingannava e disprezzava gli altri, e l’aveva fatta sempre franca. Se esisteva una giustizia nelle cose, Chili meritava di essere punito. Quando era più piccolo, Shahid aveva spesso tentato di vendicarsi di persona. Sgattaiolava in camera del fratello e rigava i suoi dischi preferiti, o nascondeva una delle sue cravatte di Armani preferite dietro un armadio, e fingeva di cascare dalle nuvole quando Chili dava in escandescenze. Tuttavia, Shahid non auspicava la distruzione del fratello. Voleva che si guardasse in faccia e che cambiasse. Ma anche se l’odiava, non poteva non ammirare quella parte di lui che diceva: “Non me ne frega un cazzo di niente.”

Ci voleva un bel coraggio, molta arroganza e un certo disinteresse per badare così poco alla propria pelle, sfidando l’odio e la vendetta altrui. Anche l’avidità di Chili, la sua idea che accumulare tutto ciò che voleva l'avrebbe fatto sentire meglio, sembrava ora più un pregio che un difetto. L'ottimismo e la temerarietà non erano qualità tipiche di Shahid. In confronto a Chili, accettava di rado di correre dei rischi.

Shahid avrebbe voluto sedersi e riflettere, ma dalla scrivania lo rimproveravano le poesie di Riaz. Di aprire quelle, o qualunque altro libro, non se ne parlava nemmeno. Il silenzio della stanza era innaturale e opprimente. Gli sembrava di essere solo da giorni. Chi avrebbe voluto vivere in isolamento, potendo fare altrimenti? Ma Shahid non aveva fatto altro che evitare la propria compagnia, fuggire da se stesso. Non temeva solo il tedio, le domande cui non voleva rispondere riguardavano i guai in cui si era cacciato con Riaz da una parte, e con Deedee dall'altra.

Credere in tutto, credere in niente, era la stessa cosa.

Shahid per primo non faceva nulla per chiarirsi le idee. Un giorno si appassionava di una cosa, il giorno dopo del suo contrario. Per non dire delle volte in cui l'umore cambiava da un'ora all'altra, finché tutto piombava nel caos. La mattina si svegliava con la domanda: chi sarebbe stato oggi? Quante personalità in contrasto c'erano dentro di lui? Qual era il suo io vero e spontaneo, ammesso che esistesse? Come l'avrebbe riconosciuto, se gli si fosse presentato? Avrebbe avuto la garanzia inclusa?

A furia di stare in un labirinto di specchi rotti, coi riflessi frammentati che si perdevano nell'infinito, si sentiva stordito. Il suo istinto lo spingeva a fuggire, a trovare qualcuno con cui parlare. Anche Chili sarebbe stato meglio di niente.

Ma si impose di non alzarsi dalla sedia. Quando era tornato a Sevenoaks dopo il primo colloquio con Deedee Osgood, aveva fatto piani per il futuro. Sapeva di non essere particolarmente portato per lo studio. Ma suo padre, che pure era capace degli eccessi più smodati, aveva lavorato giorno e notte, come continuava a fare sua madre. Erano stati dei buoni esempi. Shahid si era riproposto, allora, di imporsi una regola e di non buttare via la sua vita.

Posò l'orologio sulla scrivania. Per almeno tre ore si sarebbe dedicato alle poesie di Riaz e alle sue cose. Anche se fuori fosse esplosa una bomba, il che non era del tutto improbabile, non avrebbe staccato il culo dalla sedia.

Dopo pochi minuti non dovette più farsi forza: gli piaceva cercare di fare bene qualcosa, nei limiti delle sue capacità, ma pur sempre a modo suo. Cominciarono a venirgli idee incredibili; era bello tornare e ritornare sullo stesso pezzo, finché il concetto originale veniva esteso e trasformato in qualcosa cui prima non aveva pensato.

C'era un'altra cosa di cui era sicuro, mentre la sua vita si andava modificando giorno dopo giorno: ciascuno aveva la sua storia, ma il flusso della vita avvolgeva tutti, e quello che accadeva nella sua mente echeggiava anche in quelle altrui. Scrivere poteva essere facile quanto sognare, con la differenza che i sogni si diffondono in cerchi concentrici che si colorano l'un l'altro. Esaurito quello slancio, preferì aspettare, che tanto sarebbe tornato.

Aveva lavorato abbastanza. Aveva fame, ma in frigo c'era solo una fetta di formaggio rancida e latte inacidito.

Si stese sul letto. Avrebbe schiacciato un pisolino; adesso non si sentiva più così bene. L'entusiasmo e l'eccitazione di prima erano stati fuori luogo. Perché il suo lavoro non migliorava? Come mai, nella rilettura le parole erano solo un'eco attutita di quello che avrebbe voluto fosse preciso e tagliente? Avrebbe mai fatto progressi? Stava prendendo in giro se stesso; meglio piantare lì tutto? Prince, da cui la musica sgorgava senza posa, si sentiva mai così?

Shahid chiuse gli occhi e pensò di andare in moschea, che lo calmava sempre. Spostando il cuscino cadde un kleenex appallottolato. Forse Chili si era fatto una sega, anche se era improbabile, dato che uno dei suoi motti preferiti suonava: "Perché fare da soli quello che possono farti gli altri?" Sul fazzoletto di carta c'erano però delle macchie di sangue. Chiedendosi che cosa avesse in ballo Chili, Shahid fece scorrere la mano sul pavimento fino a trovare una copia sgualcita di *New Directions*, una rivista che aveva sfogliato così spesso che le persone in essa fotografate erano diventate delle vecchie conoscenze. Soffiò via la polvere, senza cercare neanche di fermarsi: dopo il lavoro che aveva fatto, aveva diritto a un po' di divertimento.

Andò alla sua rubrica preferita – *Incontriamoci* – dove c'erano le foto mandate dai lettori nella speranza di fare nuove conoscenze. Si mise a contemplare una foto.

L'inquadratura era occupata da un culo e una fica, fotografati da dietro. Le dita della donna, le unghie laccate di rosso, erano in cima alle cosce per divaricare la passera, con una presa non dissimile da quella di un lanciatore che cerchi di aprire in due una palla da cricket. "Ragazza ventenne cerca distinti non più giovani. Graditi capelli grigi e misure extra. Amo essere leccata, succhiata e penetrata. Max disponibilità e spirito avventuroso. Essex."

Leccata, succhiata e penetrata! Ragazza! Oltre a essere disponibile, l'avventurosa ragazza dell'Essex aveva preso la briga di farsi fotografare, scrivere l'annuncio, affrancare la busta e impostarla.

La foto cominciava a fare il suo effetto, e Shahid prese a menarsi l'uccello. Forse l'aveva arrapata anche lei, pensare di essere vista? Ma che cosa diavolo ci trovava nei capelli grigi? Aveva davvero vent'anni? L'immagine non veniva in aiuto. Voltò pagina. Gli piacevano le pose delle donne. In una pagina ce n'era una a gambe divaricate, calze nere e tacchi a spillo, sulla macchina del marito. Che cosa stavano facendo in questo momento? Ascoltavano la radio, ballavano? Facevano il bucato? Se fossero entrate nella sua stanza, non le avrebbe riconosciute.

Lesse da cima a fondo alcune "lettere dei lettori". Molte riferivano di coppie che andavano in un pub o in una discoteca, dove la donna veniva abbordata da sconosciuti, e il marito la guardava mentre si faceva scopare, spesso nel soggiorno di casa, alla fine unendosi anche lui. La prosa era standardizzata, inespressiva e priva di qualunque umorismo, che le sarebbe risultato fatale, anche se l'autore di questi testi aveva una predilezione per i punti esclamativi.

Facendo la spola tra il testo e le immagini, sempre più eccitato, Shahid si chiese che cosa trovasse di attraente in racconti tanto triti, lui che amava l'ironia delle *Mille e una notte*, con le storie licenziose a base di astuzie, peti e mariti impotenti. Forse la pornografia, come i libri per l'infanzia, consentiva un'esperienza del mondo globale e appagante. L'altro motivo di piacere era che la pornografia differiva dal sesso vero: non c'era bisogno di pensare a nessun altro.

Shahid staccò lo specchio dal muro e lo posò sulla scrivania secondo un angolo opportuno, in modo da potersi vedere mentre si masturbava. Si infilò goffamente una calza e un paio di slip che gli aveva dato Deedee, che gli stavano un po' stretti. Si stava mettendo il rossetto – Safire, la bambina di Chili, forse sarebbe stata più brava – quando sentì un rumore, e corse verso la porta.

Riaz stava rientrando in stanza.

Shahid si mise a ridacchiare. Si sarebbe cambiato, avrebbe invitato Riaz, avrebbe lasciata aperta la rivista e avrebbe fatto finta di andare a fare pipì. E magari, dalla porta socchiusa, avrebbe visto Riaz contemplare Greta di Acton. Non gli sarebbe sfuggito nessun movimento della sua lampo. La doveva avere qualche debolezza, Riaz, o no?

Forse, pensò Shahid. Ma Riaz non aveva nessun gusto per l'osceno; non si era ancora lasciato contaminare, né doveva nutrire strane curiosità. Non era il tipo da domandarsi perché quelle donne si facevano fotografare in posizioni ginecologiche, o qual era la sua espressione preferita. Non si chiedeva che cosa passasse per la testa di quelle donne i cui occhi non dicevano nulla, o perché si esibissero per denaro; o che cosa cercassero gli uomini che si masturbavano con la loro immagine; o perché, di questi tempi, tutti sembrassero dei voyeur, e il sesso a una mano avesse tale successo. La gente andava in giro con un palmo di lingua fuori. Ma a parte quelli che venivano pagati, chi faceva sesso veramente?

No. Riaz aveva in mente una sola cosa: come foggiare il futuro.

Shahid mise via tutto. Uscì e si fermò davanti alla porta chiusa di Riaz. Stava per bussare, ma si trattenne. Non gli piaceva criticare Riaz, ma una cosa era sicura: la sua risata era sempre sferzante e sardonica. La follia non lo divertiva; voleva emendarla. Come la pornografia, la religione non tollerava l'umorismo.

Adesso si vergognava di quello che aveva pensato di Riaz. Lo scherzo avrebbe divertito papà e Chili, i quali non avevano una grande opinione della natura umana

Perché Riaz non poteva chiarirgli le idee? Dopo tutto aveva aiutato Shahid ad aprirsi e gli aveva fatto conoscere un nuovo mondo. Ma adesso non gli chiedeva altro che obbedienza, dando in cambio ben poco. Shahid aveva creduto che Riaz avesse qualche verità da comunicare, che ci sarebbero state discussioni e ragionamenti fino a notte fonda. Ma solo Chad poteva avvicinarlo, mentre tutti gli altri venivano tenuti a distanza. Shahid si trovò in tasca delle monete, e scese al pianterreno. Aveva bisogno di parlare con qualcuno.

"Ciao, sono io," disse nella cornetta.

In sottofondo si sentiva della musica. Deedee sembrava agitata. "Shahid. Dio mio. Dove sei? Sembri così giù."

"Io? Per niente. Sto bene."

"Sono appena stata dal mio analista."

"Hai bisogno di qualcosa?"

"Sì. Stavo scrivendo una relazione, e aspettavo che mi chiamassi. Grazie di avere mantenuto la promessa."

"Pensi che tutti gli uomini ti piglino per il culo?" disse Shahid, irritato. "Non mi piacciono le etichette."

"Era solo un sano sospetto, va bene? E adesso più di prima, se per questo." La voce le si ammorbidì. "Ma forse non sei ancora abbastanza vecchio. Che cos'hai fatto?"

Shahid esitò; stavano già litigando, e non era il caso di mettersi a parlare di Chad e Riaz. Le raccontò di Strapper.

"Se c'è una cosa che non sopporto, è rimanere senza roba. Mi sembra un professionista, il tuo nuovo amico," disse Deedee. Quando Shahid le chiese che cosa voleva fare, disse: "Sei sicuro di volermi vedere?"

"Non vedo l'ora," rispose Shahid.

13

Si diedero appuntamento all'uscita di una stazione della metro. Shahid uscì di corsa. Sapeva che anche Deedee aveva voglia di vederlo, ma lo fece aspettare quaranta minuti buoni. Forse pensava che un po' di attesa gli avrebbe fatto bene.

Infatti. Non era mai stato tanto impaziente di vedere una persona, e quando arrivò la fissò a lungo con curiosità e stupore. Shahid non capiva il perché, ma Deedee era felice. Non voleva nessun altro; per lui avrebbe fatto qualunque cosa. Com'era successo? E chi era veramente Deedee? Spasimava per una persona che non conosceva affatto? Sarebbe stata come se la ricordava? O meno attraente? Quanto aveva lavorato di immaginazione? L'unica cosa che sapeva era che voleva ascoltarla.

Deedee sapeva vestirsi in modo poco vistoso, in Levi's neri; ma teneva alle sue tette, e indossava un top scollato. Aveva i capelli ancora bagnati. Shahid le diede alcune cassette che aveva registrato a casa, mescolando roba da discoteca e pezzi degli INXS e dei Led Zeppelin, sapendo che le piacevano i chitarroni.

"Grazie." Deedee gli diede un bacio sulla bocca, sporcandolo con il rossetto. "Sei ancora strano. Quando sei coi tuoi amici, ti si storce la bocca all'ingiù."

"Mentre quando sono con te succede il contrario?"

"E non solo la bocca."

Andarono a piedi verso il Morlock, che trovarono subito. Si sentiva il rumore che proveniva dal fondo di una strada residenziale.

"E già, i miei amici," disse Shahid.

Fuori c'erano dei ragazzi appoggiati alle macchine, a mangiare pesce fritto e patatine. Sembravano molto giovani, anche se avevano passato tutti la ventina.

"Non sai quanto sia difficile, per me."

Deedee gli strinse forte il braccio. "Almeno l'hai ammesso. Magari possiamo andare da qualche parte."

Shahid spinse la porta, e guardarono dentro.

Appena dentro c'era un tavolo su cavalletti con sopra due giradischi. Un ragazzo bianco saltava sfregando i dischi con le dita come se stesse decorando un vaso su un tornio. Alle sue spalle, su una panca, era seduto un vecchietto con un bastardino bavoso sulle ginocchia. Poco oltre c'era una coppia di donne sulla settantina, che sembrava fossero sedute lì fin dalla guerra, senza prestare attenzione a quanto le circondava.

"Entriamo?" disse Shahid, esitante.

"Certo."

Il Morlock non sprecava soldi per le decorazioni. La carta da parati era scolorita, le due fotografie di pugili irlandesi erano ingiallite, e i tavolini e le rare sedie erano traballanti. Un ragazzo se ne stava seduto con la testa tra le mani. Il tappeto consunto era costellato di mozziconi di spinelli e cartine di stagnola.

"Dov'è il ragazzo?"

"Non so."

Shahid e Deedee si fecero largo, guardando nelle nicchie e negli angoli che le rare luci colorate intermittenti non riuscivano a illuminare. Molti uomini in jeans Joe Blogg, bretelle e canottiera la osservavano, appoggiati al tavolo del biliardo.

"Che cosa?" chiese Shahid.

"Qua possiamo trovare della roba," ripeté Deedee.

"Penso di sì."

Gli spacciatori – di cui era presente un vasto campionario – si muovevano furtivi, scambiando droga e denaro e andando avanti e indietro dai bagni. I baristi, a braccia conserte in attesa di clienti, non se ne accorgevano, o erano indifferenti.

Shahid e Deedee si sedettero su due sgabelli vicino a uno che, urlando sopra la musica, raccontava di come aveva passato della droga a un amico in prigione durante una visita. Deedee ordinò vodka e ginger-ale con ghiaccio, e osservò la folla, seguendo il ritmo con il capo. Il barista portò i bicchieri.

"Quand'è che ti vedo ballare?" chiese.

Shahid non vedeva l'ora di andarsene. Questa gente non era il loro genere. E poi Deedee li studiava con uno sguardo troppo freddo, come se fossero esemplari delle sue teorie sulla musica, la moda e la vita nelle periferie.

"Non penso proprio."

"Perché?"

"Aspetta."

Shahid si fece largo tra la folla. Man mano che andava verso il fondo, dove c'era ancora meno luce, aumentava il numero di coloro che si facevano canne o altro. Alcuni si afferravano alle pareti per non cadere. Altri se ne stavano in disparte, con la testa grondante di sudore, e si mettevano a ballare improvvisamente, agitando le braccia sopra la testa come se cercassero di lanciare messaggi a qualcuno lontano, per poi smettere di colpo come se avessero ricevuto cattive notizie, in preda per tutto il tempo a qualche irraggiungibile ribollimento interiore.

Shahid entrò nel gabinetto e nella penombra vide gente che fumava crack; un ragazzo bianco appoggiato alla parete stava parlando con un altro mentre dalla bocca gli colava del vomito. Una scritta sul muro dichiarava: "Il mondo è pieno di stronzi." Shahid ripensò alle filippiche di Chad contro chi si avvelenava. Di questi tempi, conservare la propria umanità era già una vittoria. Bisognava avere una bella forza di volontà per non cadere nel maelstrom, quando quasi tutti gli altri vi si tuffavano a capofitto.

"Ho voglia di restare lucido e di far funzionare la testa," disse a Deedee.

"Ma non lo sei già abbastanza?"

Shahid stava osservando una ragazza. Era in un gruppo di tredici-quattordicenni, coi capelli lunghi e tutte in tiro – una indossava un paio di short coperti di lustrini – che ballavano tra loro, guardandosi negli specchi, sotto gli occhi degli uomini al bar, che si passavano le canne.

In mezzo a loro c'era una donna sulla cinquantina, magari la madre di qualcuna, con un abito a pois, che ballava in modo grottesco e ogni tanto faceva il vuoto attorno a sé con una specie di esibizione da epilettica. Aveva gli occhi pesti e i denti marci. Si accorse di Shahid, e quando si sentì nuovamente osservata, lo squadrò come per dirgli: "Vieni pure a dirmi che faccio schifo, ma guarda che ti riempio di botte."

La ragazza passò davanti a loro.

"Che cosa ti piace di quella? Le gambe, le scarpe, i capelli, le tette?" gli chiese Deedee.

Shahid fece un cenno col bicchiere. "Be', sì."

"Che cosa ti piacerebbe farci?"

"Quello che più tardi farò con te."

"Va da sé che posso farti divertire molto di più di queste ragazzine, garantito al limone. E sai anche che puoi farmi tutto quello che vuoi, no?"

Shahid diede due baci a Deedee agli angoli della bocca; Deedee gli mise le mani sul culo e lo baciò sugli occhi. Il suo orgoglio sessuale, il modo imperativo e noncurante con cui lo stringeva, lo fecero tremare. Questa intimità data per scontata era il segno che lo conosceva, che stavano assieme.

"Ti sei perso la mia lezione su James Baldwin," disse Deedee. "Ho messo su Miles Davis in continuazione. Non vedevo l'ora di vederti. Certe volte non resisto. Ma c'è stato un silenzio."

Il disc-jockey alzò la musica.

"Lo so, lo so. Ma adesso sono qui."

La gente ballava selvaggiamente, come se fosse in preda a incubi.

"Non è facile, per me. Mi sento così attratta da te. Ma non posso permettermi errori. Sarebbe troppo."

"Che cosa vuoi dire, Deedee?"

"Voglio dire... Dimmi che cosa pensano delle donne, i tuoi amici."

"Che cosa pensi che dicano?"

"Facciamo venire giù tutto, stanotte!" gridò il disc-jockey.

"Mi è venuta un'idea. Devo fare lezione ad alcuni di loro."

Shahid le prese il polso. "La gente è piena di pregiudizi. Non ho mai visto uno di loro guardare una donna. Loro sanno cos'è il rispetto, mica come gli inglesi," disse indicando la folla, "che considerano le donne come dei buchi ambulanti." Si scostò. "Non so se mi spiego."

Deedee si mise a ridere. "Ma smettila!"

"Cosa vuoi dire?"

Deedee si alzò. "Non raccontarmi queste stronzate."
"Stammi a sentire," disse Shahid.
"Ho bisogno di bere qualcos'altro."
Mentre Deedee andava all'altro capo del bancone, la musica divenne ancora più forte.
Buttando l'occhio, Shahid vide suo padre. O almeno uno che assomigliava a papà. Poi Deedee, che gli stava vicina cercando di farsi servire, si piegò in avanti e lo nascose. Un attimo dopo Shahid riconobbe l'uomo che adesso stava parlando con lei. Era Chili, in piena manovra di abbordaggio.
A Chili piaceva uscire la sera, e andare per pub e discoteche. Ai vecchi tempi, quando capitava l'occasione – un incontro internazionale di cricket, per esempio – mamma e gli assistenti si occupavano dell'agenzia, mentre Chili e papà andavano al pub a vedere la tele. Papà diceva sempre che i pub erano l'unica gloria dell'Inghilterra contemporanea, e l'unico motivo per sopravvivere in quel paese abbandonato da Dio. Dopo un po' i due cominciavano a dare in escandescenze, specialmente se Imran colpiva bene la palla, o Zahir Abbas faceva duecento punti, o i lanciatori indiani o delle Indie Occidentali facevano a pezzi i battitori inglesi, o addirittura se gli australiani – dopo tutto erano una colonia anche loro – le stavano dando all'Inghilterra.
Dopo essersi rimpinzati di ostriche con una spruzzata di tabasco, innaffiate da una pinta di birra scura, papà e Chili si ingozzavano di pasticci di carne di maiale, scherzando che se solo il *mullah* fosse passato di lì – il che, a dire il vero, non capitava spesso nel Sussex – si sarebbero puliti le mani nella sua barbaccia e poi gli avrebbero infilato un *kebab* bollente nel suo culo di ipocrita. Chili si scalmanava, ma papà faceva di peggio, e sfidava la gente a braccio di ferro. Chili doveva trascinarlo via di peso. "Ho combattuto per voi bastardi, la dovete baciare la mia medaglia!" urlava papà, scalciando come una sposina che varca la soglia in braccio al marito.
Spesso la sera, Chili andava in macchina a Londra con papà. Dio solo sapeva dove cercassero i loro piaceri innominabili, da cui Shahid era escluso. Ma da zio Tipoo, Shahid era venuto a sapere di una loro scommessa a proposito di "sesso e uniformi". Il vincitore era il primo che si sarebbe scopato un'infermiera, una donna poliziotto o una vigilessa. Naturalmente ci doveva essere una prova, nella fattispecie un capo dell'unifor-

me. Il che spiegava perché un elmo da vigile troneggiò per un certo periodo sulla scrivania di Chili.

L'unico vantaggio era che Chili, finché papà era con lui, era sotto controllo. Ma adesso papà non c'era più, e che cosa diavolo stava facendo Chili qui, stanotte?

Deedee tornò con i bicchieri. Chili la seguì con lo sguardo finché i suoi occhi scuri come la Guinness si posarono su Shahid. Allora accennò un brindisi al fratello, come se si incontrassero al Morlock tutte le sere. Stava per alzarsi quando Strapper gli mise una mano sulla spalla. I due cominciarono a parlare con una certa animazione, faccia contro faccia.

Deedee posò i drink. "È lui il ragazzo?"

"Sì. Quello con Chili."

"Tuo fratello?"

"Mio fratello."

"Però."

"Proprio lui."

Deedee si voltò a guardarli. Molti, passando, salutavano Strapper o gli davano una pacca. Altri facevano un cenno verso di lui. L'interessato non faceva neanche una piega.

"Si conoscono?"

"Non pensavo."

"Cos'è che non va? Non ti aspettavi di incontrare tuo fratello?"

"Non sapevo neanche che venisse in posti del genere."

"Lo stesso lo potrebbe dire di te. Vuoi che vada a parlargli?"

"Preferirei uscire. Non ho nessuna voglia di incontrarlo."

"Ma perché?"

"Voglio solo stare con te."

"Bene."

Stavano finendo di bere quando Strapper e Chili si alzarono.

"Cazzo, è troppo tardi," disse Shahid.

Deedee gli prese la mano e gli massaggiò un dito dopo l'altro. "Non è bello come te. E non riesco a immaginarlo che arrossisce. Però ha dei lineamenti fini, vero?"

"Eh?"

"Come un prete."

Chili insistette per abbracciare Deedee, baciarla su entrambe le guance e guardarla dritto negli occhi.

Deedee gli restituì il sorriso. "Ciao, Chili, chiunque tu sia."

"Bene! Com'è che porti il mio fratellino in questo porcile? Sarà meglio che mi faccia sentire."

"Non sono un buon esempio."

"Come ti chiami?"

"Deedce Osgood."

"A me piacciono i cattivi esempi, Deedee Osgood. Peggio sono, meglio è, come ha detto non so chi. Non che legga molto, intendiamoci. Strapper invece sì, vero, ragazzo? Bella signora, ho sentito che sei nel ramo insegnamento. Prendiamo qualcosa. Cos'è che state bevendo? Deedee? Shahid?"

Deedee mostrò i loro bicchieri.

"Per me niente," disse Strapper. "Sono astemio."

"A Strapper è venuta la mania della salute," ridacchiò Chili, chiamando il barista. "Non l'ho mai visto così in forma. È una pubblicità ambulante per Lourdes. Lanciati in una delle tre prediche, Strap. Questo ragazzo ha davvero la parlantina sciolta. E non ce ne sono mica tanti, in giro."

"Cazzo c'è? Cosa cazzo volete?" disse Strapper. Aveva gli occhi infossati; la luce li raggiungeva, ma non vi si rifletteva. Rispetto all'altra volta, era diffidente e chiuso in sé. "Io sono su un altro pianeta."

"È proprio dove vogliamo andare anche noi," disse Deedee.

"Fai fare un bel viaggetto a questa donna supersexy, Strap," disse Chili. "Si merita il meglio e subito, barbone che non sei altro."

Strapper sgattaiolò per recuperare la droga da dove l'aveva nascosta, dietro lo zoccolo, così che in caso di retate sarebbe stato pulito come al solito.

"È un bravo ragazzo," disse Chili, respingendo i soldi che aveva tirato fuori Deedee. "A te ti pagherò dopo," informò Strapper.

Shahid abbracciò Deedee e la allontanò dal bancone.

"Adesso mi è venuta voglia di ballare."

Cominciarono a muoversi stretti l'uno contro l'altra, lentamente, anche se la musica era veloce e gli avventori stantuffavano in sincrono, agitando i pugni e gridando.

"Sei bravo a tagliare la corda," disse Deedee. "Come ti senti?"

"Molto meglio, visto che sono con te."

"Sai essere dolce quando vuoi, e mi sembri anche abbastanza sincero."

"Mai stato così serio in vita mia."

"Che c'è?" Deedee si strusciò contro di lui. "Ti sta venendo duro."

"Ci puoi giurare."

"Potremmo passare la notte insieme."

"Perché no?"

"Ehm, mi sono ricordata di una cosa."

"Dimmi."

"Sono cazzi acidi se gli studenti che dormono da me scoprono che mi faccio sbattere da un loro compagno. I rapporti sessuali con i professori non sono compresi nel piano di studi. E poi c'è il rischio di deprimersi vedendo la faccia da basset-hound di Brownlow, anche se è da un pezzo che dice di cambiare casa." Lo prese per mano e lo portò verso l'altro lato del pub. "Vieni."

"Dove?"

"Non me la sento di lasciarti così."

Cominciarono a baciarsi, appoggiandosi alla porta del gabinetto. Shahid aveva sempre invidiato i gay che potevano chiudersi in un cesso, smanettarsi a vicenda, e poi chi s'è visto s'è visto, senza neanche essersi presentati.

Deedee gli tirò giù la lampo e gli prese il cazzo nella mano calda. Poi si sputò nel palmo della mano e cominciò a menarglielo, mentre con le dita della sinistra gli strizzava e accarezzava le palle.

"Più forte."

"Non ti fa male?"

Deedee ci diede dentro, e Shahid si abbandonò. D'un tratto lei si fermò e gli chiese: "Che cosa direbbero adesso i tuoi amici?"

Shahid si mise a ridere, abbassò la cerniera dei suoi jeans e le infilò dentro la mano.

"Non farmi perdere la concentrazione, Deedee."

"E tu non farmi eccitare, allora. Non penserebbero che sei un ipocrita?"

Shahid estrasse le dita e le annusò. "Cosa?"

Nel box di fianco qualcuno tirò giù l'asse.

"Non è quello che sei, tecnicamente parlando?"

"Finisci la sega, tecnicamente parlando."

"Aspetta, questo lo decido io. Prima dimmi che cosa pensi di fare con loro."

"Io non..."

La persona nell'altro cesso cominciò a parlare in un cellulare.

"Non ho sentito bene."

"Non li vedrò più."

"Davvero? Spero che tu dica la verità."

"Scusa, ma sono troppo agitato e depresso. Sta andando tutto male."

Deedee si scostò da lui. Shahid se ne stava a braccia conserte, con i pantaloni alle caviglie, sul pavimento bagnato, e le mutande alle ginocchia. La puzza di vomito li circondò.

Deedee si mise a ridere. "Mi piace vederti così."

"Grazie."

"Ma hai i brividi."

"Per favore, Deedee, non mi piace sentire quello che devo fare. Voglio essere io a decidere! Non accetto questo terzo grado."

"Lasciali al loro Dio, e vedrai che ti lasceranno a me. Devi solo dirgli: sono un ateo, un bestemmiatore e un pervertito. Prova un po' a dirlo in ginocchio in un cesso, e vedere l'effetto che fa."

Shahid si coprì con la mano e scosse la testa.

"No! No! Sei matta! Sono stufo di non avere certezze."

"È di questo che si tratta, allora?"

"Voglio seguire delle regole."

"Anche se sono assurde?"

"Ci sarà pure un motivo, se milioni di persone le hanno seguite per centinaia di anni."

"Da te mi aspettavo di più che questo bigottismo deprimente."

"Oh, Deedee, non fare così."

"Ti piacciono i libri, vero? E la maggior parte dei romanzi, come la maggior parte delle vite, potrebbe intitolarsi *Illusioni perdute*. Non è quello che ti sta succedendo?"

"Non potresti farmi venire senza tante storie? In genere non fai lezione in luoghi come questo."

"Un giorno o l'altro dovrò iniziare, visto il deplorevole stato dell'istruzione di questi tempi."

Shahid si tirò su i pantaloni. "Ho bisogno di uscire."
"Bene."
Deedee lo seguì. Due ragazzi vicino agli orinatoi ridacchiarono. Chili si stava soffiando il naso davanti a un lavandino. Gli occhi gli luccicavano. Si rimise in tasca il fazzoletto, ma Shahid fece in tempo a vedere che era macchiato di sangue.
Chili diede un bacio a Shahid sulla fronte dicendo: "Mi era sembrato di riconoscere quella vocetta da frignone."
Deedee si sistemò i capelli. Il pub stava chiudendo. Uscirono in strada.
"Dove hai la macchina?" chiese Shahid a Chili.
"Guarda che vengo da te."
"Perché?"
"Non fare domande sceme."
"Ti senti nel tuo ambiente da queste parti, eh?" disse Shahid.
Chili lo minacciò alzando un dito. "E tu chiudi quella boccaccia."
Deedee vide un taxi e lo chiamò.
"Deedee..."
Gli sembrò di vedere lacrime nei suoi occhi.
"Devi riflettere seriamente su un paio di cose. Ciao."
Deedee non gli diede neanche un bacio, e si allontanò scrollando i capelli. Shahid avrebbe voluto rincorrerla, ma era inutile, e poi c'era suo fratello.
Strapper schizzò in strada e corse da Chili.
"Dove sono i miei soldi? Dove sono?"
Chili s'incamminnò, cercando di scrollarselo di dosso. "Non preoccuparti, ragazzo, sono lì che ti aspettano." Ma Strapper l'aveva preso per un braccio. "Non mi conosci, stronzetto?" gridò Chili.
"Certo che ti conosco. Sei uno di classe," disse Strapper. Chili abbassò il pugno. "Pagami," disse Strapper, "così vado a comprarmi qualcosa da mangiare."
"Levati dai coglioni, stasera."
"Quando me li dai, allora?"
"Ragazzino, hai già rotto tutti con le tue lagne."
L'espressione risentita di Strapper era più di stanchezza che di rabbia, come se avesse già vissuto molto volte quella situazione, ma si stupisse ancora che la vita non avesse niente di me-

glio da offrirgli: come se si fosse classificato primo al premio per il pirla dell'anno, e non sapesse perché.
"Chili," implorò.
Chili gli diede uno spintone in pieno petto e lo fece ruzzolare giù dal marciapiede. Strapper si alzò dal canaletto di scolo e scappò come un bambino, seguendo alcuni che erano usciti dal Morlock.
Shahid e suo fratello tornarono al pensionato, ma in fondo alle scale Chili barcollò appoggiandosi alla parete. Guardando il colore terreo della sua faccia e le sue occhiaie violacee, Shahid poté farsi un'idea di quello che sarebbe sembrato da vecchio. Ci sarà un giorno, pensò, in cui qualcuno mi guarderà allo stesso modo. Non che a Chili in questo momento gliene fregasse qualcosa.
"Di che cosa ti sei fatto, Chili?"
"Qualunque cosa era, non bastava."
Per fargli salire le scale, Shahid dovette prenderlo di peso e spingerlo da dietro. Per fortuna il maniaco della pulizia e delle anfetamine se ne stava nel corridoio, con un secchio d'acqua e uno straccio, e fu lieto di dare una mano a Shahid. Peccato solo che continuasse a canticchiare una canzone – "Non è pesante, è mio fratello" – mentre lo sollevavano.
I tre stavano faticosamente salendo quando Shahid udì la voce di Riaz in cima alle scale. Ma la cosa peggiore era che Riaz stava parlando a Chad. Se erano nel corridoio, era perché stavano per scendere. Shahid ordinò a Chili di stare fermo. "Cerca di non fare l'ubriaco," sussurrò. "E tappati la bocca."
"Cosa?"
"Zitto, Chili!"
Chad e Riaz erano in cima alle scale. Shahid sorrise loro con la maggior disinvoltura che poté, ma non osò parlare, temendo che avrebbero sentito puzza di alcool. Come al solito, Riaz sembrava di fretta, ed era impaziente che passassero; Chad guardò in cagnesco il terzetto.
Shahid spinse Chili in camera sua e fu lieto che stesse in piedi da solo. Chili si tolse la giacca, spazzolò le spalle con le dita, e l'appese allo schienale della sedia. Poi si sedette, sfregandosi la fronte, come per cercare di calmarsi. Era abituato a ignorare il fratello, e Shahid aveva fatto il callo ai suoi silenzi. Shahid si mise il pigiama e uscì per andare in bagno.

Quando tornò, Chili era carponi dietro il fornello.
"Chili."
L'interpellato continuò a cercare qualcosa, e dopo un po' disse: "Tu e quella donna state ancora assieme? Come si chiama?"
Shahid si rivolse alla schiena del fratello. "Deedee Osgood. Ma non è così facile. E comunque deve rimanere un segreto, per un sacco di motivi."
"Sarà, ma questa sera non era lei a volersene andare. Farebbe qualunque cosa per te. Approfittane."
"Odia i miei amici."
"Tombola!"
"Eh?"
Chili estrasse un sacchetto di plastica da dietro il frigo di Shahid, e ne tirò fuori una bustina. Dentro c'era abbastanza coca per due piste, che fece su uno dei libri di Shahid. Le sniffò entrambe, e poi leccò la stagnola, la banconota da dieci sterline e il libro.
"È la prima volta che ti vedo avere dei contatti così profondi con la letteratura," disse Shahid a mezza voce.
Quando Chili alzò gli occhi, si era dimenticato di che cosa stavano parlando, e rimase seduto con le braccia incrociate. In una narice aveva fatto capolino una goccia di sangue. Scivolò giù dal naso come una lacrima, e gli cadde in grembo.
Shahid andò a letto. Chili si sdraiò sul pavimento, con gli occhi aperti, a fumare e guardare il soffitto.
"Hai qualcosa da bere?"
"No, per fortuna."
"Hai qualcosa contro l'alcool?"
"Non ho mai avuto nulla," rispose Shahid.
"Ma adesso sì, eh?"
"Sarebbe meglio se la gente avesse più riguardo per se stessa, no?"
"Quante volte hai pregato oggi, stronzetto ipocrita?"
"Chili, perché non cerchi di dormire?"
"È ben duro 'sto pavimento. Dov'è il tuo padrone di casa? Voglio protestare. È uno stronzo."
Shahid si alzò e trovò una coperta e un cuscino per suo fratello.
"Per favore, adesso cerca di addormentarti. Chiudi gli occhi e cerca di non pensarci."

Chili si avvolse nella coperta. "Sarebbe più facile morire."
Shahid andò a sedersi sul pavimento accanto a lui.
"Da chi stai scappando? So che ci deve essere qualcuno. Che cosa ci facevi, al Morlock?"
"Cosa sei, un detective?"
"Altrimenti non saresti qui. Non ti sono neanche simpatico. Ti manca papà?"
"E a te?"
"Certo."
"Lo penso anch'io," disse Chili. "Per noi ha fatto il meglio che ha potuto. Anche se adesso sono abbastanza contento di non averlo addosso."
"Perché?"
"Se fosse vivo, gli faremmo venire infarti a catena. Chi di noi due pensi che lo scandalizzerebbe di più?" Chili cominciò a ridere. "Mi piacerebbe farti una foto mentre stai in ginocchio a pregare, e mandargliela dove si trova adesso. Probabile che direbbe: 'Che cosa fa il mio ragazzo piegato così? Gli sono caduti dei soldi?'"
"Hai combinato qualcosa? È grave? Perché non me lo dici?"
"Quel povero coglione si è fatto un culo così, e per che cosa?"
"Per fare una vita dignitosa."
Chili prese Shahid per la camicia, tirandolo verso di sé. "E che cosa vuol dire? Lo sai?"
"No! Lasciami andare!"
Chili afferrò il braccio di Shahid, torcendolo. "Non lo sa nessuno!" Con l'altra mano gli diede uno schiaffo. Shahid sentì avvampare un lato della sua faccia. Tremava di rabbia, e abbozzò una difesa. Chili lo colpì subito.
"Adesso smettila!"
"Smettila tu, vaffanculo!"
Shahid si buttò sul suo letto. Gli tornarono in mente gli anni dell'infanzia. Avrebbe voluto dire, come allora: "Aspetta un po' che lo venga a sapere papà." Ma papà non veniva a sapere mai niente, e adesso – ne era convinto – non c'era nessuno che vegliasse su di loro.

14

Shahid seguì due lezioni e poi andò in biblioteca. Nello studio aveva metodo, e riusciva a memorizzare una caterva di dati che cancellava dalla mente subito dopo l'esame. Aveva capito quello che veniva chiesto, e grazie alla disciplina e alla concentrazione evitava il panico e le nottate in bianco a studiare. La noia non era poca, certo, anche perché negli ultimi tempi di stranezze ne erano successe fin troppe.

Camminando per strada, notò che il sole cominciava a farsi vedere. I londinesi amavano le belle giornate, e al minimo accenno di primavera si toglievano i soprabiti e andavano da Boots a comprare occhiali da sole. All'ora di pranzo passeggiavano per i parchi, dove narcisi e crochi quest'anno erano in anticipo, e rivolgevano ottimisticamente le facce al cielo. Oppure, se l'inverno imperversava ancora, andavano nei pub a gruppi, dove restavano fino alle due e mezzo, a mangiare pasticcio di manzo e di rognone e a bere birra chiara.

Shahid andò in un pub irlandese vicino al college e prese un sandwich al formaggio fatto con spesse fette di pane integrale tostate, cosparse di senape, sottaceti e ketchup. Da bere, niente. Sapeva che il pub era pieno di impiegati, e che lì non avrebbe incontrato né studenti né fratelli.

Volle premiarsi per il lavoro mattutino tirando fuori un romanzo. Lesse alcune pagine con il taccuino a portata di mano, cercando di vedere come l'autore raggiungeva un certo effetto, che intendeva utilizzare per i propri personaggi. Poi iniziò un racconto che voleva intitolare *La carne, la carne*.

Era fantastico: la sua immaginazione ribolliva e non mollava più la presa. Shahid, forte e motivato, sentiva ciò di cui era capace. Che c'era di meglio? Poi una segretaria si mise a ballare in mezzo al pub, dopo avere selezionato *Kiss* sul juke-box.

Prima era stato a lezione da Deedee. Quella mattina doveva andare a una riunione – una delle tante, in vista della privatizzazione del college – e indossava un vestito scuro con mocassini marrone lucidati. Qualcosa doveva averla messa di un umore brusco e imprevedibile. Fulminò uno studente che non aveva mai sentito parlare di Freud. Camminando avanti e indietro per la classe, si tolse la giacca, mostrando una camicetta di seta rossa. Ogni tanto si sedeva sulla cattedra, dondolando le gambe come se volesse prendere a calci gli studenti, e tirandosi giù la gonna in mezzo alle cosce: indugiandovi troppo, secondo Shahid. Alla fine ringraziò la classe dell'attenzione; prima che Shahid avesse raccolto le sue cose, era già uscita dall'aula.

"Deedee," la chiamò. "Aspetta un momento."

Sulle strette scale Deedee era stata bloccata dalle "Tre sotto zero", un'indiana, una caraibica e un'irlandese coi capelli rosa. Deedee aveva molti gruppi di fan, che svenivano se la incontravano senza preavviso. Ma queste tre erano le più fedeli di tutte, imitavano il suo modo di vestire e la studiavano come se fosse Madonna.

Shahid inseguì le fan e stava per farsi largo tra loro quando Deedee si fermò a parlare con Tariq, uno dei fratelli. Sapendo che non era una buona idea farsi vedere con lei, Shahid fece un paio di giri attorno all'edificio. Quando tornò, le fan erano in attesa fuori dalla sala professori.

Avendo atteso invano per mezz'ora, andò al pub. Dopo si recò in stanza per vedere se Deedee aveva chiamato.

Salendo le scale, si accorse di essersi dimenticato di Chili. La mattina, quando era andato a lezione, Chili si era alzato dal pavimento ed era crollato sul letto, senza aprire gli occhi. Ma adesso se n'era andato, e la tazza di caffè che gli aveva fatto Shahid era rimasta sul comodino, ancora piena.

Shahid stava lavorando al manoscritto di Riaz quando Hat bussò alla porta, entrò e disse: "C'è bisogno di noi nell'East End." Shahid tornò alla scrivania e riprese a battere. Hat si

mise dietro di lui, appoggiandogli le mani sulle spalle. "I nostri amici traslocano in una casa nuova. Il marito è ancora in ospedale. Gli serve una mano per portare la roba fuori."
"Non guardare quello che sto scrivendo."
Hat si ritrasse di colpo. "Non vuoi venire?"
"Il mio turno l'ho già fatto. Adesso devo battere questa roba per Riaz."
"Per un po' puoi smettere."
"Sto solo eseguendo degli ordini."
Hat sospirò. "Riaz vuole vederti. Dev'essere successo qualcos'altro."
"Che cosa?"
"Chad non vuole dirlo a nessuno."
"Come al solito."
"Non prendertela, Shahid. So anch'io che alla volte Chad è un po' strano. Non vuoi un *bindi*?"
Strada facendo, si fermarono al ristorante del padre di Hat.
Hat fece accomodare Shahid, e andò a prendergli un po' del *chutney* di mela alle spezie che aveva fatto suo padre. Poi prese una ciotola di ravanelli e gliela mise sotto il naso dicendo: "Assaggia il *chana*, *yaar*." Arrivò a infilare la forchetta nei ceci, cercando di imboccare Shahid. "Qual è il problema, Shahid? Alcuni di noi si sono accorti di quanto sei irritabile. Qualcuno dice che nascondi qualcosa."
"Lo pensi anche tu, Hat?"
"Io non ti ho mai visto fare nulla di male."
"Ma qualcun altro sì?"
"C'è qualcosa che ti turba. È successo qualcosa di brutto? Non hai ancora trovato la fede?"
Shahid non rispose. Hat gli era simpatico, e non voleva impegolarsi in una discussione che rischiava di trasformarsi in una lite. Così, anche se Hat lo osservava accorato come per dirgli: "Qui c'è qualcuno disposto ad ascoltarti, se ne hai voglia", e Shahid gliene era grato, l'unica cosa che disse fu: "Non preoccuparti per me, Hat, sto solo pensando a certi miei problemi."
"Non dimenticare che sono tuo amico," disse Hat.
Mentre erano alle prese con i letti, gli armadi, il frigorifero, la televisione e i giocattoli dei bambini da portare nel furgone di sotto, Shahid incrociò Chad sulle scale e sentì che diceva: "Fanno bene gli iraniani, vero?"

"La storia della *fatwa*?"
"Certo."
"Qualcuno me ne ha parlato stamattina al college," disse Shahid. "Ma non ci potevo credere. Non faranno sul serio."
"È da troppo che quel libro circola impunito," disse Chad. "Ci ha insultati tutti: il Profeta, le mogli del Profeta, tutta la famiglia. Qui si tratta di sacrilegio e di bestemmia. E la punizione per queste cose è la morte. Quell'uomo ha firmato la sua condanna."
"Sei sicuro che sia necessario?"
"Sta scritto."
A Shahid era piaciuto *I figli della mezzanotte*, e ne ammirava l'autore. Non riusciva a capire perché Chad fosse così infiammato.
"Se ci ha insultato, la cosa migliore non è fare finta di niente? Se qualche cretino ti dà del bastardo in un pub, sai bene che non vale la pena di rispondergli. Devi essere superiore a queste cose."
Chad lo guardò sospettoso. "Di che cosa stai parlando?"
"Come?"
"Che cosa stai dicendo?"
"Solo quello che ho detto."
Chad scosse il capo, incredulo.
Presto fu chiaro fino a che punto si erano già spinte le cose. Andando avanti e indietro con le suppellettili della famiglia, Shahid ne discusse con Tahira, Sadiq e Tariq. Erano tutti d'accordo. Riaz aveva detto a Chad che aderivano all'azione dell'ayatollah, e Chad aveva informato il gruppo.
Chad e Shahid si fermarono nell'appartamento vuoto.
"E non è tutto. C'è stata un'altra prova contro quello scrittore." Chad guardò Shahid con la massima serietà. "Adesso nessuno può avere più dubbi."
Shahid pensò che fosse questo il gran segreto cui aveva accennato Hat. "Di che prova parli?"
"Non posso dirtelo ora, c'è troppo da fare," disse Chad, gustando il mistero. Nel frattempo era arrivato il resto del gruppo, che aveva finito la prima parte del lavoro.
"Ma insomma, che cos'è?" chiese Tahira.
Chad se la godeva alla grande, e non poteva dire di più; ma non poteva neanche lasciarli a bocca asciutta.

"Tutto quello che posso dire, solo per indirizzare la vostra curiosità, è che ci è stato dato un segno miracoloso."

Tahira batté le mani. "Un segno. Che fortuna! E di che tipo?"

"Una freccia."

"Una freccia?" chiese Shahid.

"Esatto, una freccia puntata dritta verso lo scrittore."

"Che tipo di freccia?" domandò Hat.

"Quanti cavolo di tipi di freccia ci sono?" disse Chad. "Scemo!" Stava per dare uno scappellotto al fratello, ma si trattenne quando vide il sorriso ammonitore di Tahira. "Posso dire solo questo. È una freccia a forma di frutto."

Ci fu un attimo di riflessione.

"Deve essere una banana," disse Hat.

"No, non è una banana. Te la faccio volar via, quella tua testa vuota!"

Chiuso il furgone, fecero due o tre chilometri di strada e, sotto la supervisione della sollevata madre di famiglia, trasportarono tutto in un appartamento quasi identico, ma in una zona di indiani. Poi, quando furono stanchi, Chad li fece salire nel furgone vuoto. Invece di portarli a casa, guidò verso la periferia nord di Londra.

Dopo qualche minuto di silenzio teso, Chad sbottò: "Mi raccomando che rimanga tra noi, ma penso di potervi rivelare che la freccia è una melanzana."

"Che cosa?"

"Ascoltate quello che dico?"

"Cos'è una melanzanna?" chiese Hat. "Come fa una mela ad avere una zanna?"

"Farhat, tappati la bocca," disse Tahira.

"Come fa una melanzana a essere una freccia?" aggiunse Shahid.

"Massa di idioti!" imprecò Chad, lasciando il volante e battendo le mani contro le orecchie. Mentre il furgone passava la mezzeria, gli altri gli gridarono di dare un'occhiata alla strada, di tanto in tanto. "State a sentire! E non tirate scemo un fratello!"

Chad raccontò che una coppia di pii musulmani aveva aperto in due una melanzana, scoprendo che Dio aveva inscritto sacri versetti nella sua polpa. Il *moullah* Darauria aveva confermato che l'ortaggio era un simbolo sacro.

"E adesso la mettiamo in mostra," disse Chad.

"Dove?"

Chad puntò davanti a sé. "Penso di potervi dire che stiamo raggiungendo il luogo dov'è esposta la melanzana."

Riaz aveva offerto una squadra di volontari che, in collaborazione con gli entusiasti già sul posto, stessero di guardia all'ingresso della casa, vegliando che la folla fluisse ordinatamente e che i flash dei fotografi risparmiassero il messaggio divino, che rischiava di avvizzirsi in tempi rapidi. Come era successo con l'appartamento che avevano protetto dai razzisti, ci sarebbe stato un sistema di turni.

Shahid vide che Riaz li aspettava con alcuni fratelli e sorelle di un altro college. Il gruppo di Chad entrò nella casetta di periferia. Nel soggiorno Shahid scrutò diffidente la melanzana. Di fianco c'erano Hat, Tariq e Tahira.

"Lo riesco proprio a vedere," disse Tahira. "Dio mi ha accordato questo privilegio!"

"Tu vedi qualcosa, Hat?" chiese Shahid.

Hat sembrò fare cenno di sì.

Shahid uscì a respirare aria fresca, e si sedette su un muretto dall'altra parte della strada. Decise di tornare al pensionato. Stava dirigendosi verso la fermata dell'autobus, quando per poco non si scontrò con Riaz in piena fase ipercinetica, le palpebre arrossate dallo sforzo. Sembrò contento di vedere Shahid.

Shahid pensò a quanto fosse raro vedere Riaz da solo; anche quando lavorava, c'era sempre qualcuno con lui.

"*Assalam alaikum*," disse.

"*Salam*, fratello."

Guardarono in silenzio la folla dei fedeli. Shahid pensò a quello che avrebbe voluto dire, adesso che ne aveva l'opportunità.

I fedeli, animati ma pazienti, aspettavano in quadrupla fila lungo le staccionate di numerose villette uguali. Non faceva caldo, e molti erano coperti fino al naso. Sembrava stessero facendo la coda per vedere un film indiano, se non ci fossero stati tanti anziani, di quelli che mettono il piede fuori casa solo per fare visita ai parenti, andare ai funerali o assistere a un miracolo. C'era anche aria di vacanza, con tanta gente che andava avanti e indietro, si salutava a gran voce e si fermava a chiacchierare.

Un vecchio in coda, che Shahid riconobbe come uno di quelli che andavano a farsi consigliare da Riaz, venne verso di loro, lamentandosi che i ricchi del posto – gestori di ristoranti, importatori, proprietari di negozi di articoli sportivi e di elettrodomestici – si facevano lasciare dagli autisti all'ingresso della casa del miracolo e saltavano la coda.

"Guardate, guardate," disse.

Una coppia stava facendo proprio ciò che il vecchio aveva descritto. L'uomo, grassoccio, indossava una camicia bianca di viscosa e pantaloni neri da torero. Aveva occhiali a specchio, una catena d'oro al collo, un orecchino e un pesante braccialetto dello stesso metallo. Dalla cintura di pelle di coccodrillo sbatacchiava un mazzo di chiavi. I capelli color mattone si sviluppavano in verticale, come se gli avessero messo in testa una pagnotta all'henné. Lo accompagnava una donna dalla pelle più chiara, che indossava una T-shirt rosa attillata, Levi's bianchi e tacchi a spillo. Gioielli, lei non ne portava: non poteva entrare in competizione col marito.

Shahid disse che lui e gli altri avrebbero fatto il possibile per impedire queste prepotenze. Poi, di punto in bianco, chiese a Riaz: "Tu lo uccideresti solo perché ha scritto un libro?"

Riaz non aveva un fisico imponente. Shahid lo immaginò da piccolo, nel cortile di una scuola, mentre parava i colpi di qualche prepotente, con le mani davanti alla faccia.

"Ucciderlo è il minimo che gli vorrei fare. Stai insinuando che ci sarebbe qualcosa di sbagliato?"

"Mi fa sentire un po' a disagio."

"Perché?"

"Perché è un modo di reagire troppo violento."

"Certe volte la violenza ci vuole, quando è stato commesso del male."

"Ma noi non dovremmo amare la gente, fratello?"

Riaz mise la mano sulla spalla di Shahid, e si allontanarono dalla casa.

"Sei un anarchico?"

Shahid esitò. "Penso di no."

"E dunque? Ci deve essere ordine nella società, perché le varie componenti si fondano armonicamente. Adesso siamo tutti indignati."

"Lo so, ma..."

“Sei o no dalla parte della tua gente? Guardali, vengono dalla campagna, sono semianalfabeti, e qui non li vuole nessuno. Ogni giorno patiscono la povertà e ogni genere di violenze. Non dobbiamo dare loro la possibilità di esprimersi, in questo paese della cosiddetta libertà di espressione? Non siamo noi a essere fortunati, dopo tutto?”

“Fortunati?”

“Abbiamo una certa istruzione. Non siamo schiavi giorno e notte in qualche fabbrica o in qualche negozio. Ma ciò significa che ci aspettano altri doveri, giusto? Non possiamo abbandonare la nostra gente e pensare solo a noi.”

“No.”

“Se lo facessimo, significherebbe che abbiamo totalmente assorbito la morale dell’Occidente individualista.”

Riaz si interruppe per salutare qualcuno.

Shahid notò che nel giardinetto accanto una coppia di bianchi, entrambi anziani, avevano allestito un banchetto da cui vendevano succhi di frutta e panini, passando il cibo e i bicchieri sopra la palizzata, e buttando le monete in un barattolo. Su un cartello avevano dipinto la parola “*hallal*”,[1] che forse, secondo loro, doveva garantire una sorta di immunità.

Shahid osservò l’uomo che aveva voluto come suo amico e che come lui, anche se molto meno spiegabilmente, aveva un’aria impacciata in quella situazione. Riaz amava la “sua gente” ma sembrava stranamente a disagio con loro, tranne quando venivano a consultarlo. Aveva avuto ben poco, Riaz, dalla vita: né moglie né figli né carriera, hobby, casa o proprietà. Il significato della sua esistenza era la fede, la convinzione di conoscere le verità ultime. Erano i paraocchi a renderlo potente; ma adesso, a Shahid, sembrava solo degno di compassione.

Riaz tornò a rivolgersi a lui e, con l’ingenuo entusiasmo che sfoggiava quando toccava questo argomento, gli chiese: “Dimmi, come sta venendo la battitura?”

“Volevo proprio dirti, fratello...”

“Sì?”

“Qua e là ho fatto delle correzioni.”

“Eccellente.” Batté le mani. “Devi tradurre in inglese quello che scrivo?”

[1] Parola che indica le macellerie islamiche. (*N.d.T.*)

"No, è più come..."
"Un lavoro di rifinitura?"
"Sì."
"Bene. Chad mi ha detto anche che pesti sul computer tutte le notti."
"È vero."
"Anch'io non riesco mai a smettere quando mi prende l'ispirazione." Per un attimo Riaz sembrò rapito. "Dimmi, di che cosa scrivi di preciso?"
"Della vita, penso."
"In generale, o da un punto di vista particolare?"
"Non ho nessun punto di vista," disse Shahid, risoluto.
"Nessun punto di vista? Io ho sempre un punto di vista. Se solo avessi più tempo per scrivere... Dove lo trovi tu, il tempo?"
"Ma tu hai la disciplina, vero, fratello?"
Riaz sorrise. "C'è così tanta gente che ha bisogno di me. Ho risposto a un centinaio di lettere negli ultimi tempi. I propri bisogni sembrano poco importanti. Chad dice che hai pubblicato qualcosa."
"Un racconto. Su una rivista. L'ho scritto un po' di tempo fa."
"Sono molto colpito."
"Grazie."
"Com'era intitolato?"
"Come? Be'... non importa. Ma il racconto che sto scrivendo adesso si intitola *Il tappeto da preghiera.*"
"E sarà pubblicato?"
"Forse."
"Mi interessa, perché ho sempre pensato che noi emarginati avremmo incontrato dei problemi a farci accettare. I bianchi sono molto isolazionisti, e non gli va di ammettere nel loro mondo gente come noi, vero?"
"Al contrario, non c'è nulla che vada più di moda degli emarginati."
Riaz sembrò perplesso. "Com'è possibile?"
Shahid alzò le spalle. "La novità. Anche uno come te, fratello, potrebbe essere di grande richiamo, se solo i media ti conoscessero. Pensa a quanta gente potresti rivolgerti."
"I media, certo. È questa la direzione in cui dobbiamo procedere. Dobbiamo utilizzare tutti i canali per diffondere la fe-

de. Spero che presto proporrai alla stampa nazionale un tuo articolo su questo caso di sacrilegio. Non ci hai ancora pensato?''

''No, a dire il vero...''

''Ma non è questo che dovresti fare per la tua gente? Ricordati, le masse sono più semplici e più sagge di noi. Hanno molto da insegnarci. Pensi che dovremmo abbandonare il gruppo al quale apparteniamo?''

''Mi piacerebbe capire questa storia dell'appartenenza, fratello. Per esempio, a te piace vivere in Inghilterra?''

Riaz socchiuse gli occhi e si guardò attorno; era come se non avesse mai preso in considerazione la domanda.

''Questa non sarà mai la mia patria,'' disse. ''Non la capirò mai completamente. E tu?''

''A me piace. Non conosco altro posto dove potrei trovarmi meglio.''

''Siamo molto preoccupati per te. Spero che fratello Chad ti sia stato d'aiuto. Sono stato io a incaricarlo di badare alla tua salvezza.''

''Chad? Oh, certamente.''

''E sei felice, ora?''

''Felice? Con tutti i dubbi che mi tormentano, Riaz?''

''Dimenticali!'' disse Riaz con la sicurezza infervorata che aveva suscitato l'ammirazione di Shahid.

''Ma Riaz...''

''Credi nella verità! Non c'è bisogno d'altro! Questi intellettuali si ingarbugliano da soli. Guarda il dottor Brownlow. A chi piacerebbe essere un idiota intelligente e tormentato come lui? Quello che conta, alla fine, è se hai fede in Dio oppure no. Ma non nego che ci sia qualcosa, nelle tue parole, che mi fa riflettere.''

''Davvero?'' Shahid lo fissò incuriosito.

''Come saprai, a certa gente piace dire che siamo antidemocratici. Perché non dovremmo discutere a fondo la cosa?''

''Certo, parliamone senza pregiudizi.''

''Perché no? Perché non ne parli tu, qualche volta, ai fratelli e alle sorelle?'' Shahid annuì. ''Anzi, meglio sbrigarci. Ti va bene domani mattina? E a proposito, ce la fai a darmi una bozza del tuo articolo sull'arroganza dell'Occidente e sul nostro diritto di non essere insultati?''

''Dopo la discussione,'' disse Shahid.

“Benissimo,” disse Riaz. “Penso tu sappia convincere il prossimo.”

“Grazie.”

In quel momento si girarono tutti.

Una Escort rossa si fermò stridendo davanti alla casa del miracolo. Per qualche motivo, o forse solo perché tutta la giornata era stata così imprevedibile, Shahid pensò che la casa e i fedeli sarebbero stati attaccati.

Un ragazzo con una T-shirt nera a rete e pantaloni di pelle saltò fuori dalla macchina e guardò la folla con aria di sfida. Aprì lo sportello posteriore, dal quale ruzzolò fuori un altro ragazzo, capelli platinati tagliati alla paggetto e un orecchio bendato. Entrambi si piazzarono sull’attenti accanto alla macchina, come ragazzini che volessero fare i duri, discutendo di qualcosa a mezza voce.

Riaz fece un cenno di soddisfazione. “Meglio di così non poteva andare.”

Shahid vide Brownlow vicino al cancello della casa, che sorrideva verso l’automobile. In quel momento un tipo massiccio, con un sorriso smagliante stampato sul faccione glabro, stava alzandosi dal sedile posteriore, dove sembrava essere sdraiato. Ai due ragazzi intimò: “Datevi una calmata. Questa è una manifestazione culturale.”

“Dio onnipotente,” disse uno spettatore bianco sghignazzando. “Ma quello è Rudder!”

“Salve gente! Salve a tutti!”

L’uomo salutò la folla, e non sembrò scoraggiarsi vedendo che non gli rispondeva nessuno, neanche i bambini.

“Ma non è mica musulmano, no?” disse l’amico del primo spettatore.

“Non ancora.”

“Che ci fa qui, allora?”

Lo spettatore alzò le spalle. “Ficca il naso.”

Rudder sembrò avanzare verso la casa in punta di piedi, avendo le estremità minute in confronto alla sua mole. Coi gomiti che gli sporgevano dai fianchi come due stendibiancheria, e le mani che pendevano inerti alle loro estremità, sembrava accarezzare coloro cui passava vicino. Era vestito secondo le regole – camicia, gilè, abito e cravatta – ma nessuno dei capi era della misura giusta: la camicia, per esempio, era troppo stretta in certi punti o troppo larga in altri, e la cravatta verde gli penzolava con la grazia di un cetriolo.

"George Rugman Rudder," Riaz spiegò a Shahid. Vide Brownlow ammiccargli dall'altro lato della strada. "Il capogruppo laburista nel consiglio comunale di Londra. Il nostro amico dottor Brownlow conosce tutti i politici della zona. Ha fatto molto in difesa della nostra comunità."

Un fotografo aveva cominciato a scattare. Riaz, Brownlow e Rugman Rudder si strinsero la mano per l'obiettivo. Poi Brownlow si fece da parte per lasciar fotografare Riaz e Rudder da soli. Un giornalista, intanto, scarabocchiava su un taccuino.

"Grazie per essere venuto, Mr Rudder," gli disse Riaz. "Eravamo certi che non avrebbe mancato di porgere il suo omaggio."

"Naturalmente, naturalmente. Che folla meravigliosa per venerare i frutti della terra! La melanzana, la regina degli ortaggi, al culmine della sua popolarità! Che metodo di comunicazione efficace è il miracolo! Grazie a Dio non è capitato in una circoscrizione conservatrice."

Brownlow sembrava vagamente sbigottito, ma Riaz disse: "Mr Rudder, grazie ancora per avere affrontato tanti problemi di ordine pubblico e viabilità nel nostro interesse. E per averci lasciato usare una casa privata per uno scopo pubblico. Comprendiamo che normalmente è contro la legge. Ma ha la riconoscenza di tutta la nostra comunità, così spesso maltrattata. Lei è un vero amico dell'Asia."

"È nostro amico!" gridò Chad, accennando un salto di gioia.

"L'amico dell'Asia!" fece eco Hat.

"Il miglior amico dell'Asia!" trillò Tahira.

Riaz cominciò ad applaudire, seguito da Chad e da Hat, e addirittura da Brownlow, più fiaccamente. In mezzo alla folla altri cominciarono a manifestare segni di apprezzamento. Si cominciò a scandire: "Rudder, Rudder, Rudder è nostro fratello!"

"Sì, e certamente in cielo sarò ricompensato secondo il mio merito," disse Rudder, sorridendo ai suoi ragazzi corrucciati. E poi, rivolgendosi a Brownlow e Riaz: "Naturalmente ho usato tutta la mia influenza, come spero apprezzerete, per aprire un'abitazione privata in questo modo, malgrado tante deprecabili opposizioni razziste. Solo il nostro partito difende le minoranze etniche," continuò, abbassando la voce. "Gli avventisti del settimo giorno hanno inserito la mia salute nella lista delle cose per cui pregare. I rasta mi stringono la mano quando vado a portare fuori il cane. Sono stimato in tutta la periferia orientale di Londra. Ma Riaz, lei è anche abbastanza intelligente, fin troppo se mi consente, da capire che non può andare sempre avanti così.'' Per un momento sembrò che Rudder stesse per fargli il solletico sotto il mento.

''Ce ne rendiamo conto, Mr Rudder,'' disse Brownlow. ''Ed è per questo che abbiamo pensato al municipio.''

''Sì, il municipio,'' disse Riaz.

''Prego?''

''Per la conservazione pubblica del sacro miracolo,'' proseguì Riaz.

''Il municipio?'' disse Rudder, come se Riaz avesse proposto di mettergli la melanzana sul naso.

''Perché no?'' disse Brownlow fiducioso. ''Ha appena affermato la sua fede in diverse fedi.''

''Per cui la ringraziamo con tutto il cuore.''

''Grazie ancora,'' disse Hat. ''Amico dell'Asia!''

''Fratello Rudder!''

''Ssh,'' fece Tahira.

Le mani del giornalista coprivano pagine e pagine di appunti.

''Sì, sì, forse il municipio può andare bene,'' disse Rudder, mentre gli borbottava il vasto stomaco. ''C'è spazio inutilizzato in abbondanza. Soprattutto tra le orecchie di chi ci lavora,'' aggiunse sottovoce a uno dei ragazzi.

''Dovrebbe essere messa nell'atrio,'' insistette Riaz.

''Ben in vista,'' disse Brownlow.

''Sì, potrebbe andare bene,'' disse Rudder, increspando le labbra. ''Nell'atrio.''

''E poi, ci sta già appeso il ritratto di Nelson Mandela,'' disse Riaz.

''E la maschera africana,'' aggiunse Chad.

''Non vogliamo essere ghettizzati,'' disse Riaz.

''Giusto. No alla ghettizzazione.''

''Allora, dobbiamo cominciare a organizzarci.'' Riaz fece un cenno a Chad e Hat. ''È deciso.''

''Fantastico,'' disse Chad.

''Un amico dell'Asia!'' esclamò Hat.

Gli slogan di prima ripresero vigore.

Il giornalista scriveva, il fotografo scattava.

"Una stretta di mano per suggellare l'accordo," disse Brownlow.

Rudder spinse i ragazzi davanti a sé verso la casa. "Non è stabilito ancora niente. Ma adesso fatemi vedere questo mirabolante esemplare di autografo del Creatore. Avanti, ragazzi."

"Reazionario disgustoso," osservò Brownlow, quando Rudder si fu allontanato abbastanza. "Ma col culo scoperto. La situazione migliore, per lui."

"Eccellente," disse Riaz.

"Fantastico," disse Chad.

"Evviva!" fece Hat.

Shahid seguì Rudder in casa.

"È il tuo primo miracolo, Georgie?" chiese uno dei ragazzi, entrando.

"Lo è finché non vinciamo le elezioni." Sussurrando teatralmente, Rudder aggiunse: "Naturalmente i miracoli sono solo aberrazioni, al massimo dei passatempi. Speriamo che lo condiscano almeno con un po' di curry, quest'ortaggio blu. '*Brinjal*', credo che lo chiamino. Mi è venuta voglia di cucina indiana, a voi no, ragazzi?"

Quella sera Shahid impiegò ore e ore a trovare tutti quelli del gruppo e informarli della discussione che Riaz voleva organizzare per la mattina seguente. Non doveva mancare nessuno. Alcuni, come Tariq, non erano in camera, o erano a mangiare a casa. A casa di Sadiq si trovò in una stanza coperta di materassi, dove dormivano e giocavano quattro o cinque bambini; la loro nonna, che non sapeva una parola d'inglese, sedeva a gambe incrociate come se fosse nel suo villaggio; la biancheria era appesa su fili tesi da parete a parete. Shahid dovette sedere con loro per un'ora, lasciandosi rimpinzare di cibo, aspettando un'occasione per lasciare il messaggio e scappare. Altri, gli venne detto, erano al ristorante di Hat, a giocare coi videogame che erano al piano di sopra; oppure, secondo lo zio di Hat, erano appena andati da Riaz, e avrebbe dovuto incontrarli per strada.

L'altro problema era convincere i fratelli a non mancare. Fu solo quando Shahid si prese la libertà di dire che Riaz dava il permesso di bigiare le lezioni, che gli interpellati assicurarono la loro presenza. L'utilità della riunione, comunque, sfuggiva loro; non c'era dubbio che tutti avessero già le idee chiare.

In ogni posto in cui andava, Shahid chiedeva di usare il telefono. Voleva chiamare Deedee; magari poteva vederla dopo queste peregrinazioni. Ma le due volte che fece il suo numero mise giù prima che rispondesse. A Deedee piaceva sempre chiedergli come aveva passato la giornata. Come poteva riferirle di aver fatto la guardia a una melanzana?

Così tornò in stanza, mangiò cracker e sardine, e continuò a trascrivere il manoscritto di Riaz, limando qua e là.

Poi si stese sul letto, pensando a che cosa avrebbe detto la mattina seguente, sempre che fosse riuscito ad aprire bocca.

15

Stipati nella stanza di Riaz, lo dovettero aspettare per quaranta minuti. Come aveva notato Shahid, Riaz era quasi sempre in ritardo. Sembrava divertirsi a creare un clima d'attesa, per poi entrare quando si era accumulata la delusione. Curioso, poiché Riaz in fondo era modesto e schivo. Forse pensava che gli altri volessero che si comportasse in modo più autoritario.

A quanto pare, quel giorno Riaz aveva un incontro con Brownlow e Rudder. Per fortuna, mentre aspettavano, Hat si presentò con un campionario della cucina paterna, che fu lieto di distribuire. C'erano tre donne, compresa Tahira, in pantaloni neri, camicia bianca lunga e *hijab* a quadretti grigi e bianchi.

Alla fine entrò di corsa Chad, tenendo aperta la porta per Riaz, che indossava un *salwar* grigio nuovo. Posò la cartelletta e si sedette sul pavimento accanto alla scrivania.

"Abbiamo fatto degli importanti passi avanti con Mr Rudder, consigliere del partito laburista," esordì Riaz. "Comprende la posizione e l'importanza delle minoranze in questo paese. Ci ha garantito personalmente che farà il possibile per la nostra causa."

Hat batté le mani con Tariq. "Amico dell'Asia!"

"Lo penso anch'io. La simpatia per la nostra gente è rara come una vergine inglese." Riaz accompagnò con una risatina la sua battuta preferita. "Ma adesso c'è una brutta faccenda che dobbiamo sbrigare in fretta, visto che, come mi dice Shahid, siete tutti molto impegnati nello studio."

Altre risate percorsero la stanza. Shahid si accorse che Riaz lo stava guardando, in attesa, come tutti gli altri. Questo non se l'era aspettato.

"Saresti così gentile da ricordarci il tema della discussione?" disse Riaz.

"Scusa?"

"Meglio che prima ti svegli," sogghignò Hat.

"Sei tu che ci hai fatto venire qui," rincarò Tahira. "Che cosa aspetti a dircelo? Sappiamo tutti di che cosa si tratta."

Shahid cercò di parlare ponderatamente, come se traducesse da una lingua straniera, ma fu travolto dalle sue stesse parole, sorprendendosi della propria voce.

"Il... ehm... Il libro," cominciò.

"Quel libro," disse Chad.

"Esatto," disse Sadiq.

"E il narrare storie. Ecco il tema di oggi! Perché ne abbiamo bisogno. Se ne abbiamo bisogno. Cosa possiamo dire e... cosa non possiamo dire. Cosa non dobbiamo dire. Cosa è tabù, è proibito, e perché. Cosa è censurato. In che modo la censura può esserci d'aiuto in questo nostro esilio in terra inglese. Come può proteggerci, ammesso che lo possa. Insomma, queste cose."

"Bene," disse Riaz, "c'è di che tenerci svegli, almeno per un po'."

Rivolse al gruppo un'occhiata severa per rendere chiaro che il tempo delle battute era finito. Preso il controllo della situazione, iniziò a parlare nel suo modo preferito, lanciando un'idea al mare delle facce volte all'insù e lasciando che andasse dove la portava il vento della sua furia. Shahid tirò un respiro di sollievo. Riaz non l'aveva sottoposto a un esame, ma solo usato – almeno fino a quel momento – per introdurre il suo discorso.

"Dovete capire che tutte le opere di finzione sono, per la loro stessa natura, una forma di menzogna, una perversione della verità. L'espressione 'raccontare storie' non si usa forse quando i bambini dicono le bugie? Ovviamente ci sono racconti innocui che ci fanno ridere, e ci fanno passare il tempo quando non abbiamo niente da fare. Ma ci sono molte opere di finzione che rivelano un'indole corrotta. Sono quelle create da autori che non sanno disciplinare la loro penna. Questi tessitori di fandonie, di solito, si sono umiliati a chiedere il plauso dell'élite bianca, così da ricevere l'etichetta di 'grandi scrittori'. E pretendono di rivelare chissà quali verità alle masse, a questi poveri idioti semianalfabeti. Ma loro non sanno nulla delle masse. Gli unici poveri che conoscono sono i loro servitori. E così, in verità, fanno appello alla parte più abbietta di noi. È facile farlo. Il sudiciume ci attira tutti. Ma non Hat, per esempio."

Hat rise nervosamente. Gli altri stavano già facendo cenni di assenso.

"E come chiunque condannerebbe un fratello se mancasse di rispetto, così è impossibile vedere come un tale spettacolo possa essere apprezzato come letteratura. Qualcuno ha delle osservazioni da fare?" I suoi occhi girarono verso Shahid, che faceva finta di essere uno come gli altri, ma non riusciva a non arrossire a quelle parole. "Dopo tutto, per quale nobile causa può esistere una letteratura del genere?"

Calò un silenzio generale. Nessuno si guardava negli occhi; non che avessero paura di parlare, non avevano niente da dire.

"Be', per dirci qualcosa di noi stessi," disse Shahid.

"No!" Riaz scosse il capo. "Ma continua."

"La letteratura dovrebbe aiutarci a riflettere sulla nostra natura, no?" disse Shahid.

"Ma questa è presunzione e arroganza," ribatté Riaz.

"Per favore," tentò di dire Shahid. "Per favore..."

Sadiq decise di dare man forte a Riaz: "È pura arroganza."

"Ma tu stesso, in quanto poeta..." disse Shahid a Riaz.

Si sentì bussare alla porta.

"Sì, sono un poeta," disse Riaz, ignorando il rumore. "Grazie per avermelo ricordato. Ma ti ricordo che questi scrittori non parlano di noi in generale, della gente, ma solo della loro mente. Nient'altro."

"Ma una libera immaginazione tocca le nature più diverse," disse Shahid. "Una libera immaginazione, esplorando dentro di sé, illumina gli altri."

"Ciò di cui stiamo discutendo è dell'immaginazione libera e indisciplinata di uomini che vivono lontani dalla gente," disse Riaz. "Indoli corrotte e irriguardose come queste, che si crogiolano nella loro feccia, devono essere chiuse in gabbia come bestie feroci. Non ne abbiamo già abbastanza di belve e di stupratori per le nostre strade? Dopo tutto, se uno venisse a casa vostra, e si mettesse a insultare vostra madre e vostra sorella, non lo buttereste fuori dalla porta prendendolo a botte?" Ci furono molti sorrisi. "Ma non è esattamente ciò che fanno libri del genere?"

"Ci turbano," disse Shahid.

"Sì!"

"Ma ci fanno pensare."

"Che cosa c'è da pensare?"

"Come?"

"Dobbiamo preferire l'indulgenza al conforto profondo che solo la religione può dare? Se non prendiamo sul serio la fede di milioni di persone, che cosa ci rimane? Non crediamo più in niente! Siamo animali che sguazzano nel brago, non esseri umani che vivono in una società cosiddetta liberale."

Come al solito, Riaz pronunciò la parola "liberale" come se fosse il nome di un assassino. Si guardò attorno per valutare l'effetto.

Si sentì bussare di nuovo, questa volta più forte.

Chad fissò Shahid, che aprì la bocca e scosse la testa, deciso a non dire più nulla, temendo i guai in cui sarebbe potuto finire.

"Anche il tuo grande Tolstoj ha denunciato l'arte, non è vero? Tu mi ritieni un filisteo, ma ho il libro da qualche parte. Chad, me lo vai a cercare?" Chad fece cenno di sì. "Ma prima va' a vedere alla porta."

"Deve essere per Shahid," mormorò Hat.

Chad uscì in corridoio e chiuse la porta.

"A mio modo di vedere, le verità della fede e la carità verso il prossimo sono più profonde dei deliri dell'immaginazione di un singolo."

"Ma anche la voce di ogni singolo individuo è importante, no?" insistette Shahid, consapevole che il suo tono appassionato lo stava allontanando dai suoi compagni.

"Fino a un certo punto. E mai oltre. In quale società si accorda libertà illimitata all'individuo? In ogni caso, dobbiamo andare avanti. La gente è inquieta. Dobbiamo decidere che provvedimenti prendere contro questo libro."

"Che tipo di provvedimenti?" chiese Shahid.

"È appunto quello che vedremo."

Tahira, che era seduta accanto a Shahid, gli disse sottovoce: "Sembri in difficoltà. Per favore, dimmi se è solo confusione o se si tratta di qualcos'altro."

"Tutt'e due, penso."

La stanza era tranquilla, ma fuori si sentiva Chad che discuteva con una donna.

"Altre domande?" chiese Riaz.

"Sì," disse Tahira. "Che cosa dobbiamo fare?"

La porta venne spalancata, e sulla soglia comparve Zulma, Chanel giallo canarino e velo nero. Dietro di lei Chad allargò le braccia in segno di impotenza. Con tre passi decisi e il solito piglio da snob, Zulma conquistò il centro della stanza. I fratelli si scostarono per evitare di farsi trafiggere le mani dai suoi tacchi.

Il suo profumo e il lezzo della stanza ingaggiarono battaglia.

Zulma passò in rassegna i presenti con un misto di cortesia e ironia, finché individuò il motivo della sua visita, accovacciato in un angolo con una mano sul volto.

"Muoviti." Aveva intenzione di trascinarlo fuori per un orecchio? "Hai capito, piccoletto?"

Shahid si alzò.

"Adesso?"

"Certo!"

"Zulma, siamo in riunione!"

"Per cosa? Chi è il responsabile, qui?" I suoi occhi si posarono su Riaz. "Professore, si tratta di questioni familiari della massima urgenza."

Riaz, impassibile, fece un cenno con la mano; non avrebbe sprecato parole con una come lei, ma Chad ridacchiò quando Shahid si alzò in piedi. Zulma spinse Shahid fuori dalla porta, fulminando Chad con lo sguardo.

Shahid scese le scale di corsa, sorpreso di essere felice per l'improvvisa libertà.

"Che cosa stavate facendo, una riunione politica?"

"Sulla *fatwa*, guarda caso."

"Oddio. E tutti quelli sono studenti?"

"Sì, Zulma."

"E vogliono fare una manifestazione in suo favore?"

"No. Non in suo favore, non penso."

"Ma hai detto che sono studenti."

"E allora? Certo che sono dei cazzo di studenti, Zulma. Pensavi fossero capitani d'industria?"

"Ossignore, sei andato a lezione di turpiloquio?" Lo squadrò. "Non ti ho mai visto così spavaldo. Una volta eri così timido che sapevi a malapena aprire quella tua boccaccia. Avevi anche una specie di tic. Ti è passato?"

La macchina era parcheggiata di traverso sul marciapiede. Zulma in pratica lo spinse dentro per evitare che se la svignasse. Strinse le gambe, si tirò su la gonna per avere più libertà di movimento e si infilò nel traffico, sporgendo una mano dal finestrino.

"È così che sono gli studenti di oggi?"

"Alcuni."

"Ma non dovrebbero avere un po' di cervello, gli studenti?"

"Che cosa vorresti dire, Zulma!"

"Non alzare la voce, con me!" I suoi gioielli d'oro tintinnarono. "Voglio dire che la religione va bene per le masse, non per le élite. I contadini e tutti gli altri hanno bisogno della superstizione, altrimenti vivrebbero come animali. Tu che vivi in un paese civilizzato non lo capisci, ma quei bifolchi hanno bisogno di regole ferree, altrimenti penserebbero ancora che la terra è piatta." Diede un pugno al volante. Shahid notò la fede di diamanti che le aveva regalato Chili. "Ma queste specie di intellettuali lo devono sapere che sono un mucchio di balle."

"Zulma, ma loro ci credono."

"E così lo vorrebbero uccidere?"

"Sì," disse sconfortato.

"Questi pazzi stanno esagerando. Sembra che non ci sia più un po' di buon senso. Tutti non fanno che parlare di questo scandalo, come se fossi stata io a scrivere il libro. Piccoletto, finirà che lo dovrò leggere, 'sto romanzo."

Zulma di solito comprava riviste come *Elle*, *Hello!*, *Harpers and Queen*, preferendo la contemporaneità su carta patinata con corredo di foto all'immaginazione senza figure.

"Come se non avessi già la testa che mi scoppia con tutti i problemi che mi ha dato la tua famiglia," disse Zulma.

L'appartamento della famiglia di Zulma era dietro Lowndes Square, in un vecchio condominio di lusso. "Ma perché ti sei messo con quella gente?" Mentre scendevano, lo guardò preoccupata. "Oh Shahid, dimmi che non è vero che ti sei dato alla religione."

"Per favore, Zulma, lasciami in pace cinque minuti. Ho bisogno di pensare."

"Immagino che ne avrai bisogno dopo questa conversazione. Aspetterò."

Il portiere in uniforme che stava lustrando le maniglie posò lo straccio, si mise il berretto e aprì il cancello di ferro dell'ascensore. Mentre salivano nella stretta gabbia simile a una bara, Zulma gli chiese sottovoce: "Non ti sarai mica messo a pregare?"

"Che cosa vuoi dire?"

"Dimmi la verità o ti prendo a sberle."

"Non puoi farmi questo, Zulma."

"No, penso di no, ma sono nello stato d'animo giusto."

Shahid era curioso di vedere se avrebbe messo in atto la sua minaccia.

"Sono andato in moschea," disse, "e non me ne vergogno. Dovrei?"

Zulma fece finta di essere sul punto di svenire. "Con tutta l'educazione che ti hanno dato i tuoi!"

Shahid la seguì lungo il corridoio ovattato, chiedendosi se adesso l'avrebbe preso a schiaffi.

"Non hai idea dei problemi che Benazir ha avuto con quegli idioti tropo furbi. È una ragazza così cara, e ne ha passate tante."

"Qualunque cosa io faccia, Zulma, almeno non sono come tuo marito."

Zulma scoppiò a ridere, anche se la sua esuberanza fu subito assorbita dalle mura di quell'edificio austero e silenzioso.

"Mio marito. La prossima volta chiederò un matrimonio combinato. Che ne pensi? Questi matrimoni moderni, cosa sono se non cattive maniere di giorno e cattivi odori di notte? Ci si è spinti troppo in là!"

Shahid non aveva voglia di parlare con Zulma, né di questo né di altro. Si ricordò che Deedee gli aveva detto: "Non fare nulla se non hai voglia di farlo, mai. Se non hai voglia di vedere Zulma, scappa, e subito."

L'appartamento di Zulma era buio e assomigliava a una suite d'albergo. Gli oggetti personali erano pochi. Sul pavimento c'erano un tappeto persiano e un un vaso di gigli. C'erano lampade d'onice, un tavolo di marmo e tre frammenti di bassorilievi asportati da qualche tempio pakistano incustodito. Vedendo la sua padrona, la *ayah* della piccola raccolse alcuni giocattoli e li portò via.

Shahid si mise a giocare con Safire, che aveva gli occhi color caffè di Chili. Poiché d'abitudine Shahid aveva sempre in tasca delle caramelle, Safire si arrampicava alle sue gambe per prenderle. Ma oggi la ricerca andò a vuoto. Mentre giocava, Shahid sentì Zulma che parlava in cucina a un uomo con un accento da aristocratico.

"Chi è, Safire?" bisbigliò Shahid. La bambina disse che era Charles. Da quello che intravide Shahid, Charles era tarchiato e non badava a spese nel vestire. "Secondo te puzza di cavoletti di Bruxelles troppo cotti?" chiese a Safire.

Safire stava ridendo quando spuntò Zulma con un bicchiere e una bottiglia di vino.

"Sai che in genere non bevo mai un goccio prima di pranzo. Ma vedere quei fanatici mi fa sempre venire voglia di un bicchiere di Sauterne bello fresco. Devo averlo imparato dal tuo papà." Si riempì il bicchiere e l'alzò. "Cin cin," disse, usando l'espressione ancora in voga a Karachi.

Shahid si alzò e si diresse verso la porta. "In Gran Bretagna l'eroina è illegale. Perché non prendiamo un po' anche di quella?"

"Oh, Shahid, non siamo mai stati grandi amici, ma sto veramente male a pensare che hai imboccato quella strada."

"Zulma, ascolta, io..."

"Siediti e sta' zitto. Lascia che ti dica quello che mi è successo poco tempo fa a un ricevimento, a Karachi. Stavo parlando con un'oca che era mia amica da anni e anni, e le stavo dicendo quanto mi irritavano tutte quelle chiacchiere vuote su Dio quando non abbiamo neanche case, scuole e ospedali. E indovina un po'."

"Dimmi."

"La signorina 'Puzza sotto il naso', quella gran vacca, mi ha dato uno schiaffo! Pac! Ti par possibile" Batté le mani. "E mi ha buttato fuori. Mi sono venuti i brividi. Fra poco ci uccideranno tutti per il solo fatto che pensiamo. Tu hai già smesso di pensare, Shahid?"

"No."

"Ne sei sicuro?" Zulma posò il bicchiere. "Safire, vai un momento da Charles. Brava bambina." E poi, di nuovo a Shahid: "È un tipo a posto, Charles Jump. Non è molto sveglio, si capisce, come tutti quelli come lui, ed è un po' strano con le donne.

Ma è un lord. O un conte? Conte, mi ha detto, con la 'o'.[1] Ha una casa di famiglia nel Wiltshire. I pullman si fermano fuori e i turisti guardano dentro mentre loro fanno colazione." Si avvicinò a Shahid. "Ti ho portato qui per aiutarmi. Dimmi, sinceramente, dov'è Chili?" Shahid scosse il capo. "Lo giuri sulla tua testa?"

"Sì."

"Bene. Allora è assente ingiustificato. Non me ne frega un accidente, piccoletto. Chi ha più voglia di rivedere quel lazzarone? Tanto stiamo per divorziare. Che figlio di... Il peggio è che sta rovinando il buon nome della tua famiglia, con tutto quello che ha fatto papà. Sai come chiacchiera la gente a Karachi."

"Non hanno nient'altro da fare quegli scansafatiche, quando non pensano a come sfruttare i loro dipendenti e a come esportare capitali."

"Grazie del pensiero. Ma non capisci che Bibi non può mandare avanti l'agenzia da sola? Come fai a pretenderlo da una donna anziana?"

"Lo so."

"Sai cosa devi fare? Tornare a casa e darle una mano. Se quell'irresponsabile dà fuori di testa, sei tu che devi badare alla famiglia." Il pensiero la fece ridere. "D'ora in avanti devi prendere in mano l'agenzia dei tuoi, se vuoi sopravvivere. Dopo tutto, ci sei solo tu."

Shahid non aveva mai contemplato questa eventualità. Non sapeva che cosa dire. Non voleva farsi rubare la libertà per la quale era venuto a Londra, né tornare alla vita da cui era stato lieto di scollarsi.

"Sì," continuò Zulma, "meglio che te lo metti in testa."

Che cosa sarebbe capitato a lui e Deedee, se fosse diventato il direttore di un'agenzia di viaggi nel Kent? Quando si sarebbero visti? E soprattutto che cosa avrebbe pensato di lui? Che cosa avrebbe pensato di se stesso?

"Ma devo finire i miei studi," obiettò timidamente.

Safire stava giocando con le bambole in fondo alla stanza.

[1] Intraducibile il gioco tra *count* ("conte") e *cunt* (più o meno l'equivalente del veneto "mona", nei due sensi), che si pronunciano in modo simile. (*N.d.T.*)

Charles Jump si sedette sul bracciolo del divano accanto a Zulma, osservando Shahid con un misto di compatimento e biasimo.

"Non dimenticarti chi paga i tuoi studi," disse Zulma. "Tua madre e la tua famiglia. Ti ricordo che adesso hai altre responsabilità."

"Responsabilità serie, buon Dio," si intromise Jump.

Shahid finse di ignorarlo. "Papà voleva che fossi istruito. Non poteva sopportare gli idioti. Gli piacevano le persone intelligenti e sicure di sé."

"Perché allora perdi tutto quel tempo con quegli idioti di fanatici?"

"Abbiamo fatto delle indagini," disse Jump.

"Che cosa?"

"Non è forse vero che ti sei iscritto alla Fratellanza musulmana?" continuò Jump. Shahid incrociò lo sguardo di Zulma, che fece una smorfia. "Sappiamo anche che entrano in Francia da Marsiglia e in Italia dal Meridione. Presto si diffonderanno nei paesi ex comunisti e nel cuore dell'Europa civilizzata. Spesso si travestono da rappresentanti di gioielli, e poi ci accusano di essere prevenuti e intolleranti."

"Non penso di aver capito bene," disse Shahid.

"Non puoi fare dieci passi senza incontrare una moschea. È lì che si fomenta il disordine."

"Che disordine?"

"Non fare l'ingenuo."

"Continuo a non capire."

"Lo so che ci sgozzerete nel sonno, noi infedeli. Se non sarete riusciti a convertirci prima. Presto i libri e... e... la pancetta saranno messi fuori legge. Non è quello che volete?"

Zulma inarcò le sopracciglia disegnate con la matita. "Se almeno fosse divertente," disse.

"Questa invasione di terroristi dev'essere estirpata dalla società come una malattia, no?" Per un attimo Jump perse la sua sicurezza. "L'altro giorno, a cena, non dicevi che era l'unico modo, Zulma?"

"Mi hai portato qui per sentire questo coglione borioso?" Shahid disse a Zulma.

"Va bene, va bene." Zulma fece cenno di tacere a entrambi. "Shahid, torniamo al discorso di prima. A meno che tuo fratello non torni alla ragione, ho paura che ti dovrai assumere le tue responsabilità. Non potete abbandonare entrambi l'agenzia cui la vostra famiglia ha dedicato anni e anni di lavoro. Spero che ti sia chiaro."

"E tu, scusa? Non hai voluto imparare tutto di quel lavoro?"

Zulma sbuffò. "Non che ci voglia molto. Ma adesso voglio pensare a me stessa, per la prima volta. Andrò a Karachi. Naturalmente la mia Safire verrà con me."

Shahid voleva bene alla bambina; il pensiero di non vederla per molto tempo lo rattristò; figuriamoci quando l'avrebbe saputo Chili.

"Quando vedi Chili," gli disse Zulma, "sii così gentile da dirgli che sta distruggendo sua madre, e che tu prenderai il suo posto. Devi sapere che è in fin di vita, quella povera donna."

"In fin di vita," ribadì Jump.

"Va' a telefonare," gli disse Zulma.

"Sì, cara. A chi?"

"Al tuo amministratore."

Jump lasciò la stanza.

"Visto come salta Jump,"[2] ridacchiò.

Shahid si alzò. "Che idiozie gli hai raccontato?"

"Non te la prendere."

"Cristo, Zulma!"

"Shahid, come faccio a essere responsabile di quello che crede la gente? Ci vedono in televisione che facciamo gli idioti, e credono che siamo tutti pazzi. D'altro canto arriviamo in questo paese, cominciamo a comportarci da occidentali, dimentichiamo di avere dei parenti, e le famiglie si sgretolano. Così non ci distinguiamo più dagli altri."

"Devo andare."

"Dove?"

"Grazie per essere stata franca."

Shahid andò verso la porta e l'aprì. Era semplice.

Zulma lo chiamò. "Torna qui. Abbiamo altre cose da sistemare."

"Anch'io."

"Per esempio?"

"La mia vita."

"Shahid, non puoi filartela così."

Shahid sbatté la porta più forte che poté.

[2] *Jump* significa "salto". (*N.d.T.*)

16

Per prima cosa Shahid sentì il bisogno di fuggire dalla zona di Londra dove abitava Zulma, con le sue ambasciate, parrucchieri di lusso, negozi di moda e traffico ovattato. A svoltare in una traversa, quasi si aspettava di vedere cavalli, carri, uomini col cilindro e donne in crinolina. Che cos'era quella quiete?

Shahid si stava affezionando alla varietà e alla sciatteria della sua zona, con i suoi maniaci e le sue miserie, dove tutti portavano scarpe scalcagnate. La *sua* zona, ecco in che termini la definiva. A Londra, se trovavi il posto giusto, potevi considerarti un residente nel momento in cui andavi due volte nello stesso negozio.

Aveva bisogno di soldi. Per fortuna aveva con sé il bancomat, e prese tutto quello che poté al primo sportello che trovò. Passò di corsa davanti alle cupe Knightsbridge Barracks, e costeggiò Hyde Park. All'altezza della Royal Albert Hall saltò su un bus. Per tornare a casa doveva cambiare due volte.

Al Morlock era ancora presto. L'unica musica veniva dal jukebox. Il barista aveva un labbro spaccato e una benda sopra un occhio. Shahid entrò proprio mentre stava passando uno spinello alla titolare, una donna che portava male i suoi quasi quarant'anni e aveva davanti a sé tre vodka all'arancio. Il barista riconobbe Shahid e gli fece addirittura un cenno, con sua grande soddisfazione. Era diventato un *habitué*. I ragazzi, come al solito, stavano appoggiati al bancone.

"Una piccola chiara."

Per un attimo gli sguardi dei presenti si concentrarono su Shahid, colpiti più che altro dall'entusiasmo con cui aveva fatto l'ordinazione; poi gli avventori ripresero i loro bisbigli.

Il barista scosse la testa. "Niente birra fino a domani."

Era la prima volta che Shahid andava in un pub senza birra. "Be', allora prendo una piccola chiara."

"Non pigliare per il culo. Solo superalcolici, a meno che non ti vai a prendere la birra nel pub qui di fronte."

"Va bene. Un Jack Daniel's."

Shahid si sedette su una sedia rotta e osservò i ragazzi che facevano la spola tra bancone e gabinetti.

Non sapeva che cosa fare. Non poteva tornare in stanza, nel caso Riaz o uno degli altri andasse a cercarlo; ma era troppo depresso per vedere Deedee. Non le sarebbe piaciuto in questo stato, ed era già abbastanza arrabbiata con lui. Ormai la sua sopportazione doveva aver toccato il fondo.

Quando tornò a prendersi altro da bere, uno dei ragazzi gli sventolò davanti al naso una confezione di cosmetici. "Ti serve della crema antirughe per la vecchia?"

"Sarebbe l'ideale," disse Shahid. "Dove l'hai fregata?"

"Da Boots."

"Devo trovare quello stronzo di Strapper."

Il ragazzo alzò le spalle. "Dovrebbe passare di qui domani a mezzogiorno. O magari ci farà l'onore di una sua visita stanotte. È un furbo, quello."

"Vale la pena di aspettare?"

"Non ne vale sempre la pena, con Strap?"

Shahid tornò a sedersi e, dopo circa un'ora, qualcuno gli passò una canna. Poi un pazzo cercò di baciarlo, scambiandolo per sua moglie, e Shahid dovette essere salvato dal barista, che non vedeva l'ora di mettere in pratica le sue conoscenze di kick-boxing.

Perse la nozione del tempo. Ma dopo ore e ore la sua preda varcò la soglia, sostenuta da qualcuno, e si appoggiò contro il bancone.

Strapper ciondolava la testa in continuazione; gli tremava la mandibola. Riusciva solo a chiedere perché tutto si stesse "disintegrando, cazzo!".

"Perché di sì," disse uno dei tipi.

"Oh già," disse Strapper. "Dimenticavo."

Shahid andò a prendergli una birra dal pub di fronte. Quando tornò, Strapper era sdraiato su un paio di sedie. Shahid si chinò al suo capezzale, come un dottore che visita un malato, e cercò di riportarlo nel mondo reale, sperando di aprire un varco nella sua estasi. Quando il caos si diradò per una manciata di secondi, Shahid riuscì a comunicare.

"Cioè, sì, ci sono un sacco di fighe che stanno dietro ai coglioni di tuo fratello," farfugliò Strapper. "E mica per niente, amico."

"Per favore, Strapper, hai detto che i bianchi sono egoisti. Ho bisogno del tuo aiuto. Pensavo che volessi bene a noi pakistani."

"Non quando diventate troppo occidentalizzati. Adesso volete essere tutti come noi. E fate male."

"Guarda che dopo ti compro della roba. Ho i soldi."

Gli occhi di Strapper quasi si aprirono. "Cosa stavi dicendo?"

"Mi devi aiutare a trovarlo."

"Chi?"

"Chili. Ho i soldi."

"Dove?"

Shahid glieli mostrò.

"Cazzo, nella vostra famiglia c'è qualcuno che ha i soldi sul serio."

Shahid aiutò Strapper a rimettersi in piedi, e uscirono. Strapper, che sembrava essersi ripreso, si era messo a camminare nel suo solito modo, o quasi, bestemmiando e sputando.

"Da questa parte."

Non erano andati molto lontano. Strapper voltò verso il Fallen Angel, con Shahid alle calcagna. Prima di entrare, Strapper gli tese la mano. "Dammi dei soldi."

"Cosa?"

"Dei soldi, amico. Non vuoi combinare qualcosa, stanotte?"

Dopo questa transazione Shahid si aspettava, con troppo ottimismo, di vedere suo fratello al bar del Fallen Angel. Invece Strapper seguì uno spacciatore nel gabinetto. Poi si mise a bere con lui, facendo sedere Shahid dall'altro lato del locale, finché il proprietario riconobbe Strapper, e vennero sbattuti fuori, con minacce non solo verbali.

Pub dopo pub, Strapper cominciava stranamente a riprendersi. Arrancarono tra prati sifilitici, vicoli male illuminati e gallerie della metro, dove si avventuravano solo suicidi e graffitisti. Qualche minuto dopo passarono da una farmacia, dove Shahid, su istruzione di Strapper, andò a comprare un flacone di sciroppo per la tosse. Strapper lo scolò in un colpo solo, si asciugò la bocca sulla manica e buttò la bottiglia in una siepe.

Mentre camminavano lungo il bordo del marciapiede in una parte dell'"antica Londinium" – come la chiamava Strapper – che Shahid non conosceva, questi si accorse che la gente lo guardava in modo diverso. Le donne chiudevano le borsette e se le stringevano al petto. I ragazzi più piccoli si facevano da parte. Altri facevano cenni rispettosi, come reclute che incontrano un ufficiale. Strapper intanto scambiava oscure segnalazioni con gente che passava o se ne stava a una finestra: cominciava con un moto delle sopracciglia, faceva seguire un'occhiata grave accompagnata da smorfia delle labbra, e infine faceva un cenno con la mano. In risposta, riceveva sguardi interrogativi prima, poi di assenso o di rifiuto, con la conferma finale di un sorriso, di una mano alzata per dire: "Arrivederci", o di una rotazione dell'indice per dire: "Ci vediamo più tardi con la roba."

Dopo un po' Strapper riacquistò anche la parola. Strada facendo, cominciò a tenere una conferenza sulla propria vita e il proprio lavoro, a partire dagli ultimi incredibili arrivi di ecstasy, quanto era forte, di che colore era, se erano bombe o capsule, come veniva fabbricata, importata e distribuita, anche se su questi ultimi punti non poteva essere troppo esplicito, per ragioni di sicurezza. Dissertò sulla qualità dello sballo che si otteneva prendendone due, quattro o sei – una volta ne aveva prese dieci, ed era fiero che, malgrado i suoi sforzi, non era riuscito ad andare all'altro mondo – sui vantaggi per la salute di scaglionarne l'assunzione, sugli effetti se mescolate con alcool, erba, hashish o cocaina, da sole o tutte insieme, a seconda dei diversi momenti; e deprecò chi vendeva ecstasy cattiva, che ti poteva distruggere, specialmente se ti surriscaldavi mentre ballavi; certa gente si era letteralmente bruciata, l'aveva visto coi suoi occhi, a Liverpool: *ravers* ridotti in poltiglia e novellini che soffocavano nel loro vomito, come nel film *This Is Spinal Tap*.

I *rave parties* dell'estate passata, l'"estate dell'amore", nei capannoni o all'aperto, erano stati il suo modo di conoscere l'Inghilterra: camminare, fare autostop, dormire dove capitava, stare in tenda, vivere con gli altri ragazzi. L'avventura di scavalcare una palizzata e raggiungere un posto dove c'erano tremila persone praticamente nude e strafatte che ballavano in sincrono, senza alcune pulsione violenta: era la nuova era psichedelica, e non era ancora finita. Le persone che aveva incontrato, disprezzate e messe fuori legge dal mondo cosiddetto normale, l'avevano accolto a casa loro la prima volta che l'avevano visto, senza fare domande e dividendo con lui tutto quello che avevano, come se stessero combattendo sullo stesso fronte; quello era amore collettivo e unità spirituale. Ma poi c'erano state le disavventure nei centri di ricupero, da cui o era scappato o era stato buttato fuori perché si drogava o faceva sesso negli scantinati con gli altri ragazzi.

Per finire raccontò come il venerdì notte i ragazzi del Morlock si infilavano in taxi, andavano fuori Londra, trovavano un posto isolato, facevano un fuoco e aspettavano l'alba ballando, parlando e fumando roba.

"La prossima volta devi venire anche tu."

"Posso?"

"Sei il benvenuto."

Le droghe, l'intensità e l'intimità che creavano, erano l'elemento e la specializzazione di Strapper. Mentre si infervorava a raccontare le proprie avventure di *desperado*, dando l'impressione di esistere in funzione di quei momenti di estasi atroce, Shahid invidiò la sua vita senza responsabilità e senza domani, in cui soldi e piacere andavano e venivano, e non ci si fermava mai. Ma allo stesso tempo, malgrado la sua innocenza, Strapper trasmetteva un'impressione così inconfondibile di trasgressione, inganno e criminalità che Shahid si aspettava che la polizia li catturasse da un momento all'altro, solo per il fatto di camminare con aria insolente. O almeno sarebbe stato impossibile farsi servire in un ristorante. Se eri Strapper, si capiva, non potevi mettere piede in molti posti. Quella notte, comunque, Shahid poteva sopportare di essere come lui. Ma Strapper, probabilmente, era destinato a essere Strapper per sempre, e quando fecero una sosta in una drogheria indiana, dove Strapper si riempì le tasche di dolci, patatine e cioccolata, Shahid, vedendone la faccia sotto la luce del neon, capì di non voler essere come lui.

Londra ribolliva senza posa. Strapper vedeva ragazzi della sua età coi vestiti firmati Armani, Boss e Woodhouse; in strada sfrecciavano BMW, Mercury color oro e Saab turbo decappottabili. Passava davanti a case di cinque piani, proprietà di trentenni con governanti e domestici. Niente di tutto ciò sarebbe stato suo, mai. Non c'era verso. Era semplicemente assurdo.

Chili aveva promesso a Strapper una via d'uscita, vantando conoscenze tra grossi spacciatori e gente piena di soldi. Il cinico Strapper, che era quasi orgoglioso della sua vita, sapeva anche che molti la disprezzavano, e, intuendo il futuro disastroso che aveva davanti, ci era cascato. Chili doveva averlo proprio incantato, iniettandogli dosi industriali di quella sostanza ingannevole che si chiama "speranza" e che, al contrario delle altre droghe che prendeva, lo teneva sempre sotto il suo effetto.

"La prima volta che ho incontrato Chili-bello, mi ha portato in giro con la sua macchina e mi ha impressionato, ti giuro, con tutte le case di lusso e le fighe che conosceva," disse Strapper. "Spendeva i soldi a palate. Diceva di essersi preso una cotta per me. Volevo mettermi a spacciare grosso e lui mi aveva detto che potevo aiutarlo, perché conoscevo i piccoli giri da strada."

"Che cosa aveva in mente?"

"Continuava a ripetere che l'Inghilterra era troppo piccola per lui, o troppo piccola per la sua testa. Che non vedeva l'ora di andare in America. Il bastardo diceva che insieme potevamo fare dei bei soldi."

"Ma dov'è stanotte?" Shahid stava perdendo la pazienza. "È lontano?"

"Non lo so. Me ne sono andato e ho deciso di non vederlo più, quello stronzo."

Shahid afferrò Strapper per il giubbotto. "Se non mi porti subito da lui le prendi, capito?"

Con sorpresa di Shahid, Strapper sembrò spaventato. Forse pensava che la violenza fosse una caratteristica di famiglia.

"Va bene, va bene. Ma se non riusciamo ad arrivare prima degli altri? C'è rischio che ci stanno già aspettando."

"Di cosa stai parlando? Chi?"

"Non sai niente, vero?" Camminarono un altro po'. "Giù di qua, pakistano."

Sbucarono in uno spiazzo pieno di rottami d'automobili e frigoriferi arrugginiti, e si arrampicarono sul retro di una casa semidiroccata con le finestre murate, al cui interno le porte erano state sostituite da tende scure.

"Chili!" chiamò Strapper.

Non rispose nessuno.

"Chili!"

Da qualche punto di quell'antro puzzolente venne l'inconfondibile grugnito di Chili. "Avanti."

Shahid e Strapper brancolarono verso la voce. Ecco dov'era naufragato il sogno di papà.

"Se potesse vederti," disse a mezza voce Shahid.

"Parla forte," disse Chili.

A casa Chili aveva un intero armadio di vestiti – di lino per l'estate, di lana per l'inverno – ordinati secondo il colore in modo da coprire tutto lo spettro cromatico. E poi c'erano cappotti di cashmere, sciarpe di Paul Smith, ombrelli di Pierre Cardin. Le sue valigie erano della pelle più pregiata. Aveva un cassetto pieno di occhiali da sole griffati, e un armadio pieno di giocattoli elettronici – videoregistratore, CD portatile, agende, un calcolatore – tutti nel colore di prammatica in quel periodo: nero opaco. Su uno scaffale erano in mostra i suoi profumi, tutti Guerlain comprati a Parigi.

Chili aveva passato un quarto della sua vita davanti a uno specchio, e un altro quarto ad ammirare i suoi averi. Shahid non poteva toccare nulla, anche se di tanto in tanto Chili lo invitava ad ammirare un suo nuovo vestito, che doveva invariabilmente lodare mentre il fratello vi si pavoneggiava. Se andava a una festa, Chili prendeva da parte perfetti sconosciuti e mostrava loro la marca della sua giacca e la bellezza delle rifiniture o dei bottoni. Una stanza della casa di Sevenoaks era stata trasformata in palestra, dove Chili "ridisegnava" il proprio corpo. Nel vialetto zio Tipoo puliva le sue macchine.

Adesso, illuminato da una torcia elettrica, Chili era seduto su un materasso contro una parete sbrecciata, con una T-shirt macchiata e una calza blu e una marrone. Tra le labbra stringeva una mezza sigaretta. Aveva gli occhi socchiusi, e beveva vodka da una tazzina sporca.

Shahid e Strapper erano passati attraverso una stanza dove erano sdraiati parecchi tossici. Una negra era nuda, ma nessuno sembrava farci caso. Shahid non aveva idea di che zona di Londra fosse quella.

"Dobbiamo parlare," disse Shahid.
Chili chiuse gli occhi.
Shahid si sedette accanto al fratello, che continuava a passarsi la lingua sulle labbra secche e screpolate.
"Sono venuto per questo, Chili, per parlare di un po' di cose."
"Davvero?"
Shahid si sentì improvvisamente sfinito, e decise di riposarsi per qualche minuto.
In fondo alla stanza Strapper cominciò ad armeggiare con coltello e cartine, rollandosi una canna. Dovunque si trovasse, Strapper sembrava sempre a suo agio, come se non fosse capace di distinguere tra lo spazio suo e quello altrui.
Shahid scivolò nel sonno.
Quando si svegliò, non doveva essere passato molto tempo. Si alzò di colpo e disse: "Per favore."
"Per favore?" Chili gli arruffò i capelli. "Ti dirò tutto, lo sai, ma senza un 'tiramisù' sono morto."
"Non dirmi..." Strapper fece un sorrisetto maligno e tirò fuori una bustina. "Perché sono il tuo salvatore."
Chili si mise in posizione quasi eretta. "Il mio salvatore! La mia coca! Sei fantastico, Mr Strapper!"
I complimenti di Chili non lo lasciarono insensibile; gli piaceva far felice il suo ex amico. "Eh già, lo penso anch'io. Ma ne è rimasta poca. Lo sai quello che voglio vedere dopo?"
"Cosa?"
"Un po' di grano."
Chili scambiò uno sguardo con Shahid, fece un cenno a Strapper e disse: "Il fatto è, Strap, che sono tempi duri, lo devo ammettere. Sai che al momento sono a corto di liquidi."
"Ma se mi hai detto che la tua vecchia ne ha finché ne vuole?"
"Al momento non siamo in buoni rapporti. Non so mica perché. Ti ho mai detto che ha una forza incredibile?"
"Perché non ti rimetti a lavorare?" disse Shahid.
"Lavorare? Per che cazzo dovrei?"
"È solo un suggerimento."
"Be', sai dove mettertelo."
Strapper se la stava ridendo.
Shahid fece appello a tutto il suo entusiasmo. "Le agenzie di viaggi sono un ottimo affare. Papà ne era convinto."

Strapper gli venne in aiuto. "Avrei voglia anch'io di fare qualche viaggio. La gente ha sempre bisogno di scappare."

Chili tagliò tre piste e ne sniffò una. "Sicuro! Si abbronzano, si scopano, fanno casino, non capiscono niente di quello che vedono, e tornano a casa. Vuole che faccia questo per il resto della mia vita," disse rivolto a Strapper.

"Ma è un lavoro," insistette Shahid.

Chili aspirò la seconda pista. "La vedi la nostra gente, i pakistani, nei loro luridi negozi, con la faccia da incazzati, i loro grassi figli e le loro brutte figlie che ti controllano e ti prendono i soldi? I prezzi sono esagerati, perché tengono aperto ventiquattr'ore su ventiquattro. Sono i nuovi ebrei, li odiano tutti. Tempo qualche anno, e i ragazzi prenderanno i loro vecchi a calci in culo. Non si accontentano mica di star seduti in un buco di negozio." Anticipando l'obiezione di Shahid, aggiunse: "Non che stare qui sia questo gran divertimento, ma almeno..." Quando era contrariato, diventava aggressivo. "Vacci tu, a lavorare lì, se ti piace tanto! Però mica lo fai. Tu sei troppo artista, che cazzo. Non siamo una generazione disposta a fare sacrifici. Ehi Strapper, hai visto il sognatore?" Aspirò l'ultima pista e indicò il fratello. "Ha ancora delle grandi speranze, lui."

"Come me," disse Strapper.

"Tu?"

"Sì, proprio io, amico."

"I tuoi sono sogni, sono allucinazioni da drogato!" sghignazzò Chili.

Strapper lanciò uno scaracchio ai piedi di Chili. "Sta' attento a come parli! Vaffanculo!"

Chili tentò di rabbonirlo. "Guarda che volevo dire che Shahid crede veramente in quello che vuole fare."

"E io sono capace di disegnare." Strapper cercò una penna in tasca. "Datemi un pezzo di carta."

"Non hai notato il suo temperamento artistico?"

Strapper puntò il suo coltello verso Shahid. "Oltre a quello, ha anche i soldi."

"Hai dei soldi?" gli chiese Chili.

"Un po'," rispose Shahid, cercando di ignorare Strapper.

"Cosa aspetti a darmeli? Tutte queste chiacchiere. Cristo santo, Shahid, cacciali fuori! Non siamo fratelli?"

Shahid non poteva ribellarsi, e si vuotò le tasche.

Proprio in quel momento Chili alzò gli occhi, e Shahid vide per la prima volta che suo fratello aveva paura. Erano entrati un bianco di mezza età, piccolo, vestito come un impiegato di banca la domenica, e un brutto tipo più grosso, che dondolava la testa come se la spina dorsale non riuscisse a sostenerla. Alla vista della coppia, Strapper sembrò rimpicciolirsi tra le ombre.

"Allora?" disse il primo, che era nervoso e scattante.

Senza una parola, ma con un sorriso servile, Chili tese loro i soldi di Shahid. L'uomo li contò, sbuffò in segno di derisione e fece un passo verso Chili, che alzò una mano per fargli segno di aspettare. Sapeva che cosa doveva fare. Estrasse le chiavi della macchina e le depositò nel palmo dell'altro.

"Così va meglio," disse l'uomo.

"Ho appena fatto il pieno," disse Chili.

"Che cosa?"

"Il pieno."

I due se ne andarono. Shahid fece per parlare, ma Chili gli mise un dito sulle labbra.

Rimasero seduti, senza osare muoversi; dopo un paio di minuti Chili si spostò e cercò di ridere, ma gli uscì solo un suono cavernoso, più simile a un lamento. Shahid capì che era stato umiliato.

Per mostrare che era ancora intero, Chili si alzò e si stiracchiò, dandosi una pacca sullo stomaco e flettendo i bicipiti. Poi andò da Strapper e cominciò per gioco a battergli la testa con le nocche.

"C'è nessuno lì dentro? Oh, lo so che c'è qualcuno..."

"Cristo," uggiolò Strapper, "se ne sono andati?"

"Per il momento."

"Meno male. Fiuu!"

"Non preoccuparti."

"Pensa per te."

"Dammi lo spinello."

"No, amico. Me lo sono fatto io e ne ho bisogno io. E lui," aggiunse indicando Shahid.

Strapper ricominciò a grattarsi, come per togliersi di dosso la paura degli ultimi minuti. Shahid girò la testa verso la stanza vicina, dove stavano suonando *Electric Ladyland*. Chili, riacquistata la voce normale, si mise a parlare di Strapper come se stesse illustrando un monumento a un branco di turisti.

“Sono contento che ti piace Strapper, perché questo stronzetto ha un sesto senso. Sicuro. È nella merda, ma sa quello che vale e quello che può sperare, che non è molto. Ecco perché dobbiamo aiutarlo. A noi non può succedere nulla di grave, finché non lo vogliamo.” Shahid gli rivolse uno sguardo di rimprovero, ma Chili era inarrestabile. “In pratica l’hanno preso a calci in culo fin dal giorno in cui è nato. Ma non merita di finire male. Dobbiamo fare qualcosa per lui!”

Mentre gli occhi di Chili si riempivano di lacrime, Shahid si rese conto che Chili parlava di Strapper come papà avrebbe parlato del suo figlio più giovane.

“Basta,” disse Shahid singhiozzando. Stava tremando. “Per favore, smettila.”

“In ogni caso lui almeno legge,” disse Chili allontanandosi da Strapper, dopo avergli dato un ultimo colpetto. “Da questo punto di vista è meglio di me. Strapper, come si chiama quel libro su cui mi hai fatto una testa così, l’altro giorno?”

Strapper stava guardando Shahid con diffidenza. “*Un’arancia a orologeria.*”

“Giusto,” disse Chili, facendo una pista con la cocaina rimasta, azione che bastò a restituirgli il buon umore. “Lo conosci, Shahid?”

“Pura evasione,” disse Strapper.

Staccò un pezzo di tappezzeria e lo srotolò sul pavimento. Si mise in ginocchio a disegnare con furia, dando ogni tanto un’occhiata agli altri. Sotto le figure scarabocchiò parole illeggibili.

Shahid presto si stancò di osservarlo. “Zulma ne ha fin sopra i capelli.”

“Quando l’hai vista?” chiese Chili.

“Di te, intendo.”

“Altre novità?”

“Va in Pakistan con Safire.”

Dopo un attimo Chili alzò le spalle, tornando a essere l’indifferente di sempre, per cui una cosa valeva l’altra. Ma per un secondo si era rabbuiato in viso.

Si sdraiò per un po’ e tornò a sedersi per bere.

“Dov’è la tua donna?” disse alla fine. “Dalle un colpo e dille di venire qui. Sarei bravo a parlarle. Le capisco, quelle del suo tipo, e lei lo sa. La vedi ancora?”

"Non lo so."
"Come si chiama, tra l'altro?"
"Chili," disse Shahid, "ho paura che ti farai ammazzare, se non stai attento. Per favore, dimmi cos'hai fatto per doverti nascondere."
"Fatti gli affari tuoi."
"Almeno dimmi cosa vuoi fare adesso."
"Idem."
Shahid si alzò, agitando i pugni per la frustrazione. "Chili, fratello, se non puoi dirmi nient'altro, allora me ne vado."
"Non ho nient'altro da dirti."
Shahid cercò Strapper con lo sguardo. "L'hai sentito," disse.
"Ci vediamo," disse Shahid.
"Fratellino..." lo chiamò Chili.
"Sì?"
"Non perderti."
Shahid brancolò per la casa finché trovò l'uscita sul retro. Quando fu in strada, si rese conto di non sapere dove fosse. Camminò finché trovò una stazione della metro.

17

“Mi spiace, sono un idiota. Scusa,” disse Shahid.

Deedee era davanti alla porta di casa, pallida e tremante, e guardava la strada in entrambe le direzioni. Indossava una vecchia T-shirt, un maglione liso annodato sopra le spalle e calzettoni neri. Era senza trucco, ed era la prima volta che la vedeva con gli occhiali.

Shahid aveva corso e aveva il fiatone. Fece un passo indietro, per farle capire che non era obbligata a farlo entrare.

“Shahid,” lo chiamò, vedendo che stava tornando indietro. “Cosa sei venuto a fare?”

“Avevo bisogno di vederti.”

“Allora entra.”

“Sei sicura?”

“No. Ma tu entra lo stesso.”

Si girò, lasciando aperta la porta. Shahid la seguì al piano di sopra, dicendo: “Grazie, Deedee, e scusami.”

Uno degli studenti che vivevano da lei era sul pianerottolo. Shahid gli sorrise imbarazzato. La camera di Deedee odorava di profumo e di marijuana. Ecco com'era quand'era sola, nell'intimità di casa sua. Aveva mangiato una minestra a letto, guardando la tele. Sul piumone c'erano diversi libri, un registro con una penna tra le pagine e un phon. Shahid si sentiva più sicuro, ma immaginava il suo imbarazzo; non le piaceva essere vista così, ma voleva far finta di niente.

“Allora?”

"Ho dovuto girare mezza Londra," cominciò Shahid, "ma ho trovato Chili. Strapper sapeva dove stava. Ma ho un altro problema. Zulma vuole che sia io a mandare avanti l'agenzia, se Chili ha intenzione di buttare via la propria vita."
"Sul serio?"
"Non ci credevo neanch'io. Ma non scherza, quella. Che cosa devo fare?"
Deedee non era giovane – Shahid notò come le risaltavano le vene sulle mani – e aveva superato un certo livello di sopportazione. Aveva riflettuto a lungo, e non ce la faceva più a tenersi dentro quello che aveva da dire. E non aveva alcuna intenzione di sentire altre storie.
Chiuse la porta e cominciò: "Pensavo che avessimo smesso di vederci. Perché dovrei stare ad ascoltarti?"
"Scusa?"
"È troppo tardi. Ma è stato un sollievo capire che più in là di così non poteva andare. Ho pensato che... Che sono troppo, per te, che finirei per schiacciarti. Voglio smettere di avere assurde speranze su noi due."
"Ma perché?"
"Le donne sagge lasciano perdere l'amore e arrivano a trovare una combinazione pratica tra sesso, amicizia e cultura, giusto?"
Shahid non riusciva a capire bene.
"Ti sto chiedendo che cosa devo fare. Chili si nasconde perché ci sono dei delinquenti che lo cercano. Deve averla fatta grossa, questa volta. Non ne voleva parlare, ma ho ricostruito qualcosa da quello che ha detto Strapper. Ha preso a botte uno spacciatore e gli ha rubato la roba e i soldi, e adesso c'è gente che lo vuole ammazzare."
"E ti stupisci anche?"
Deedee chiaramente non aveva voglia di ascoltarlo.
"E tu come stai?" le chiese Shahid con un sospiro.
"Perché, ti interessa?"
"Sì, se non devo sedermi."
"Per me vanno bene tutte le posizioni, sono democratica. O almeno lo ero." Bevve un sorso di caffè e uno di vino. "Il college, alla fine, ha dichiarato che alcuni di noi sono in esubero. Anche Brownlow."
"Bene."

"Stai scherzando?" Almeno questo la fece ridere. "Mentre tornavo a casa, ero proprio disperata. Cerco di dirmi che può essere una novità, da un altro punto di vista. Sai che mi piace essere ridicolmente ottimista, perché faccio presto a piangermi addosso." Shahid le accarezzò i capelli. "Ma questa è proprio grossa. Non c'è lavoro. Rischio di rimanere due anni senza far niente, di non tornare più a insegnare. In ogni caso sono andata al supermercato, e sono tornata a vedere *Brookside*. Poi ho preparato dei peperoni ripieni. Di solito faccio da mangiare sentendo il telegiornale, un libro aperto davanti e un bicchiere di vino a portata di mano."

"Piace anche a me."

"Quasi tutte le sere è una bottiglia o più che parte, e ti assicuro che è meglio di molti matrimoni che conosco. Le mie amiche che hanno dei figli invidiano la mia vita da single. Se ho voglia, esco a cena. Scopo con chi mi pare. Cosa si può volere di più dalla vita? Ma non posso neanche andare avanti così in eterno. Non me la sento più di fare tutto da sola. E pesa, soprattutto da quando mi sono venute in testa certe idee..."

Shahid si sedette e le mise la testa in grembo. "Che tipo di idee?"

"Lo saprai quando sarà il momento."

"Un buon motivo per tirare avanti."

"Sognavo che tu e io potessimo stare più assieme. Solo che non sei sicuro neanche tu se è questo che vuoi, vero?"

Shahid era ammutolito. Con tutto quello che aveva per la testa, Deedee veniva a parlargli di relazioni.

"Vaffanculo, Deedee. Chi se ne frega. Sono sfinito. Non è la sera per parlare di rapporti di coppia borghesi."

"Vuoi che sia sincera?"

"Perché no?"

"Ho sentito una cosa terribile che mi ha lasciato allibita."

"Cosa?"

"Come posso dirlo?" Lo stava guardando intensamente. "Sembri molto agitato, amore. Non riesci a stare fermo."

"Merda, Deedee, non sopporto questa ironia del cazzo stasera! Che cosa hai saputo?"

"Che sei coinvolto in questa storia della melanzana."

"Già." Gli vennero i brividi. "La melanzana?"

"Sì."

Deedee aspettava che crollasse.

"Deedee, ho saputo della melanzana. Ed è vero. Sono stato là a dare un'occhiata. Non potrei negarlo."

"Che Dio ci ha scritto dentro qualcosa?"

"Così dice qualcuno. Ma è gente semplice, Deedee. Al contrario di te, Deedee, non leggono i filosofi francesi. Pochi anni fa erano nei loro villaggi a mungere vacche e allevare galline. Dobbiamo rispettare le credenze degli altri. Anche i cattolici dicono di bere il sangue di Gesù, e nessuno mette in galera il papa per cannibalismo."

"È vero che avete convinto Rudder a esporre questa... questa manifestazione divina in municipio?"

"Mr Rudder ha dichiarato pubblicamente che auspica un legame più stretto con la nostra comunità. E se noi crediamo nelle melanzane, ci dovete rispettare. È la nostra cultura, giusto?"

"Cultura? E quella la chiami cultura?"

"Sei solo una snob."

"Davvero? Ti stai prendendo in giro da solo. Che cosa avrebbe detto tuo padre?"

Shahid chinò la testa e si morse il labbro.

"Lo sai che Rudder è solo un bastardo opportunista?"

Shahid alzò la voce. "Siamo cittadini di terza categoria, ancora più in basso della classe operaia bianca. La violenza razzista peggiora di giorno in giorno! Papà pensava che sarebbe finita, che saremmo stati accettati come inglesi. Invece no! Non siamo uguali. Diventerà come in America! Potremo fare qualunque progresso, ma saremo sempre inferiori!"

"Allora era vero. Ti facevo più furbo."

"Deedee." Voleva essere abbracciato, e le si avvicinò. Deedee lo prese tra le braccia, ma non lo baciò.

"Non mi piace quando sei sempre così critica," disse.

"Non me ne importa niente. Perché conosco la vita, ma questa melanzana le batte tutte. Non posso rispettare un ortaggio parlante, e non posso neanche entrarci in competizione."

"Capisco come ti senti. Ma cerca di essere ragionevole."

"Che gente è questa che brucia libri e legge melanzane? Ho sentito dire che i libri prima o poi scompariranno. Ma non avrei mai pensato che sarebbero stati sostituiti dalle verdure. Immagino che le librerie verranno rimpiazzate dagli ortolani. Ti do un ultimatum."

"Che cosa stai dicendo, Deedee? Sono sull'orlo della follia!"
"E chi non lo è? Devi scegliere: o me o la melanzana incantata."
"Smettila."
Erano seduti sul bordo del letto.
"Chi preferisci?"
Shahid pensò un attimo. "Non è difficile."
"La rapa?"
"Penso di sì."
"Come mi aspettavo."
"Sul serio?"
"Va tutto bene, *chéri*. Basta saperlo."
"Dammi un bacio d'addio."
"È stato bello, certe volte."
"Sì." Le restituì il bacio. "Con la lingua, adesso."
"Sbottonati la camicia." Deedee si morse il labbro. "Mi piace la tua pelle *café-au-lait*. Lasciamela vedere per l'ultima volta."
"Sbottonamela tu. Mi piace."
"Non penso di essere capace. Mi trema la mano."
"Lo vedo. Allora togliti la maglietta."
"Aiutami."
"Ecco. Adesso sdraiati. Sei bella."
"Grazie. Toccami... per favore."
"Così?"
"Oddio, proprio così. Schiaccialo, tiralo... pizzicalo... E anche l'altro."
"Ti faccio male?"
"Non ancora. Usa la bocca. Calmami. Mettimi l'altra mano sul culo. Affonda le unghie."
"Va bene?"
"Sì! Hai dimenticato che mi devi una lunga leccata?"
"Io?"
"Almeno mezz'ora, hai promesso."
"Mezz'ora?"
Deedee chiuse gli occhi. "È tutta tua."
Shahid obbedì, ma poco dopo si alzò preoccupato a guardarla.
"Deedee! Cosa c'è?"
Le tremavano le guance; aveva la bocca contratta, e sembrava respirare a fatica. Istintivamente si coprì la faccia con le mani.
"Deedee!"

Ma Deedee cominciò a sghignazzare sgangheratamente, attaccando la ridarella a Shahid. Non facevano in tempo a guardarsi negli occhi e a pronunciare la parola "melanzana" che si rotolavano sul letto tra le risa, tenendosi stretti per non cadere. Avevano le lacrime agli occhi, si prendevano a pacche e scalciavano nell'aria come bambini. Per stare zitto Shahid non trovò di meglio che morderle un braccio. Deedee invece cercò di cacciarsi in bocca un cuscino.

Alla fine Deedee si alzò e andò in bagno a lavarsi con l'acqua fredda.

Quella notte Shahid sarebbe rimasto lì. Fu lieto di togliersi i vestiti, che buttò per terra come un ragazzino, e scivolò sotto il piumone più in fretta che poté, annusando il suo odore sulle lenzuola.

Deedee tornò, spense la luce e si sdraiò al suo fianco. Ci furono ancora degli strascichi di ridarella, ma le sensazioni fisiche stavano sostituendo l'ilarità. Il sesso serviva a questo. Deedee si sdraiò con le gambe aperte, le mani dietro la testa, muovendosi solo per prendergli la mano e guidarlo a un gesto preciso in un punto preciso. Anche se Shahid non aveva bisogno di istruzioni ma voleva sperimentare le sensazioni, e accarezzava e sfregava dove voleva, al suo ritmo. La fica di Deedee gli stava diventando familiare; voleva esplorarla come se fosse sua; non si immaginava che si potesse diventare così possessivi e legati a una vagina.

"Voglio la tua melanzana. Riempi il mio buco fatto per il cazzo," disse Deedee. "Piantala nel mio giardino e lascia che la benedica con i miei umori."

Cominciò a ghignare di nuovo, senza potersi trattenere. I muscoli del suo sesso si contraevano e si rilassavano; a Shahid sembrò di avere messo la sua melanzana dentro una fisarmonica.

"Questa sì che è vita," disse Shahid.

"Sì," replicò Deedee. "Mai detto una cosa tanto giusta."

18

La mattina seguente Shahid stava camminando in punta di piedi nell'atrio, cercando di evitare gli inquilini di Deedee, quando, apertasi la porta d'ingresso, si trovò davanti Brownlow. "Salve, Tariq," disse sputacchiando pezzi di brioche. "Abbiamo l'onore di affittarti una delle nostre stanze?"

"Come? Ehm... no."

"Che cosa ci fai qui, allora?" Brownlow gli diede un'occhiata inquisitoria prima di mormorare sconfortato: "Oh, capisco. Ti fai mia moglie."

"Lo può ben dire."

"Sul serio?"

"Certo."

"Cazzo."

Shahid lo guardò stupito; un professore d'inglese doveva trovare qualcosa di meglio da dire che "cazzo".

"Naturalmente," continuò Brownlow, "ho avuto anch'io qualche interesse in quel ramo, anche se ero più giovane. Ma credevo che la tua religione fosse intransigente in materia. Devo avere letto male il Corano. Magari un giorno sarai così gentile da darmi delle delucidazioni. O forse lo posso chiedere a Riaz, oggi pomeriggio."

"Buona idea."

"Stai andando a lezione?"

"Se aspetti due minuti possiamo fare la strada assieme. Dovremmo parlare. Da' un morso a una brioche."

Brownlow incespicò sul primo gradino, riprese l'equilibrio e salì al piano di sopra.

Dopo un po' scese Deedee, ancora in pigiama e con la faccia appannata di sonno. Shahid le diede un bacio sugli occhi.

Deedee si strinse contro di lui. "Così ha mangiato la foglia."

"Già. Ci vediamo al college."

"Spero di sì. Shahid?"

"Sì?"

"Dammi un altro bacio."

Shahid doveva correre per tenere il passo di Brownlow, che stava gridando: "Ti devo fare le mie congratulazioni."

"Molte grazie," disse Shahid, chiedendosi nervosamente che cosa avesse fatto per meritarle.

"Ero a Cambridge alla fine degli anni sessanta, lo sapevi?"

"Gli anni migliori?"

"Quasi. In ogni caso, ho partecipato alla contestazione. Sartre era il mio dio." Brownlow guardò Shahid, come se temesse di averlo messo in soggezione citando qualcuno che non conosceva. "E anche Fanon, naturalmente, che Deedee a volte legge ancora. Gli studenti, allora, erano una forza unitaria; erano i tempi in cui volevamo un sistema educativo più umano. Mi ricordo che pensavamo: abbiamo abbattuto le mura della paura e della soggezione, non dobbiamo più servire gli dei dell'autorità. Possiamo dettare i termini di una storia fondata sul principio del piacere."

Brownlow si fermò e si mise ad agitare il pugno, scandendo in mezzo ai pendolari che stavano andando al lavoro: "LBJ, LBJ, quanti ragazzi hai bruciato oggi?"[1] Guardò Shahid con una faccia da invasato: l'avrebbe abbracciato, ma si trattenne in tempo. "Lo conoscevi?"

"Non fino a oggi."

"Mi devi scusare, ma è incredibile che ci siano dei giovani che non abbiano mai fatto queste esperienze incendiarie. Ma voi ragazzi – Riaz, Chad e anche le donne – ci state riuscendo! Siamo nel periodo più reazionario dalla fine della guerra, ma voi sapete mantenere il contatto col popolo e non farvi intimidire! Siete voi i moderni, la storia è dalla vostra parte!"

[1] "*LBJ, LBJ, how many kids you burned today?*": celebre slogan contro il presidente americano Lyndon Baines Johnson e il suo impegno militare nel Vietnam. (*N.d.T.*)

"Ma negli anni sessanta, quando volevate dare fuoco alla società, eravate contro la censura, o sbaglio?"

"Sfondavamo tutte le porte, e poi distruggevamo anche le case!"

"Tempi esplosivi," disse Shahid. "Di recente Deedee, voglio dire Ms Osgood, ha citato uno slogan che era in voga allora: 'L'immaginazione al potere.' Lei cerca ancora di metterlo in pratica."

"Deve averlo sentito da uno dei nostri amici," disse Brownlow con insofferenza.

"Ma insomma, lei vorrebbe censurare questo scrittore?"

Brownlow sbatté le palpebre. "Capisco dove vuoi arrivare. Il fatto è che non si tratta solamente di un libro. Tu credi che i cosiddetti liberali combattano per la libertà d'espressione? Non vedi come schiumano di vanità?"

"A me sembra..."

"Difendono solo i loro miserabili interessi di classe. Gliene è mai fregato qualcosa di voi, dei lavoratori dei paesi poveri e delle vostre lotte? Adesso la vostra classe sta reagendo. Nessuno potrà più colonizzarvi, opprimervi o insultarvi nel vostro paese. E i liberali – che sono sempre i più deboli e i più vanitosi – si cagano nelle mutande, perché minacciate il loro potere. Il liberalismo non resisterà a queste forze. Se ne incontri qualcuno, digli pure che fra non molto avrà le fiamme al culo!"

"Che cosa intende?"

"Lo sai benissimo," disse Brownlow con una risata di sfida. Passò davanti alle guardie del college e fece loro il segno della pace. "*Ciao*."[2] Quella mattina Shahid studiò in biblioteca con la maggiore concentrazione che poté. Aveva un brutto presentimento, e avrebbe preferito nascondersi lì, ma capì che era ridicolo.

All'ora di pranzo andò in mensa e non incontrò nessuno che conosceva. Stava tornando in biblioteca, pregustando la lettura pomeridiana, quando vide Hat e Sadiq che parlavano in tono esagitato. Gli venne spontaneo cercare di scantonare, mescolandosi agli studenti che stavano entrando in aula. Ma Hat l'aveva visto, anche se teneva la testa bassa, e si fece largo tra la calca gridando: "Shahid, lo sai che cos'ha combinato quella

[2] In italiano nel testo. (*N.d.T.*)

donna? Stamattina, dico. Sadiq non riesce a crederci. Chad sarà furibondo."

"Che cosa stai blaterando?"

Hat ci rimase male. "Dai, dai, cos'è quella faccia?" Poi lo prese amichevolmente per il braccio. "Dove sei stato ieri sera?"

"Ho avuto da fare."

"Che cosa? Non sei venuto alla riunione. Non è stato divertente senza i tuoi commenti, fratello."

Sadiq non stava più nella pelle. "Lo devi dire a tutti, *yaar.*"

"Ecco," disse Hat, rivolgendosi a Shahid, che non aveva perso la speranza di svignarsela. "Si tratta di quella donna, Miss Osgood. Entra in aula col libro, si mette a sventolarlo come un assorbente, e comincia a dire: 'Stamattina parleremo di letteratura, e quindi anche di questo libro, di Orwell eccetera eccetera. La nostra libertà è in pericolo.'"

"E cos'è successo, dopo?"

"Una ragazza siriana, una sorella irakena e un pakistano..."

"Io, scemo," disse Sadiq.

"Scusa. Rimangono sconvolti che gli venga sbattuta in faccia quella merda. 'Nessun commento?' dice Miss Osgood, che intanto va avanti e indietro come un dittatore. 'Nessun commento?' A questo punto mi alzo e le dico: 'Ho io un commento da fare. Metta via quel libro prima che io... Prima che io... Lo sa cosa intendo, Miss Deedee Osgood?"

"Perché hai detto queste cose, Hat?"

"Perché non avrei dovuto? Qualcosa in contrario? Allora le dico chiaro e tondo che i nostri genitori pagano le tasse e che dovremmo studiare la cultura inglese, invidiata da tutto il mondo, e non leggere bestemmie."

"E lei?"

"È andata avanti: 'Questa è un'aula. Ci deve essere discussione, dibattito, confronto.'"

"Non si è tirata indietro, quindi."

"Finché non ho iniziato a picchiare i pugni sulla cattedra. Poi gli altri l'hanno presa e l'hanno rovesciata. Non me l'aspettavo, li conoscevo appena."

"Tranne me," disse Sadiq.

"Ma si sono schierati subito dalla mia parte."

"E come ha reagito?" chiese Shahid.

"L'abbiamo fatta stare zitta. Questa si chiama 'democrazia diretta', 'azione studentesca di protesta'. Me l'ha detto anche Brownlow che dovevamo farci ascoltare. La nostra voce viene repressa da gente con la mentalità colonialista come la Osgood. Miss Deedee deve nascondere quel libro prima che qualcuno glielo ficchi..."

"Era sconvolta?"

"Sconvolta? Non è mica finita. Siamo noi che siamo sconvolti!"

"Cos'altro è successo?"

"Sono appena passato davanti alla sala professori e te la vedo uscire con un pacco di volantini, e me ne sbatte in mano uno." Hat mostrò una fotocopia. "Domani inizia un nuovo ciclo di lezioni: la storia della censura e l'importanza dell'immoralità. Platone, i puritani, Milton..." Esaminò il foglio. "Come li pronunci questi? Baudelaire, Brecht... Quasi tutte le cagate bianche, insomma."

"Pare promettente," disse Shahid. "Dove ci si iscrive?"

"Sempre il solito spiritoso. Ma meglio che le tieni per te le tue battute, te lo dico per il tuo bene."

Shahid cercò di tagliare la corda un'altra volta. "Ci vediamo dopo."

Hat lo tirò dalla sua parte. "Guarda che noi andiamo di qua."

"Devo prendere i miei libri."

"Non è più tempo di libri! Legione straniera, avanti!"

"Avanti!" fece eco Sadiq.

Shahid non aveva mai visto i fratelli così eccitati e pronti a esplodere.

Chad e gli altri si erano riuniti in una classe vuota, a confrontare volantini in diverse lingue. Osservando Riaz impartire istruzioni con l'autorevolezza di sempre, Shahid sentì che c'era qualcosa che non quadrava. Poi si accorse, sconcertato, che il fratello indossava non solo la camicia rossa di Paul Smith che gli aveva prestato, ma anche i Levi's verdi e le calze a pois di Chili.

"Chad," disse Hat. "Dai un occhio a 'sto volantino, *yaar*, è dinamite pura, marca Deedee Osgood."

Chad lo lesse. "La dinamite gliela metteremo sotto il sedere più tardi, fratello, non preoccuparti." Vide che Shahid stava facendo marcia indietro verso la porta. "Tu dove vai?"

"In biblioteca."
Chad si stava sgranchendo le dita dei piedi, in previsione di una corsa. "Non fare il coglione, dobbiamo dare fuoco a quel topo di fogna." Prese Shahid per un braccio. "Tu devi trovare un bastone bello lungo."
"Un bastone?"
Chad gli fece il verso: "Un bastone? Sì, un manico di scopa!"
"Amico, tu sei pazzo se pensi di cominciare a picchiare la gente!"
"Idiota! Serve per appendere il libro che brucia, così tutta la gente può vedere la nostra protesta e applaudirci. Ci serve anche della corda. Muoviti!"
"Chad, io..."
"Tieni i soldi. E portami il resto!" Chad gli schiaffò in mano una banconota da cinque sterline. "Che cosa aspetti? Che ti dica: 'Spicciati'?"
Shahid si allontanò dicendo: "Quest'uomo, qualunque cosa abbia fatto, so che non ci ha sputato addosso o ci ha negato un lavoro. Non ti ha mai dato del pakistano di merda, o sbaglio?"
Chad, col volto color argilla, prese Shahid per le spalle. "Quante volte te lo dobbiamo ripetere che questo bastardo ci ha coperti di merda?"
"Ho bisogno di discuterne ancora con fratello Riaz," insistette Shahid, andando verso di lui.
"Non ci provare neanche. Stavamo parlando e tu te ne sei andato con quella specie di hostess! Fratello Riaz è più arrabbiato che mai. Che fine hanno fatto le poesie che ti abbiamo affidato?"
"Chad, mi spiace veramente per te. Senza di lui, non sei proprio nulla."
"Sono d'accordo."
"Come un cane senza il padrone."
"Un cane, eh?"
Chad teneva Shahid in una morsa, piegandogli i polsi e cercando di farlo cadere in ginocchio.
"Un cane bastardo."
"Almeno riconosco che ho bisogno di un padrone," disse Chad. "Non sono così presuntuoso da pensare di poter fare tutto da solo. Ho creato io questo mondo?" Cominciò a infilargli l'in-

dice sotto il pomo d'Adamo, come se volesse fargli un buco. "Ma io lo so, al contrario di te, che sei un codardo."

"Chad..."

"Perché tu parli sempre, e non fai mai niente! E sai perché? Perché sei vissuto nella bambagia! Le stronzate che mi hai raccontato la prima volta, le hai dette solo per farti bello! Oh sì, lo so quanto sei bugiardo. Ma sarai punito!"

Shahid si ricordò che Chili, quando qualcuno lo minacciava, scoppiava a ridere, come se la sola idea di venir preso a pugni fosse ridicola. Il fatto è che Chili faceva karaté, ed era raro che venisse attaccato. Così Shahid rivolse il miglior sorriso che poté al faccione glabro di Chad.

Chad lo afferrò per la camicia, lo tirò verso di sé e lo scaraventò fuori dalla porta. Shahid uscì dal college: avrebbe preferito andarsene in un altro modo, ma almeno era lontano da loro. Avrebbe avuto tempo per pensare.

Stava camminando, ancora scosso, senza badare alla direzione, quando Tahira lo raggiunse di corsa. Le era scivolato il velo, e si stava ricacciando sotto i ciuffi di capelli che spezzavano l'ovale del suo volto.

"Shahid, ho visto quello che è successo." Mise un dito sulla sua bocca. "Ssh... Non prendertela, ma ricordati che questo è solo il primo passo." Voleva aggiungere qualcosa, ma era imbarazzata. "Fin dal primo giorno... mi sei piaciuto."

"Io?"

"Perché sei tanto stupito? Sei più aperto degli altri. Ma perché hai sempre qualcos'altro per la testa?"

"Sono i miei studi."

Tahira gli diede un'occhiata maliziosa. "O è qualche altra persona?" Ci fu una pausa. Tahira aspettava, ma Shahid non sapeva che cosa dire. "Mi domando chi sia. Lasciami tirare a indovinare. Penso che sia..." Shahid riprese a camminare. "Ti prego, non andartene. Ci è stata affidata una missione. Shahid!"

Tahira lo portò da un ferramenta, dove comprarono una scopa e dello spago. Una volta fuori, Shahid cercò di rifilarglieli dicendo: "Porta subito questa roba a fratello Riaz."

Ma Tahira non voleva mollare, e aveva le idee ben chiare. Shahid fu riportato al college quasi di peso.

"Non è il momento di tirarsi indietro. Dobbiamo credere in qualcosa e difenderla, altrimenti cadremo nelle loro mani."

Era una bella giornata come tante altre, e mancava poco all'ora di pranzo; le aule erano piene. Presto tutti si sarebbero ammassati nel cortile. E Shahid avrebbe dovuto schierarsi accanto a fratello Riaz, Chad e gli altri, a sorvegliare il rogo. Fantastico!

Adesso gli era venuta voglia di cooperare, per un gusto di nichilismo, di odio e di distruzione. Voleva lasciarsi prendere dalla follia, come se fosse a un *rave* di ragazzini nel Kent.

D'un tratto vide una delle guardie scendere dalle scale. Che volesse arrestarlo? Visto che la scopa poteva essere un'arma, prima gli avrebbero fatto un interrogatorio e poi lo avrebbero espulso dal college. Entro sera avrebbe fatto i bagagli e sarebbe andato alla stazione. Quella notte avrebbe bevuto il tè con sua madre e zio Tipoo, nel nuovo ruolo di capofamiglia.

"Che cosa stai facendo?" disse Tahira. Shahid si infilò la corda in tasca e cominciò a spazzare il pavimento. "Shahid!"

Come distinguere saggezza e follia, errore e ragione, bene e male? Se quanto stava per fare non portava certo al bene, che cosa bisognava fare? Qualcuno lo sapeva? Come essere dalla parte della ragione? Tutto era in movimento; fermare gli eventi ormai era impossibile, il mondo turbinava. La storia si dispiegava nel caos, e Shahid stava cadendo nel vuoto. Dove sarebbe atterrato? Se la guardia gli avesse chiesto quanto faceva due più due, che cosa avrebbe risposto?

Con la maggiore calma che poté, Shahid spazzò un riquadro di pavimento, senza rendersi contro di quello che faceva.

Passata la guardia, Shahid, con Tahira alle costole, si diresse verso il cortile sul retro, dove si sarebbe tenuta la manifestazione. Lungo la strada voleva rivedere Deedee.

Passarono davanti alla baracca in cui lei stava facendo lezione alle sue "ragazze", una classe di studentesse di moda nere. Una di loro, un po' imbarazzata, stava in piedi su una sedia. Le altre ridevano e battevano le mani. Deedee, che indicava le scarpe della ragazza, rideva anche lei. Era così piena di vita: come si divertivano i suoi studenti!

Shahid chiuse gli occhi e proseguì.

"Shahid, che ti succede?" lo chiamò Deedee, uscendo dall'aula. "Non stai bene?" Tahira si fece da parte. Come si permetteva di stargli tanto appiccicata, praticamente faccia contro faccia?

Shahid stava battendo i denti. Deedee voleva proteggerlo e, in questo momento, Shahid non desiderava altro. Deedee squadrò la scopa e la corda come un giudice che esamina i corpi del reato.

"Stai aiutando la donna delle pulizie, o ti sei messo a studiare stregoneria?"

Shahid lasciò cadere la corda e la raccolse. "C'è stato un incidente."

"Dove?"

"Si è rotto qualcosa. Devo pulire."

"Dimmi a che cosa ti serve la corda!"

Shahid si divincolò. "Lasciami andare!"

"Lo sai che ti amo. Provi niente del genere per me?"

"Come ti vengono in mente certe idee? Adesso devo andare."

"Cosa voleva?" gli chiese Tahira, dopo che Shahid riuscì ad andarsene.

"Sta correggendo una mia relazione."

"Quella donna è molto pericolosa."

"In che senso?"

"Riaz ha le prove che viene da una famiglia di nudisti."

"Non sapevo che fosse gente tanto interessante."

"Shahid, ti diverti a essere sempre così sarcastico?"

"Pensandoci bene..."

"Sì?"

"Penso proprio di sì."

Tahira lo guardava ammirata.

Shahid consegnò scopa e corda a Chad.

"Bene, bene," disse Chad, scambiando un'occhiata con Tahira. "Sei uno dei nostri. Continua così."

Sadiq aveva trovato una latta di benzina. Hat aveva portato le casse del suo stereo e aveva preso un microfono del college. Gli altri fratelli stavanò distribuendo volantini in mensa, sulle scale e in biblioteca, e si erano appostati all'uscita delle aule.

Shahid, Sadiq, Hat e gli altri scesero in cortile, un angusto spiazzo di cemento dove di solito si giocava a basket.

Presto cominciarono ad arrivare gli studenti. Alcuni salirono sui banchi accatastati in un angolo per vedere meglio. Altri si sporsero dalle finestre. Ci furono grida e applausi. Hat faceva da buttadentro e urlava di non fare chiasso. Shahid fu sorpreso nel vedere che Brownlow era diventato il braccio destro di Riaz.

L'atmosfera, comunque, era di festa; molti studenti erano venuti perché non avevano niente di meglio da fare, ridevano e andavano sui pattini a rotelle.

Il cortile era quasi pieno quando Chad legò il libro al manico di scopa e lo fece ruotare in aria. A due passi c'era una coppia che si stava baciando e che si interruppe solo un attimo – la ragazza girandosi l'indice contro la tempia – quando Hat versò la benzina sulle pagine.

Due guardie andarono verso Chad. La manifestazione non era stata autorizzata. Shahid sperò che Chad si sbrigasse. Non se ne sarebbe andato disgustato. Voleva vedere bruciare ogni singola pagina.

A quel punto Brownlow si mise tra Chad e le guardie, allargando le braccia in modo conciliante, per dare il via a una spiegazione. Peccato che gli fosse tornata la balbuzie: al che le guardie si scambiarono uno sguardo divertito, più interessate allo show del maturo professore che a una manifestazione che, dopo tutto, si stava svolgendo pacificamente. Shahid sapeva comunque che Brownlow rischiava la propria carriera.

Ma poi arrivò Deedee con alcune delle sue studentesse e delle sue fan.

"Mio Dio," gridò, con le mani tra i capelli. "Che cosa ci sta capitando!"

Più decisa che mai, si fece largo a gomitate tra gli studenti, dirigendosi verso Brownlow. Se non ci fosse stato tutto quel pubblico, l'avrebbe preso volentieri a schiaffi. In compenso lo coprì di insulti, mentre l'altro cercava aiuto guardando Riaz, e scuoteva il capo muovendo le labbra in modo convulso e senza risultati apprezzabili. Deedee si guardò in giro alla ricerca di aiuto, ma ormai stavano ridendo tutti per quella che era stata presa come una piazzata tra ex coniugi.

Riaz tirò un respiro, poi salì sulla cassetta che aveva sistemato Hat, prendendo il microfono che gli porgeva Sadiq. Fino a quel momento la sua presenza sembrava marginale, se non opaca, come doveva essere stata quella di Lenin nella stazione finlandese, in attesa del momento di agire.

"Buon giorno a tutti," disse per provare il microfono, schiarendosi la gola.

La voce di Deedee squillò senza bisogno di amplificazione: "Che cosa volete fare con quel libro?"

Riaz sembrò scuotersi prima di risponderle sopra la folla di teste. "Se me lo consente, vorrei dire una cosa."

"Lo vuole bruciare, vero?"

Così Deedee faceva il suo gioco. Riaz si stava conquistando la simpatia generale. "Fra un momento spiegherò tutto."

"Capisce almeno quello che sta facendo?" disse Deedee.

"Mi scusi, ma lei vuole togliere la libertà di espressione a un pakistano?"

"No! Non è giusto!" mormorò la folla.

"Ma perché non cercate di leggerlo, prima?"

Da una finestra si sentì gridare: "Lascia parlare il fratello!"

Altri fecero eco nel cortile: "Ha diritto anche lui!"

"Parla fratello!"

"Forza!"

"Vede?" disse Riaz, mentre gli incoraggiamenti si moltiplicavano. "Questa è la democrazia!"

"Democrazia!" sbuffò Deedee.

"Posso cominciare?"

"Io penso..."

Riaz non la lasciò finire. "Ci lasceremo dare una lezione di democrazia dai razzisti bianchi? O per una volta ci consentiranno di metterla in pratica?"

La folla si volse con aspettazione verso Deedee, che stava cercando aiuto. Per un attimo incrociò lo sguardo di Shahid, che cercò di sorriderle, come per dire che la capiva; ma Deedee, sconcertata, passò subito oltre.

Alcuni studenti fecero dei versi e cominciarono a fischiare. Altri ridacchiarono. Il mormorio incerto fu rotto da un'altra voce: "Vattene via, troia bianca!"

"Giusto!" fecero eco altri.

Deedee agitò il pugno verso Riaz gridando: "Salvateci da quelli che vogliono salvarci!", e corse via.

"Grazie a tutti," disse Riaz. "Adesso posso cominciare. Finalmente."

Riaz sfoggiò l'ironia di sempre, dosando ad arte le pause mentre si lanciava nella sua filippica standard sui crimini commessi contro i neri e gli asiatici in nome della libertà dei bianchi. Dio lo assisteva come un vento in poppa. Shahid si ricordò delle parole di Brownlow, che rimpiangeva di non credere in Dio. Allora l'aveva preso per cinismo, ma adesso non ne era più tanto sicuro. Che vantaggio poteva dare Dio, in certe circostanze!

Riaz non si dilungò, ma presto fece cenno a Chad di prendere il libro. Il venticello fece sbattere le pagine come ali di un uccello. Hat vi avvicinò un accendino. Sadiq e Tahira fecero un balzo indietro. Il fumo avvolse il volume prima di disperdersi nell'aria.

La gente applaudì e fischiò come se stesse vedendo dei fuochi d'artificio. Alcuni salutarono il piccolo falò col pugno teso. E l'ex Trevor Buss, alias Muhammad Shahabuddin Ali-Shah, alias fratello Chad, rideva trionfante, facendo volteggiare il libro in fiamme.

Sadiq, Hat, Tariq e gli altri cominciarono ad applaudire dalla gioia. Shahid se ne stava in mezzo alla folla, sperando che i suoi amici non lo stessero osservando. Ma come sfuggire loro? Guardò verso Hat, che se ne accorse; ma distolse subito lo sguardo, con un'espressione colpevole, come se non si stesse divertendo quanto avrebbe dovuto. Voleva sembrare neutrale, ma sapeva che era impossibile. Non riusciva a non provare nulla, come molti dei presenti. Se sentiva qualcosa, era vergogna. Lui era quello che non sapeva partecipare, che non era capace di lasciarsi andare.

Tuttavia quando vide la faccia di Chad, fu contento di non avere quell'espressione da invasato. L'idiozia della manifestazione lo atterrì. Quanto erano gretti, ottusi; come era... imbarazzante tutta quella messa in scena! Ma Shahid era migliore solo perché gli mancava il loro fervore, o perché cercava di tagliare la corda? No: era peggio lui, con la sua indifferenza. Non era abbastanza semplice.

"Non è giusto," disse Shahid a uno che gli stava di fianco. "Che cosa succede alla nostra comunità?"

"Di che cosa ti preoccupi?" rispose lo studente. "È solo un libro."

Le fiamme tremolavano tra i capitoli, e pagine bruciacchiate svolazzavano sulla folla. Un paragrafo prese il volo verso Kilburn; alcune pagine planarono verso Westbourne Park; metà copertina filò dritta in cielo.

Qualcuno gridò: "Attenti, hanno chiamato la polizia!"

Le forze dell'ordine non erano beneamate nel college: più che la letteratura *flambée*, era la loro presenza che poteva innescare disordini. La folla si disperse tra grida in tutte le direzioni. Qualcuno staccò il microfono. Sadiq correva qua e là.

Riaz mise le mani al megafono e cercò invano di dare ordini. La sua banda si sforzava di mantenere la calma, quando la loro attenzione fu attirata da un movimento all'altro capo del cortile. Era Deedee, accompagnata da tre poliziotti. Indicò Riaz e Chad. Brownlow si mise in mezzo un'altra volta, cominciando a parlamentare.

Chad filò in strada attraverso un'uscita laterale, imprecando nella sua versione personale di urdu, col libro semicarbonizzato e puzzolente che gli penzolava sopra la testa come il relitto di un ombrello. Riaz inciampò e cadde dal piedistallo. Si riassettò e rimase a guardarsi attorno, senza sapere cosa fare.

Hat, Sadiq e Shahid si misero in spalla le casse di Hat e si nascosero nell'edificio, proprio mentre i vigili del fuoco irrompevano dall'altra entrata.

Avevano bruciato il libro. Non era filato tutto liscio, ma erano riusciti nel loro intento. Malgrado le fiamme, non c'erano stati né danni né vittime. La preside avrebbe dovuto punire gli incendiari, ma Shahid dubitava che avrebbe preso provvedimenti, per paura di inasprire la situazione. Era da tempo che diffidava del gruppo di Riaz, ma per evitare l'accusa di razzismo aveva destinato loro un locale per la preghiera, facendo di tutto per non avere altri contatti, neanche quando i loro manifesti erano più minacciosi del solito.

Gli studenti stavano andando chi in mensa, chi in aula o in biblioteca. La normalità era stata ristabilita rapidamente. Le istituzioni britanniche potevano essere marce, ma dopo tanto tempo stavano ancora in piedi; un piccolo attacco come quello, fosse stato anche moltiplicato per dieci, non poteva fare un gran danno, anche se Shahid non fu contento di essersene reso conto.

Trovare posto in biblioteca era impossibile. Shahid raccolse i suoi libri, sapendo che avrebbe dovuto andare da Deedee, anche se aveva paura di non sapere come calmarla. E se era arrabbiata con lui, se dopo questo episodio tra loro era tutto finito?

Sulla porta del suo studio aveva attaccato un biglietto per annunciare la sospensione dei suoi corsi. Shahid immaginò che stesse discutendo con la preside.

Una pagina bruciacchiata era caduta in un tombino. Ma i bus funzionavano; i baracchini del *kebab* erano aperti, e la gente spingeva carrozzine e tornava a casa dal lavoro. Un prete si era seduto sui gradini della metro per leggere la Bibbia a un giovane medicante che se ne stava lì tutto il giorno. Tutta gente che ignorava che lì vicino era stato bruciato un libro. La mattina, tuttavia, c'era stato un altro attentato nella City: molte strade erano interrotte da posti di blocco. Shahid sapeva che era sbagliato pensare che non sarebbe cambiato nulla.

L'unica cosa che voleva era tornare in stanza, chiudere la porta e mettersi a scrivere; era in quel modo che si sarebbe riscattato. La distruzione di un libro – un libro che poneva un quesito – rappresentava un modo di pensare con cui voleva fare i conti.

Stava salendo le scale quando, avvicinandosi al suo piano, sentì delle voci familiari. Imprecò mentalmente. Dovevano essersi dati appuntamento nella stanza di Riaz. Fece per tornare indietro. Sarebbe uscito. Non era più dei loro. Non l'aveva deciso a freddo: l'amicizia era terminata quando Hat aveva buttato la benzina sul libro. Ne aveva imparate abbastanza di cose che non gli piacevano; adesso avrebbe abbracciato l'incertezza. Forse la sapienza poteva venire da ciò che non si conosceva, piuttosto che dalle certezze. Così sperava.

Sperava anche che la separazione fosse netta. O almeno senza processi e strascichi. Non voleva che fosse discusso il suo caso, né voleva rivedere i suoi ex amici per un pezzo. Allo stesso tempo non voleva evitarli come se fosse stato un criminale o un reietto. La vita al college sarebbe diventata insostenibile. Ma non voleva neanche essere cacciato dalla sua stanza. Ci sarebbe entrato senza che se ne accorgessero.

Raggiunse il suo pianerottolo e si accorse che non erano nella stanza di Riaz. Chad, Hat, Tahira, Sadiq e Nina avevano aperto la sua porta, che mancava di una serratura da quando Chili l'aveva scassinata.

Shahid si trovò di fronte un muro di sguardi ostili. Nessuno aprì bocca. Non c'era neanche posto per sedersi. Hat stava vicino al computer, facendosi vento con un floppy-disk. Shahid indicò lo schermo: "Ti serve una mano?"

Chad si alzò, strappò il dischetto dalle mani di Hat e se lo ficcò in tasca. Hat guardò da un'altra parte.

Sadiq riprese la conversazione che avevano interrotto. "Andiamo subito da lei!"

Hat diede un'occhiata colpevole a Shahid. "Non è nel suo studio."

"Hai già controllato, allora?" disse Chad.

"Come mi hai detto," rispose Hat con un filo di voce.

"Bene."

Dopo un attimo di silenzio, parlò Sadiq: "Io so solo che ci ha messo contro lo stato inglese."

"Senza nessuno scrupolo," disse Chad. "Dice di essere contro l'autorità, eppure ha cercato di farci arrestare. Che incredibile ipocrisia!"

"Vi vorrei comunicare una cosa che ho scoperto, tanto perché lo sappiate," disse Sadiq. "La Osgood va a letto con studenti afro-caraibici e indiani." Tahira e Chad si scambiarono uno sguardo. Hat annuì gravemente. "Abbiamo le prove. Tutto il college sa che se la fa con due rasta. Si sceglie solo amanti neri o asiatici, per motivi politici."

Tahira si sistemò il velo. "La nostra gente è sempre stata trattata dai bianchi come un oggetto sessuale. Non mi sorprende che odino il nostro pudore."

"Questa sacerdotessa del porno incita i fratelli di colore a fare uso di droghe," continuò Sadiq. "Quando scopa si sente per mezza Londra, come l'allarme di un'automobile. E alla fine abortisce sempre. Ha un conto aperto in una clinica!"

"Sadiq!" disse Tahira. "Non ti sembra di essere indecente a furia di parlare di cose indecenti?"

"Scusa. Ma guarda solo come si veste, sempre di due misure più strette. È così piena di curve che sembra una patata in un calzino."

"Se solo fossi stato qui l'anno scorso," disse Chad. "Una delle nostre ragazze è caduta nelle mani di questa specie di postmoderna. Le ha messo in testa che la religione tratta le donne come cittadini di serie B e l'ha fatta scappare dai suoi genitori, bravissima gente che ha chiesto aiuto a Riaz e a me. Erano impazziti dal dolore, questi poveracci. Riaz si è occupato del caso personalmente. La ragazza è andata in un pensionato e ha detto che era disposta a discutere con i suoi genitori.

'Discutere'! Sapete dov'era? La Osgood la teneva nascosta in casa sua!''

"Quella donna ha rapito una bambina ai suoi genitori?'' disse Tahira.

"Sì! Secondo voi io sarei capace di tenere segregata una piccola Osgood in casa mia per farle il lavaggio del cervello? E se lo facessi, non mi accuserebbero di essere un terrorista, un pazzo, un fanatico? Fratelli, non potremo mai vincere. L'ideologia imperialista non è morta.''

"Che fine ha fatto la ragazza?'' chiese Shahid.

"Ottima domanda,'' disse Chad. "Infatti è stata uccisa.''

"Dai suoi genitori?''

"Ma no, cretino! Si è uccisa da sola, si è buttata nel Tamigi. È ciò che capita quando una persona non sa quello che è.''

"Non possiamo lasciare che vada avanti,'' disse Tahira. "Andiamo a parlarle.''

"Sì,'' disse Sadiq.

"Fratello Riaz ha detto che la Osgood come minimo perderà la cattedra per i suoi attacchi contro le minoranze,'' disse Tahira. "Anche oggi ci ha impedito di esprimerci liberamente. Io la chiamo 'censura razzista'. E tu, Shahid?''

Shahid abbassò gli occhi.

"Ha mai discusso con noi?'' disse Chad. "Ci ha mai chiesto perché non vogliamo essere insultati? Ci ha mai spiegato perché le nostre convinzioni valgono sempre meno delle sue. E poi ogni giorno pretende di darci lezioni di uguaglianza.''

"Io penso che creda nell'uguaglianza,'' disse Tahira, "ma solo a patto che noi dimentichiamo tutto quello che siamo. Se affermiamo la nostra individualità, siamo inferiori, perché crediamo in stupidaggini.''

"Ci ha venduti alla polizia!'' disse Hat.

"Non l'avrei mai fatto, neanche col mio peggiore nemico!'' disse Chad.

"Andiamo a dirgliele in faccia queste cose,'' disse Hat.

"Giusto! Adesso che ascolti un po' la nostra libertà d'espressione!''

Chad guardò Shahid. "Qualche commento?''

"Le guardie vi fermeranno prima che possiate dire una parola a Deedee Osgood.''

"E tu come lo sai?''

"Vuoi farti buttare fuori anche tu?"

Chad si avvicinò a Shahid e fece schioccare le dita sopra la sua testa, come se avesse una vespa tra i capelli.

"Io non ho più intenzione di studiare! Sono io che butto fuori loro! Non sottovalutare il nostro potere! Se diamo retta a te, non combineremo mai niente, se non starcene sdraiati a pancia all'aria! No, grazie al mio solito genio, ho pensato cosa fare. So dove abita. Questa notte andremo a trovarla."

"Cosa?" disse Hat.

"Perché impari, bisogna darle una lezione," disse Tahira. "Non sei d'accordo, Shahid?"

"Avrei voglia di darle uno di questi," disse Sadiq tendendo un pugno. "Giusto perché si ricordi di noi."

"Non sarò io a proibirtelo," disse Chad, andando verso la porta. "Riaz ci sta aspettando in moschea. Dobbiamo discutere prima dell'incontro con Mr Rugman Rudder. Ci deve dire quello che ha deciso circa l'esposizione in municipio."

Shahid era curioso di vedere se l'avrebbero invitato ad andare con loro. Ma Chad si diede solo una pacca sulla tasca. "Grazie del dischetto."

"Quale hai preso?"

"Solo ciò che appartiene a fratello Riaz."

Shahid fece per riprenderlo. "Ridammelo Chad, per favore."

"Sparisci."

"Ma non è finito. Te lo darò stasera."

"Sì che è finito."

"Ma no, Chad, ti dico di no!"

Chad era impassibile come un blocco di marmo. "E io ti dico di sì. È finito. Completamente."

Chad fece cenno agli altri di uscire. Sadiq si mise a scandire: "Osgood assassina! Osgood assassina!"[3] Shahid si buttò sul letto e ascoltò gli altri che ripetevano lo slogan mentre scendevano le scale.

[3] Nell'originale: "*Osgood – no good!*". (*N.d.T.*)

19

Doveva avvertire Deedee, ma dove si era cacciata? Tornò di corsa al college, ma nessuno sapeva dove fosse. Prese la metro e fece di corsa il tratto dalla stazione a casa sua. Uno degli inquilini gli disse che era strano che a quell'ora non fosse già tornata. Così scarabocchiò un biglietto che lasciò sul tavolo nell'atrio, dicendole di chiamarlo appena poteva.

Shahid camminò per un bel pezzo, finché non perse la strada e si sentì sfinito. Alla fine trovò una cabina e le telefonò diverse volte, sperando che fosse tornata. Ma rispondeva solo la segreteria telefonica. Shahid era in preda al panico. Si sentiva mancare il respiro, e faceva fatica persino a muoversi. Il suo corpo sapeva che aveva fatto qualcosa di irrevocabile.

Prese un bus e finì al Morlock, dove si mise a sedere con una pinta di birra, solo come tutti gli altri che si trovavano lì. Eppure credeva ancora che Riaz avesse un cuore e fosse disposto ad ascoltarlo, che il fratello potesse riconoscere e comprendere la natura umana. Se fosse riuscito a parlargli, avrebbe potuto chiarire la posizione sua e di Deedee. Purché non ci fosse Chad di mezzo, che gli avrebbe impedito di vederlo da solo.

Riesaminò ogni cosa da tutti i punti di vista, bevve un altro paio di birre, e uscì. Gli era venuta un'idea.

La luce al neon ronzava. Hat sembrava sconvolto. La sola visione della faccia di Shahid sembrava fargli venire le convulsioni, al punto da fare finta di non riconoscerlo. Anche se qualcosa gli si doveva agitare dentro, come se non avesse ancora le idee chiare. Shahid continuò a sorridergli e a fargli cenni col capo, anche se non era facile, con Hat che serviva i clienti come se lui fosse invisibile.

Alla fine, nel ristorante rimase solo Shahid. Hat stava pulendo il vetro del bancone con uno straccio.

"Non avvicinarti."

"Ti devo chiedere una cosa."

"Perché?"

"Te lo chiedo per favore, Hat."

"Che vuoi?"

"Hat. Hat. Siamo amici."

Hat sembrò smollarsi. Chiamò il suo fratellino dal retro, e si piazzò dietro il bancone. Ma poi infilò le scale e andò al piano di sopra. Shahid si mise a camminare avanti e indietro, osservando l'orologio sul forno a microonde. Stava per andarsene, pensando che Hat non volesse più vederlo, quando questi tornò. Shahid non l'aveva mai visto così diffidente e spaventato.

"Lo sai quello che hai combinato?" disse Hat, sedendosi a un tavolo di fronte a Shahid.

"Cosa?"

"Perché rovinare tutto con le tue menzogne?"

"Mi vuoi spiegare di cosa stai parlando, Hat?"

Hat lo guardò come se avesse fatto una battuta di cattivo gusto. "Ho stampato il tuo dischetto con le poesie di Riaz."

"Di già?"

"Sì."

"Capisco," disse Shahid annuendo.

"Non ci potevamo credere!"

"Ma non avevo ancora finito!"

"Finito?"

"I poemetti in prosa..."

Hat rise senza gioia. "Come pensi che si senta fratello Riaz, lui che era così orgoglioso di avere stampati in bella copia i suoi componimenti, così da poterli mostrare ai suoi amici? So che sperava anche di ricavarci qualche soldo."

"Il manoscritto originale non l'ho neanche toccato."

"Non l'avevo mai visto così entusiasta. Ma dopo si è chiuso in sé – lui sa cos'è la dignità – e ho capito che era a pezzi. Come tutti noi."

Shahid si ricordò di versi come:

In questa terra atea la sabbia spazzata dal vento parla di adulterio,
Qui governano Lucifero e i colonialisti,
Le ragazze spudorate e senza velo puzzano di Occidente.

Aveva cominciato a ricopiare l'opera di Riaz con le migliori intenzioni. Ma c'erano parole, e poi frasi e versi, che non riusciva a trascrivere. E una volta iniziata la libera parafrasi, si era lasciato prendere la mano. Deedee gli aveva fatto provare sensazioni cui non era abituato, e gli era venuto spontaneo esprimere il suo sconcerto e la sua meraviglia.

"Era una celebrazione," disse Shahid.

"Di cosa, *yaar* ?"

"Della passione."

Hat avrebbe voluto strangolarlo. "Anch'io posso avere dei pensieri un po' sporchi, ma quella roba... Sei un maiale."

"Ma non pensi mai, tu, al sesso?"

Gli occhi di Hat quasi schizzarono dalle orbite. "Lo sanno tutti che mi piace guardare eccetera. Ma non mi metto a scrivere un trattato su come le ragazze accavallano le gambe..."

"O sull'odore dei loro capelli, e sulla pelle nell'incavo delle ginocchia..."

"Ecco! Gli odori del corpo e tutta quella roba! Gente che sta ad annusare i propri escrementi!"

"Ma non è stato Dio a darci gli escrementi"

"Ma io non li metterei in una poesia! Non li mescolerei a discorsi sulla religione, ti pare?"

"Però hai letto."

"Cosa?"

"Hat, a parte i tuoi commenti negativi, ti è piaciuto niente di quello che ho scritto? Dimmi."

Per un momento Shahid sperò che Hat si arrendesse, e che la loro amicizia potesse essere salvata. Quello che avevano in comune non era più profondo di queste cose? Ma lo sguardo di Hat esprimeva solo perplessità e rabbia. E continuò a scrollare la testa come per rifiutare in anticipo qualunque obiezione.

"Tu deliri, spirito del demonio! Tu sei una spia pagata dai nostri nemici!"

“Hat, io sono ancora tuo amico, se vuoi.”

“Perché insozzarci in quel modo, allora? Come hai potuto fare questo a fratello Riaz? Ti posso chiedere una cosa? Che male ti ha fatto?”

Shahid sapeva di non poter dare spiegazioni. Si sentiva sopraffatto dalla vergogna, e non riusciva a smettere di piangere. Hat aveva ragione. Loro avevano bruciato un libro; ma lui che cosa aveva fatto? Aveva approfittato della fiducia di un amico, senza neanche pensarci. Che diritto aveva, adesso, di lamentarsi?

“Chad ha detto che una volta fratello Riaz ti ha salvato la vita. È vero?”

“Sì.”

“Che cosa?”

“Che mi ha salvato la vita.”

“Lui ti salva, e questo è il servizio che gli rendi?”

“Hat ti prego di credermi. Stavo solo giocando... Giocando con le parole e con le idee.”

“Tu pensi di poter giocare con tutto, vero? Ma lascia che te lo dica: certe cose non sono divertenti.”

“Di solito sono quelle che lo sono di più.”

“Come si fa a parlare con te? Ma c’è qualcosa in cui credi, in questo momento?”

“Non lo so! Ma ne ho bisogno, Hat. Ho bisogno di ordine, di armonia.”

“Bene. Ma la nostra religione non è una cosa che si può provare come un vestito, per vedere se ti sta bene. Bisogna comprare tutto in blocco!”

Il disgusto di Hat infiammava Shahid. L’avrebbe voluto prendere per il bavero e dirgli: “Hat, sono Shahid, sono sempre il solito; non sono cambiato da quando ci siamo incontrati.”

Gli si avvicinò. “Per favore Hat, devi aiutarmi.”

“Come?”

“Voglio parlare a Riaz, da solo. Mi basta una mezz’ora. Devo spiegargli tutto. Glielo dirai senza mettere Chad di mezzo?”

Ma Hat da quell’orecchio non ci sentiva.

“Ci siamo fidati tutti di te, a partire da fratello Chad. Tranne Tahira, che ha detto che fin dall’inizio le sembravi un egoista con un sorriso maligno. Ed ecco che Riaz ti affida le sue parole ispirate. Chiunque si sarebbe sentito privilegiato! Ma lui pensa che tu sia speciale.” Più andava avanti, e più i crimini di Shahid gli sembravano incommensurabili. "Come puoi pensare di importunare fratello Riaz proprio adesso? È occupato coi nuovi programmi."

"Programmi di cosa?"

"Solo altre punizioni."

"Per esempio?"

"Non te lo posso dire. Ma il libro sta per essere condannato da Rugman Rudder in persona. Lui, l'uomo più in vista della zona, dice che è spazzatura. Hai qualcosa da obiettare?"

"Capisco."

"Bene."

"Allora..."

Shahid e Hat si alzarono. Shahid tese la mano per salutarlo. Hat si scansò, fulminandolo con un'occhiata.

"Dove vai, adesso?"

"Cosa?" disse Shahid, in piena confusione. "Meglio che vada. Ci vediamo, spero."

"No! Resta qui!"

"Perché?"

"Non vuoi mangiare qualcosa?"

"Non ho fame."

Quasi controvoglia, Hat spintonò Shahid. Non era una spinta forte, ma lo colse di sorpresa, facendolo inciampare e sbattere contro il frigo che conteneva le bibite. La mensola coi sottaceti e la mostarda che era appena sopra si staccò dalla parete, e i vasetti caddero sul pavimento, spaccandosi e rovesciando dappertutto il loro contenuto appiccicoso.

Hat rimase di stucco, specialmente quando suo padre uscì di corsa dal retro e, senza neanche osservare lo sfacelo, diede uno scappellotto a Hat, scivolò su un cetriolo e cadde di schiena, scalciando come se tentasse un passo di can-can. E rimase per terra a imprecare, sguazzando tra pezzi di mango.

Shahid si rialzò, cercò di pulirsi alla bell'e meglio e si diresse verso la porta. Si sentiva ammaccato in più di un punto, ma non intendeva fermarsi e piangersi addosso. Meglio uscire prima che facesse cadere qualcos'altro.

Fuori dalla vetrina, vide Chad che stava attraversando la strada. Sembrava sapere che Shahid era lì. Hat doveva avergli telefonato quando era andato di sopra, e Chad non sembrava avere un'aria ben disposta.

Shahid si precipitò fuori, fece un pezzo di strada, attraversò e girò l'angolo, spintonando chi si trovava di fronte. Poi si fermò a guardare alle sue spalle. Era vero: Chad lo stava inseguendo. E anche se era grosso e aveva due piedi giganteschi, stava andando alla carica con la ferocia di un cinghiale. Attraversò la strada senza guardare, pugni alzati e faccia decisa, pronto a esplodere.

Shahid si mise a correre più veloce che poteva, ma poi provò a rallentare. Voleva dire qualcosa a Chad, che sembrava avere una gomma a terra, e sbuffava e arrancava come se dovesse crollare da un momento all'altro. Ma ogni volta che Shahid diminuiva la velocità, Chad trovava nuove forze e si riprendeva. Shahid aveva più fiato di Chad e lo seminò. Si infilò dentro un centro commerciale e uscì dal retro. Gli venne da sorridere non vedendo più la mole di Chad, e si sedette sul marciapiede, col cuore che gli batteva forte e la testa che gli girava.

Questa volta, quando suonò il campanello della casa di Deedee, venne ad aprire Brownlow. Shahid lo seguì nel soggiorno, dove stava tirando giù i libri dagli scaffali, per buttarli in una serie di scatoloni.

"Dov'è Deedee, dottor Brownlow?" chiese con la voce rotta.

Brownlow, agitato per conto suo e per effetto dell'alcool, travolgeva gli oggetti come un uragano.

C'erano libri sulla Cina e sull'Unione Sovietica; guide turistiche per i paesi dell'Europa orientale – Deedee gli aveva raccontato che per tre anni suo marito aveva insistito che andassero in vacanza in Albania; e poi libri di Marcuse, Miliband, Deutscher, Sartre, Benjamin, E.P. Thompson, Norman O. Brown; saggi su marxismo e storia, marxismo e libertà, marxismo e democrazia, marxismo e cristianesimo.

C'era anche una pila di dischi, che Shahid non perse l'occasione di esaminare: i Traffic, i King Crimson, Nick Drake, Carole King, John Martyn, i Golden Shower, i Condemned, i Police e gli Eurythmics.

"Dov'è andata?"

"Me ne vado di qui e non torno più," disse Brownlow.

"Se lo sa, me lo dica, per favore."

"Grazie al cielo, non so più molto di quello che fa mia moglie. Magari è andata alla polizia a fare un paio di nomi."
"Stia zitto. Lei è solo uno stronzo."
Brownlow sembrò divertito. "Perché non ti ha detto nulla?"
Shahid aprì una lattina di birra e ne scolò metà. "Non è come pensa."
"Che confusione, comunque. Se fossi giovane e bello come te, mi farei delle donne migliori."
"Che cosa sta facendo con quei libri?"
"Lei è contenta di vederti, d'accordo, ma è una generazione di donne che pretende troppo da noi. Che cosa hanno prodotto, alla fine, anni e anni di femminismo? Un mucchio di borghesi bianche inacidite che si prendono quello che vogliono. C'era poi bisogno di tutta quell'aggressività?"
"Dottor Brownlow..."
"Zitto! Queste donne prima ti fanno girare come una trottola, poi ti tolgono i soldi, l'orgoglio e ogni cazzo di cosa, come se fosse colpa tua se è da secoli che le sfruttano. Uno come te, che può fare qualunque cosa nella vita, dovrebbe avere una fila di biondine che fanno la fila per dargliela. Io farei così." Brownlow si leccò le labbra.
"Grazie," disse Shahid. "Mi è stato di grande aiuto."
Si buttò su una sedia. Aveva ancora il fiatone; i pantaloni erano impiastrati di *chutney* di mango. Finì la lattina e la buttò per terra tra i rifiuti.
"Chi è che ti sta dietro?" disse Brownlow.
"Prima mi dica perché sta prendendo questi libri."
"Sono miei. Perché non dovrei prenderli?"
"Magari potremmo fare un bel falò, tanto per riscaldarci."
"Non pigliarmi per il culo."
"Ormai lei è tagliato fuori, vero?"
"Cosa vuoi dire?"
"Fine. *Kaputt.* Non è stato dichiarato in esubero?"
"Come fai a saperlo? In ogni caso la risposta è: 'Sì.' Non c'è bisogno di sentire le previsioni del tempo per sapere da che parte soffia il vento. Avrò un sacco di tempo per leggere. Storia, filosofia, politica, letteratura. Non vedo l'ora."
"Davvero?"
Shahid si sentiva in trappola, e non riusciva a stare fermo. Andò alla finestra e appoggiò le mani sul vetro. La stanza era

calda, ma si sentivano gli spifferi. Tese l'orecchio per sentire se c'era qualcosa di anormale nei soliti rumori della strada. Aveva paura che Chad e gli altri scavalcassero la siepe con machete, mannaie e martelli.

Brownlow, intanto, continuava: "Che cosa c'è da insegnare? Come ci può essere qualcosa, quando non ci sono più conoscenze da trasmettere?"

Shahid sgattaiolò verso la porta sul retro. Controllò il giardinetto, e poi incastrò una sedia sotto la maniglia.

"Andrò in Italia," stava monologando Brownlow, "a costo di vivere in tenda. Almeno lì sanno che abbiamo una sola vita, e la sfruttano al massimo."

Shahid si buttò sulla poltrona. Gli erano venuti i brividi. Se avesse potuto scegliere, avrebbe voluto essere a casa, sul suo letto, e riflettere sul da farsi. Ma la sua stanza, con Riaz accanto, era l'ultimo posto dove poteva andare. Se le cose non cambiavano, avrebbe dovuto trasferirsi.

Brownlow, con la fronte madida di sudore, faceva rumore per due: vuotava interi scaffali e trascinava gli scatoloni verso la porta, borbottando: "Questo è mio. No. È suo. Lo prendo lo stesso. No, questo non lo voglio, che brutti ricordi..." A un certo punto rovesciò tutto per terra. "A che cosa serve prenderne uno piuttosto che un altro? Che cosa me ne faccio di tutte queste parole inutili?"

La relazione di Brownlow con Deedee era finita. Magari non si sarebbero più visti; o, se si fossero incontrati, si sarebbero appena salutati.

Shahid pensò a ciò che gli aveva detto una volta Riaz, in moschea: l'amore era impossibile senza una salda morale e una struttura in cui svilupparsi, date da Dio e radicate nella società. Altrimenti le persone non facevano che noleggiarsi a vicenda per periodi più o meno lunghi. Da tali intermezzi privi di fede si aspettavano piacere e divertimento; speravano addirittura di trovare qualcosa che li completasse. Ma se non l'ottenevano subito, buttavano via l'altra persona, e ricominciavano senza mai fermarsi.

Se questa era la norma, com'era possibile conoscersi a fondo e costruire qualcosa di duraturo? Lui e Deedee avevano ceduto a un'attrazione reciproca. Erano usciti qualche volta, si erano confessati e avevano condiviso le passioni più sfrenate. Eppure cos'altro era stato fare l'amore se non uno scambio di tecniche?

Lui faceva questo, e lei quello. Quanto potevano dire di conoscersi? Avevano fatto i turisti uno nella vita dell'altro. Che cosa le impediva di farsi altri amanti, neri o indiani? Perché non avrebbe dovuto? Forse ne cambiava uno all'anno, usando gli uomini come Chili usava le donne, e dando loro il benservito nel periodo degli esami.

Forse Deedee l'avrebbe lasciato, oppure sarebbe stato lui a smettere di vederla. Perché no? Che cosa c'era tra loro? Forse un giorno, in un futuro non lontano, si sarebbe messo a fare anche lui la spartizione dei libri. E come nel caso di Brownlow, ci sarebbe stato un altro lieto di prendergli il posto.

Il pensiero di Riaz, in ogni caso, gli fece venire i brividi. Che persona grigia e viscida; che mente limitata aveva, e com'era gonfio di astio e di acidità!

"Ehi!" lo chiamò Brownlow. "Me la vuoi dare una mano?"

Non sapendo che cosa fare, e sperando che capitasse qualcosa, Shahid cominciò ad aiutare Brownlow. Era sul punto di spostare una pila di libri, quando su un romanzo vide un coso raggrinzito simile all'orecchio di una mucca.

"Gesù, e questo cos'è?" disse prendendo l'affare con due dita.

"Che cosa pensi che sia?" disse Brownlow.

"È quello che vorrei sapere."

"A dire il vero è solo una vecchia melanzana," confessò Brownlow.

"Quale melanzana?"

"Scusa?"

"È una melanzana che Deedee si è dimenticata di cuocere, o è quella del miracolo?"

Brownlow lo guardò in modo ambiguo. "Più o meno. Be', sì. È quella lì."

"E cosa ci fa in mezzo a questi libri?"

"Non l'ho fatto apposta, per la miseria. Che me ne faccio io, di un miracolo?"

"Me lo dica lei."

"Dovevamo mostrarla ai compagni di Rudder."

"Avevano il sedere per aria?"

"Stai delirando? Hai preso delle droghe? Immagino anche chi te le ha date. Non puoi dire di non esserti fatto una cultura." Brownlow rise con malizia.

Shahid aprì un'altra birra.

“I bastardi non volevano fare l’esposizione in municipio senza averla vista. E i due che l’avevano trovata erano stufi di avere la casa piena di gente. Così l’abbiamo presa, e i consiglieri comunali se la sono passata di mano. Quando hanno finito di sghignazzare, l’hanno ridata a me, e senza accorgermene me la sono messa in tasca.”

“Allora la metterà in mostra accanto al ritratto di Mandela?”

“Penso di no.”

“Come mai?”

“Rudder era disposto a fare altre concessioni, come sostenere le scuole islamiche. Ma quanto all’esposizione della melanzana in municipio, ha detto di no. ‘Non è il momento più adatto,’ continuava a ripetere. Il rogo del libro li ha messi tutti contro Riaz. Hanno detto che sono nazisti e roba del genere.”

“Che cosa pensa di questa storia?”

Brownlow cominciò a balbettare. Si mise una mano davanti alla bocca e si piegò in avanti come se stesse per vomitare. Alla fine riuscì a spiccicare: “Devo ammetterlo, il r-r-rogo mi è rimasto sullo s-s-stomaco.”

“Però si è schierato dalla loro parte.”

“N-naturalmente. Cosa importa quello che mi piace o no? Ho detto a Rudder che Riaz e i suoi compagni non sono n-nazisti. E che la vostra protesta ha una sua giustificazione.”

“Già. Come l’ha preso Riaz il ‘no’ di Rudder?”

Brownlow cercò di controllarsi abbastanza da dire: “D-dopo il r-r-rogo sapeva che eravamo già f-f-fortunati se riuscivamo a parlare con Rudder. Penso che Rudder per un po’ non vorrà saperne di Riaz. Ma ha detto anche una cosa.”

“Cioè?”

“Che il libro è un i-insulto e che chiederà che venga sequestrato. La cosa buffa è che anche il capo dei conservatori ha detto lo stesso. Ovviamente entrambi sanno che è impossibile.”

“Perché?”

“Non fare l’ingenuo. C’è una grossa comunità musulmana qui a Londra. A parte ciò, Riaz è troppo r-rivoluzionario per loro, per ora. A dire il vero, alla fine sembrava un po’ depresso. Ma non ha intenzione di mollare. La sua opera – o il suo tempo – è appena cominciato. Riaz ha avuto la giusta dose di discriminazioni: non troppe da non poterle superare, ma abbastanza da metterlo contro la classe agiata. In ogni caso dovrà cominciare a usare i media e rinunciare all'azione diretta. Te l'ho detto? L'hanno invitato in televisione."

"Riaz?"

"L'ha chiamato il produttore di un talk-show che passa in seconda serata, e gli ha chiesto se vuole esporre le sue ragioni."

"E ha accettato?"

"Ha detto che doveva discuterne con gli altri. Ma era lusingato."

"Sul serio?"

"Gli brillavano gli occhi. Non vede l'ora. La seduzione è cominciata."

"Non sono sicuro che prenderà quella strada."

"Cosa te lo fa pensare?"

"Finirà per isolarsi."

"Vedremo," disse Brownlow. "Per quelli della tele, Riaz è un mostro affascinante. È la prima volta che vedono uno come lui. Magari finirà che gli faranno condurre un talk show." Brownlow si mise a inscatolare i libri, continuando però a guardare Shahid – che si stava rigirando la melanzana fra le mani – come se volesse dire qualcosa.

"Alcune di queste religioni, superstizioni, forme di culto o di preghiera – chiamale come vuoi – sono belle, interessanti, e hanno tutte una loro ragione di esistere. Ma chi avrebbe immaginato che avrebbero resistito al razionalismo? Proprio quando pensavi che Dio fosse morto e sepolto, ti rendi conto che stava solo aspettando di risorgere! Adesso anche il primo coglione scopre qualche divinità dentro di sé. E chi sono io per oppormi a tutto questo?"

"Appunto. Se posso esprimere un parere, direi che lei è un bastardo senza palle, dottor Brownlow."

"Grazie. Ma chi è l'idiota, io o loro? E cosa mi rimane?"

"Cosa le dovrebbe rimanere?"

"Non capisci, s-scemo, che tutto quello in cui credevo è diventato merda? Alla fine degli anni settanta eravamo lì a discutere di r-rivoluzione, natura della dialettica, significato della storia. E mentre discutevamo sui nostri giornali, ci hanno tolto tutto. Al popolo inglese non importa niente della cultura, del problema delle case, dell'arte, della giustizia, dell'uguaglianza..."

"Perché?"

"Perché sono un mucchio di s-stronzi avidi e miopi."

"La classa operaia?"
"Appunto!"
"Un mucchio di stronzi?"
"Sì." Brownlow cercò di trattenersi. "No, no, è molto più complicato." Stava singhiozzando. "Non posso dire che ci abbiano tradito, anche se lo penso. Non è vero, no! Hanno t-t-tradito se stessi."
Si tirò fuori un lembo della camicia dai pantaloni e si asciugò la faccia sudata. Lasciò cadere le braccia, piegò la testa all'indietro, con la bocca che gli tremava e la fronte da intellettuale levata verso il soffitto.
"T-t-tagliami la gola. Ti prego. Ho più di quarant'anni, e non so cosa fare della mia vita. Aiutami a farla finita prima che le cose p-p-peggiorino."
Shahid balzò in piedi e corse alla finestra. Pensando di aver sentito tossire Chad, si nascose dietro le tende polverose e sbirciò fuori.
"Non c'è bisogno che supplichi, Brownlow. I tagliagole sono già sulla strada. Li vedrà entrare dal cancello. Se rimane lì, la redenzione se la troverà dritta in faccia."
Shahid non riuscì a vedere nessuno. Ma era buio, e rischiava di rimanere chiuso in trappola; Brownlow, che farfugliava come il pazzo di Gogol in attesa della camicia di forza, non sarebbe stato di grande aiuto.
"Cos'altro resta?" gemette Brownlow, che non aveva sentito quanto aveva detto Shahid.
"Che ne dice dell'amore?"
"L'amore? Perché? Tu ami qualcuno?"
"Io? Non lo so."
"E mia moglie, allora?"
"Perché lo domanda a me? Neanch'io so niente."
"Lo so. Chiunque ti avesse visto durante la manifestazione avrebbe detto: 'Questo ragazzo non ha le idee molto chiare.'"
"Davvero?"
"Le cose stanno peggio per te che per me," ghignò Brownlow. "Da chi ti stai nascondendo? Il gatto ti ha mangiato la lingua? Dai tuoi 'amici'? Vogliono che confessi i tuoi delitti?"
Se Deedee non fosse tornata al più presto, e ormai era improbabile, Shahid se ne sarebbe andato. Non odiava Brown-

low, pur trovandolo irritante. La sua folle coerenza lo affascinava.

Shahid controllò la strada. Sembrava sgombra. Si voltò per salutare Brownlow, che stava rovistando tra i suoi dischi.

"Shahid, Shahid, dov'è *Hey Jude*? Lo conosci quel disco?"

"Sì, l'ho sentito."

"L'hai visto prima, quando stavi frugando? Voglio sentire Paul McCartney che canta: 'Il suo mondo un po' più freddo.' Voglio sentire George e John che fanno il coro: 'Nah, nah, nah.' Lo voglio sentire subito!" Brownlow si era chinato. "Quel disco, non il Parlophone, quello con la mela sull'etichetta e *Revolution* sulla facciata B e l'uomo con l'impermeabile. Paul a *Top of the Pops*! Tutti che cantano!" Shahid tornò indietro in punta di piedi. "Amore, libertà, pace, unità! Tutti insieme!"

Shahid prese la rincorsa, come se stesse tirando un rigore, e diede un gran calcio nel sedere di Brownlow. L'ex professore si tuffò in avanti ricadendo sui libri, con la testa in uno scatolone vuoto, e rimase disteso, senza fare alcun tentativo di muoversi, gemendo: "È tutta lì, la verità... È tutta lì!"

Soddisfatto, Shahid riprese fiato e si diresse verso la porta. Fuori era notte. Ma si era dimenticato qualcosa. Rientrò, prese la melanzana, se la ficcò in tasca, pigliò una birra, e uscì.

20

"Appena in tempo, ragazzo mio."

Chili era al bancone. Si era fatto la barba, indossava una camicia bianca e una giacca di Armani, si era dato una rassettata. Erano bastati pochi ritocchi, e non apparteneva più al Morlock. Il barista gli chiese se doveva andare a un funerale. "I nostri clienti spesso ci rimangono secchi," spiegò. "A meno che non abbiano l'onore di essere ospitati nelle galere di Sua Maestà. Non mi dica che ne è morto un altro."

"Non oggi, amico. Devo andare a trovare una persona con mio fratello. Dobbiamo sistemare una faccenda." Chili guardò Shahid come se fosse un suo complice in qualcosa di losco. "E torno appena adesso da un altro appuntamento. Che vita indaffarata!"

Due vecchi erano caduti a terra, rovesciando un tavolino. Lottavano selvaggiamente mordendosi con le gengive, come dei cani che si azzannassero per gioco. In un altro angolo era sorta una lite attorno a un uomo che stava cercando di smerciare calze e orologi che teneva in una valigia.

Strapper osservò lo spettacolo con indifferenza. Ma dietro le palpebre a mezz'asta i suoi occhi mandavano bagliori elettrici. Fremeva di rabbia e di tedio, mentre i suoi amici del pub se ne stavano tranquilli, quasi soddisfatti, complottando a mezza voce.

"Dov'è che andiamo? Non sarà troppo lontano, vero?" chiese Strapper.

"Tu non vieni da nessuna parte," disse Chili. "Questi sono affari."

"Fantastico. Io e te siamo in affari."

Chili si rivolse a Shahid. "Stamattina ho portato Strapper al centro di disintossicazione, ma non l'hanno neanche preso, il bastardo."

"Perché?"

"Troppo fatto. Gli ho urlato in faccia: 'Brutti stronzi, è normale che sia fatto, altrimenti non saremmo qui, e neanche voi! Adesso curatelo.'"

"E cos'hanno detto?"

"'Fuori dai coglioni prima che chiamiamo la polizia.' E cos'avevi preso, Strapper?" Chili gli diede una gomitata. "Che cosa ti eri fatto, Strapper?"

"Solo due ecstasy, un paio di birre, uno spinello, una pipetta di crack e un pugno in bocca in un cellulare della pula."

"Esatto," disse Chili. E poi, a Shahid: "Mettiti dentro la camicia. Hai fatto a pugni con qualcuno?" Chili finì di sistemarsi i capelli e lasciò cadere il pettine. Strapper si chinò e lo raccolse. Alzandosi vide che Shahid lo guardava. Arrossì e aggrottò le sopracciglia.

"Hai soldi?" chiese Chili.

"Non continuare a chiedermelo," rispose Shahid. "Adesso sto cercando Deedee. La devo trovare a tutti i costi. E ho un sacco di altre cose per la testa."

"Qui non l'ho vista."

"Ma è scomparsa!"

"Non correre mai dietro alle donne. Sono loro che vengono da te. Loro sono abituate a essere romantiche e cose del genere." Chili si rivolse al barista: "Amico, una pinta di chiara e un whisky doppio. Tu non vuoi niente?"

"No."

Chili versò il whisky nella birra e bevve. Mentre Shahid pagava, Chili disse a Strapper: "Torniamo subito."

Strapper saltò giù dallo sgabello e si piazzò di fronte a Chili. "No che non te ne vai. È il colpo grosso di cui mi hai parlato! Lo stai facendo adesso, e mi vuoi tenere fuori."

Chili prese la mano inerte di Strapper e cercò di stringerla. "Ci vediamo dopo, Strap, sul serio. Avanti," disse a Shahid.

Strapper li seguì fino alla porta e gridò loro: "Sono solo stronzate, tossico bastardo!"

"Aspetta un attimo!" gridò Chili. Dato che l'automobile era ancora "in prestito", dovettero prendere il bus per andare da Zulma. "Come mi ha chiamato?"

"Tossico bastardo."

"Porca merda." Chili sembrava aspettare che Shahid dicesse che non era vero. "'Sto Strapper sta diventando un peso. Ma non posso neanche lasciarlo nella merda." Si sedettero uno di fronte all'altro nel piano superiore dell'autobus, come amavano fare quando erano piccoli. "L'hanno già fatto tutti, con lui. Ma mi sta tirando scemo. È per questo che cerco di sistemare il bastardo in una comunità. Per scrollarmelo di dosso."

Nell'ascensore della casa di Zulma Chili si pettinò un'altra volta, si mise la mano davanti alla bocca e vi soffiò sopra per sentirsi l'alito.

"Non mi mangio le parole, vero?"

"Come?"

"Si capisce quello che dico?"

"Non molto."

"Dici sul serio?"

"Cosa?"

Arrivati al piano di Zulma, invece di imboccare il corridoio, Chili si diresse verso le scale e cominciò a scendere, dicendo: "Mi è venuta la depressione."

"Chili, se non ci vai subito, me ne vado," gli gridò Shahid. "Ho un sacco di cose da fare."

Chili fece marcia indietro. "Ok, ok. Ma le devi chiedere un po' di liquidi."

"Vuoi che Zulma ci dia dei soldi?"

"Solo qualche sterlina. Non posso chiedergliela io. O forse sì. No. Non mi frega niente di quello che pensa di me. Ma comincerebbe a insultarmi, e non voglio che ti impressioni. Meglio che ti occupi tu del lato finanziario."

"Prima vediamo come vanno le cose," disse incerto Shahid. "Può darsi anche che ci prenda a calci in culo appena ci vede."

"Hai ragione, merda. E non sarebbe una bella esperienza. Ti ripeto, meglio che non ci vada se non sono dell'umore giusto."

Shahid capì a quale "umore" si riferiva. Mentre Chili sniffava la coca con un cucchiaino, prese le mazze di plastica e la pallina che avevano comprato per strada. Anche se gli tremava la mano, Chili non ne lasciò cadere un milligrammo. Era da una vita che Shahid conosceva suo fratello, eppure non riusciva a capire come avesse fatto a ridursi così. Osservandolo, si rese conto che gli era stata data una lezione su come 'non-vivere'.

Stavano per tornare indietro quando Chili cominciò a sfregarsi il naso ed esaminarsi le dita. "Perché mi guardi così? Non sono mica sporco di sangue."

"Smettila!"

"Non voglio mettermi a sanguinare davanti a mia moglie. Pensa che spettacolo."

"Oddio, mi sembra di impazzire."

Chili suonò il campanello, e poi spinse avanti suo fratello. "Siamo tutti nella stessa barca," disse riacquistando la sua sicurezza. "Non è mai morto nessuno di autocommiserazione."

Zulma aprì la porta, beffarda e folgorante col suo *sari* verde, i braccialetti d'oro e il rossetto luccicante.

Shahid cercò di darsi un contegno. "Come va, Zulma?"

Zulma riservò al marito un'occhiata rapida ma attenta. Con un tono che tradiva il disappunto, gli disse: "Sembri sempre un magnaccia."

Chili si tolse un filo dalla giacca e lo lasciò cadere sul tappeto. Prese in braccio Safire e le diede un gran bacio. "Ecco l'unica principessa che sono venuto a trovare."

"Non ne dubitavo," disse Zulma.

Prese le mazze da Shahid e le diede a Safire. "Un regalo."

"Tutto qua, canaglia?" disse Zulma. "Poco tempo fa, in pratica bruciavi i soldi."

"A quei tempi eravamo tutti fuori di testa."

"Tu in particolare."

"Certo, Zulma! Almeno su una cosa siamo d'accordo," disse Chili infiammandosi. Vedere Zulma non lo aveva calmato, al contrario di quanto sperava Shahid. "Ti ricordi quanto ci piacevano i soldi? Come era bello sentirsi superiori, avere quello che gli altri non avevano? Ti ricordi cosa volevamo fare al resto del mondo?"

"Cosa?" disse Shahid, come se Chili non potesse contare su incoraggiamenti da parte di Zulma.

"Volevamo schiacciarlo! Perché tutti gli altri erano poveri, pigri e incapaci! Ma che cosa ci avevano fatto? E perché eravamo così stupidi da non capire che quel periodo sarebbe finito presto nel nulla? Solo i più furbi sono restati a galla. Noi non abbiamo saputo tenere il ritmo."

Zulma guardò il marito come se avesse preferito ascoltare i suoi farneticamenti da drogato, e gli rivolse un sorrisetto di superiorità: come aveva fatto bene a levarselo di torno!

"Non volevamo vedere la catastrofe che ci aspettava!"

Zulma fece un cenno a Shahid, che si era aggrappato al tavolo per paura di essere travolto dalla furia che si stava preparando. La stanza stava oscillando, gli angoli vacillavano, le distanze si contraevano.

"Come stai?"

Tutto cominciò a deformarsi come in un disegno di Escher. L'unica speranza era di rimanere in piedi.

"Abbastanza bene, Zulma. Un po'... scombussolato da alcune cose che sono successe di recente."

Shahid era sicuro che il pavimento si sarebbe squagliato e aperto in due come una ferita: storpi, pazzi, vittime della tortura e fanatici salmodianti, trasformati in insetti urlanti, avrebbero sciamato dal buco, riempiendo le loro bocche fino a soffocarli.

"Ti sei fatto nuovi amici?"

"Come?"

Zulma si rivolse a Chili, "Ma sta bene tuo fratello?"

Chili urlò: "Shahid!"

"Mi preoccupa," disse Zulma. "Sembra che stia per tirare le cuoia."

Chili, per conto suo, era così fatto che saltava come un grillo. Shahid era sorpreso di vederlo fermarsi in tempo davanti alle pareti. Gli mancava la zavorra, in tutti i sensi; Shahid si aspettava di vedere spegnersi le luci e crollare i muri, e che un vento nero spazzasse la stanza facendo sbattere le tende, così che di Chili sarebbe rimasta solo la sagoma in fondo all'appartamento, come nei disegni animati.

"Più di là che di qua," disse Chili, guardandolo maliziosamente. "Ma non preoccuparti del ragazzo, ci penso io a trasformarlo in un uomo nuovo."

"È così che ti prendi cura dei tuoi familiari? Dandoli in mano a pazzi fanatici?"

"Senti, voglio essere sincero con te. Io non critico quelle persone che tu chiami 'pazzi'."

“Che baggianate, Chili.”

“Zulma, almeno loro hanno qualcosa in cui credere! Li aiuta ad attraversare le tenebre. Se noi credessimo in qualcosa, saremmo più felici! Siamo noi quelli cui manca qualcosa!”

“Ma guarda cosa mi tocca sentire!”

“Perché te ne vuoi tornare in Pakistan, allora? Lì i pazzi gestiscono il manicomio. Non c’è posto per chi non la pensa come loro!”

Zulma si mise in ginocchio, inquadrando il marito nella sua macchina fotografica. Chili si coprì la faccia. “Voglio imparare seriamente la fotografia. Lo sai che mi è sempre piaciuta.” Sembrava essersi calmata. “Io e altre ragazze vogliamo fare un giornale per noi donne. Si chiamerà *Mondo donna.*”

“Tu sei pazza!”

Zulma si girò verso Shahid, che stava tentando di allontanarsi dal tavolo, ma trovava gli spazi aperti troppo insicuri.

“Ecco tutto l’incoraggiamento che mi sa dare,” disse Zulma battendosi la mano sulla fronte. “Non accetterà mai che io abbia qualcosa qui dentro.” E fulminò Chili con un’occhiata. “Ma adesso puoi dire qualunque cosa, tanto non mi tocca neanche.”

“Zulma, ti sto solo chiedendo dove pensi di trovare i soldi.”

“Da genitori, fratelli e mariti, per esempio. Potranno pure aiutarci, almeno all’inizio.”

Chili non aveva la forza di ribattere. “Ottima idea, Zulma! Come al solito. Sei una donna fantastica, sul serio! E di cosa parlerai? Bambini, matrimoni, moda?”

“Sai come siamo fatte noi donne, non pensiamo ad altro. Ma parleremo anche di altre cose.”

Per Zulma l’argomento poteva considerarsi chiuso, ma Chili insistette: “Non vorrai dire cose come l’aborto, la politica, la libertà, l’*hijab* e tutto il resto?” Zulma si morse il labbro e fece un cenno impercettibile. “Non fare la pazza, Zulma. Non puoi metterti contro quella gente. Ti sbatteranno in prigione, ti tortureranno e dovrò venire a tirarti fuori. Pensa quello che mi costerà!”

Zulma gli voltò le spalle. La bambina aveva assistito alla discussione, felice di vedere assieme i genitori, ma al tempo stesso agitata.

Shahid riuscì ad andare in camera da letto, dove Zulma aveva cominciato a fare le valigie. Passaporto e biglietti d'aereo erano sul letto. Nell'altra stanza lei e Chili continuavano a beccarsi.

Shahid alzò il ricevitore e cercò in tasca il numero di telefono della casa di Hyacinth. Il telefono squillò a lungo prima che rispondesse una voce sommessa. Questa volta Shahid l'aveva indovinata. Deedee gli ridiede l'indirizzo e gli spiegò come arrivarci. Ci sarebbe andato appena poteva.

Quando tornò in sala, Safire stava dando a Chili due dei suoi disegni e un cartone delle uova con attaccati due scovolini.

"È una cavalletta," spiegò. "Ma domani la dipingo di giallo. Vieni con noi?"

"Per adesso no, tesoro. Il tuo papà rimarrà qui ad aspettarti."

Zulma raccolse qualcosa dal pavimento, facendo una faccia disgustata. "Santiddio, Chili, cos'è questa schifezza?"

Chili fece per avvicinarsi, ma Shahid cercò di toglierla di mano a Zulma. "Me la deve aver tirata fuori di tasca Safire."

Zulma non mollò la presa. "Ma che cos'è?"

"Penso che sia una vecchia melanzana," disse Shahid. "Ma potrebbe essere qualcos'altro."

"E la rivuoi?"

"Se non ti spiace."

Zulma gliela porse e disse sarcastica: "Tuo fratello va in giro con una melanzana in tasca. Ti dice niente, Chili?"

Chili fu subito addosso a Shahid. "Che cos'è che ti porti dietro? Ma non la puoi mica fumare."

"Non ho intenzione di fumarla."

"Dalla a me che sarà più al sicuro."

"Lasciami in pace!"

"Oh merda," sospirò Zulma.

I due fratelli, inspiegabilmente, si misero a litigare per l'ortaggio. Alla fine si piazzarono uno di fronte all'altro, fuori di sé, pronti a prendersi a pugni.

"Cosa direbbe vostro padre?" disse Zulma. "Non voglio più avere a che fare con questa famiglia!"

Chili prese in braccio Safire per l'ultima volta, e le diede un bacio. Safire si sfregava una guancia. Nella stanza era calato il silenzio.

"Giochiamo a nascondino?" disse la bambina.

Chili la rimise a terra e guardò Zulma. "Penso che papà debba andare, birbantella. Sei la mia preferita."

"Solo una volta," disse Safire. "E io non sono una birbante. Tu lo sei." E si nascose dietro il divano.

Shahid si accorse che Chili gli stava facendo cenni pressanti.

"Zulma, non è che per caso hai qualche sterlina?"

"Per cosa, caro?"

"La metro... e i libri. Sono un po' a secco, ultimamente."

"Adesso ho solo rupie. Ma c'è un metodo che potresti provare per avere dei soldi."

"Quale?" chiese Chili, interessato.

"Lavorare."

"Oh Zulma, moglie mia," disse Chili, cadendo sulle ginocchia e andando carponi verso di lei. "Come ti amo, specialmente quando mi fai del male. Dacci qualcosa. Farò tutto quello che vuoi, ma non andare via!" Zulma si tirò indietro, ma Chili le afferrò le caviglie e le baciò i piedi. Zulma si mise a gridare.

Dalla cucina si materializzò Jump, con un grembiule alla vita e un cucchiaio di legno in mano.

"Rimani qui!" stava gridando Chili. "Lasciami stare con te per sempre!"

"Insomma!" strillò Jump. Chili, ancora a quattro zampe, lo guardò perplesso. "Che succede? È lui quello lì?"

"Sì." Zulma prese in braccio Safire e andò dietro il tavolo.

"State indietro!" disse Jump, muovendo un passo incerto verso i due fratelli. "Indietro, signori maomettani! Terroristi! Lasciate stare la gente perbene!"

Chili cercò qualcosa nella tasca destra, ma Shahid l'aiutò a rialzarsi e lo spinse in fretta verso la porta.

"Chi è quel coso?" chiese Chili indicando Jump.

"Lascia perdere," disse Shahid.

"Tienilo d'occhio," disse Zulma.

"Papà!" gridò Safire.

"Chi cazzo è quel pupazzo?" disse Chili.

"Ciao Zulma. Sentiamoci. Mi ha fatto piacere rivederti."

"Stai bene, Chili? Chili!"

"Faccio del mio meglio."

"Hai il coltello?"

Chili gli diede un'occhiata canzonatoria prima di palparsi la giacca. "Certamente. Nessuno va in giro per Londra disarmato, di questi tempi."

Si mise la mano in tasca. Ma anziché far balenare la lama e rassicurare Shahid, estrasse il pacchetto di Marlboro che conteneva la cocaina, una lametta che tagliava da una parte sola e una banconota da un dollaro arrotolata.

"Non farlo mica, qui. Siamo a Knightsbridge!"

"Tanto meglio."

Shahid lo spinse nell'androne di un negozio.

"Qui. E muoviti!"

Shahid osservò la strada deserta nella nebbia, per controllare se arrivavano passanti o poliziotti, mentre Chili si accovacciava. Finita l'inalazione, si rialzò, tirò su con aria soddisfatta, si pulì il naso col dorso della mano e lasciò cadere la bustina. Improvvisamente, appena sopra le loro teste, iniziò a strepitare l'allarme del negozio. Shahid cominciò a trascinare di peso Chili. Ma questi volle a tutti i costi ritrovare la bustina sgualcita che rimise nella tasca della giacca dopo averla esaminata accuratamente.

Alla fine, con sollievo di Shahid, si allontanarono a grandi passi.

"Dove andiamo?" chiese Chili.

"Non lasciarmi solo, stanotte."

"Fratellino, stai tremando. Chi è che ti sta cercando? Se me lo dici li sistemo io. Basta che non sia la polizia."

"Cosa?"

"Ecco lo sapevo," borbottò Chili affrettando il passo. Ci tengono d'occhio tutt'e due. Sta' attento agli agenti in borghese." Si voltò a guardare. "Quei bastardi sono dappertutto, li riconosci perché hanno l'impermeabile ma non il cappello."

"Chili, ti prego solo di starmi vicino."

"Nessun problema." Shahid lo stava per ringraziare quando Chili aggiunse, con imbarazzo: "Il fatto è, ragazzo, che sono proprio a corto di roba, in questo momento."

"Basta con queste stronzate, Chili. Cosa direbbe papà se sapesse che sei un drogato?"

"Drogato?"

"Sì, un drogato."

"Forse hai ragione. Forse è quello che sono ora. Ma ti dico una cosa: io rinuncerò alla mia droga quando tu farai lo stesso."

"Di quale droga mi farei, io?"

"La religione. Zulma fa bene a chiamarla una droga. Ti sei impegolato troppo con quella gente. E adesso ti stanno cercando?"

"Penso di sì."

"E dire che hai appena iniziato ad andare a quel college." Chili prese Shahid per il braccio. "Sai una cosa? Vedere Safire, oggi, mi ha fatto venir voglia di essere libero. Mi sarei messo a piangere, per lei." Si fermò un momento a rimuginare. "E per me stesso. E per tutto quello che è andato storto, a essere sincero."

"È già qualcosa."

"Già. Fratello, non preoccuparti, non ti abbandonerò. Ma stanotte devo vedere anche Strapper." Chili si accese una sigaretta, sfiorò una Mercedes decappottabile parcheggiata lì accanto, e osservò la strada, come se i nemici potessero apparire da qualunque direzione. "È per questo che Zulma mi odia? Ma hai visto quella mezza sega col grembiule che si tiene in casa? Non ci potevo credere. Anche se... magari le dà cose di cui io non sono capace."

"Magari. Ha una tenuta in campagna."

"Ah sì? Ha detto quando torna, Zulma?"

"Ha parlato di qualche mese."

"Era ora, no? Shahid, sono disperato. Senza droga non capisco niente e non riesco a pensare ad altro. E se non posso pensare, nel mio futuro non vedo neanche cinque minuti di tranquillità. Voglio solo cinque minuti di silenzio nella testa! Se solo non sentissi più questo rumore!" Abbassò la voce. "Shahid, non so più dove sbattere la testa. Strapper ha un sacco di conoscenze."

"Non sapevo che avesse tante qualità."

Shahid cominciò a scendere verso la metro.

"Però dopo lo vediamo, Strapper," insistette Chili, anche se in tono mansueto.

"Ma sì, ma sì. Ma prima dobbiamo vedere qualcun altro."

"Chi?"

"Vedrai."

Shahid e Chili scesero nel seminterrato. Shahid bussò alla finestra, prima piano, poi più forte, fino a battere il palmo sul vetro. Ma nessuno venne ad aprire. Provò a chiamarla per nome.

Chili saltellava pestando i piedi e mordendosi il labbro. "Andiamo. Forse è a casa sua. Ci possiamo passare dopo."

"Ci sono già stato e non c'è. Deedee, sbrigati! Chili, deve essere da qualche parte."

Shahid stava per andarsene, quando Chili fece un segno. "Guarda!"

Una mano tirò un angolo della tenda. Shahid riconobbe gli anelli di Deedee e quasi si mise a urlare.

Deedee aprì con cautela, senza neppure salutarli. Poi richiuse con cura sia il cancelletto che la porta. Shahid non l'aveva mai vista tanto vulnerabile. Le sfiorò con le labbra una guancia pallida, ma lei non aveva voglia di toccarlo.

Deedee era rimasta seduta sul divano nel seminterrato dove lei e Shahid avevano fatto l'amore per la prima volta. Allora avevano riso di tutto, avevano parlato fino all'alba, e la mattina erano usciti per fare colazione. Adesso l'appartamento era freddo e il riscaldamento rotto. Sulle spalle si era messa il cappotto. Si rimise al suo posto e si rannicchiò con le braccia attorno alle ginocchia. Attorno c'erano tre borse piene di spesa.

"Ti ho cercata dappertutto," disse Shahid. "Tutto a posto?"

Deedee scosse la testa.

Ognuno aveva i suoi motivi per essere agitato. Nessuno parlava o si muoveva, ma si avvertiva una tensione, che spinse Chili a scappare in cucina "per lavarsi le mani e mettere su l'acqua per il tè". Deedee si morse le dita, sospirò, incrociò le gambe, tornò nella posizione di prima. Shahid si lasciò cadere sull'altra estremità del divano, lieto di essere solo con lei.

Le accarezzò un braccio. "Perché non restiamo qui, stanotte?"

Deedee sussultò. "Perché?"

"Solo stanotte. Chili può dormire sul divano. Tu e io potremmo parlare."

"Perché? Importa quello che la gente fa, non quello che dice. E così che mi regolerò d'ora in poi."

Non l'aveva mai vista così agitata; la sua fiducia in lui era distrutta.

"Domani mattina ci sentiremo meglio," continuò. "Potremo uscire a fare colazione. Che ne dici?"

Tentò di toccarla un'altra volta. Ma Deedee saltò in piedi e cercò di infilarsi il cappotto, senza riuscire a trovare le maniche, come se lo volesse strappare.

"Ho bisogno di essere a casa mia, e nel mio letto. Oggi è stata una giornata molto pesante. Che cazzo ci faceva mio marito con quel libro attaccato a una scopa? Hai visto come se la spassava il coglione?" Finì col buttarsi il cappotto di nuovo sulle spalle, avvicinando i lembi con le mani. "Non sei andato tu a comprare la scopa?"
"Sono stato io, va bene. Ma non possiamo cambiare argomento?"
"Meglio dimenticare tutto, soprattutto che mi hai mentito quando ti ho chiesto a che cazzo ti serviva."
"Deedee..."
"Mi hai mentito in faccia, vero?"
"Ti sto cercando di dire che c'è un buon motivo per rimanere qui."
Ormai Deedee stava gridando con la voce roca. "No che non c'è!"
"Ti dico che c'è."
"E quale sarebbe?"
"Chad e gli altri sanno dove abiti."
"Assurdo! E come fai a saperlo, tu?" Era allibita. "Te l'hanno detto loro? Li hai visti?"
"Sì. Dopo che hanno bruciato il libro. Né tu né io gli siamo molto simpatici."
"Perché ce la dovrebbero avere con te? Non li hai aiutati a bruciarlo?"
"No. L'ho fatta grossa a Riaz."
"Cosa?"
"Ho... riscritto alcune delle sue poesie."
"Tu? Quando?"
"Mentre le ricopiavo."
"Ma perché?"
"Non l'ho fatto apposta. Solo che non mi piaceva l'originale. Volevo togliere le mie modifiche, ma non ho fatto in tempo."
"Mio Dio." Scoppiò a ridere. "Ecco un'altra cosa che non mi avevi detto."
"Volevo farlo poco per volta."
"E adesso vogliono venire a trovarci?"
"Deedee, la loro specialità è incitarsi a vicenda. Sono paranoici, devono stare sempre in movimento per restare uniti."
"Chiamerò la polizia."

"Ma se l'hai sempre odiata!"
"E con questo?"
"Sei stata tu che gli hai detto di venire al college?"
"Sì." Dalla cucina venne un rumore. Chili sembrava parlare da solo. "Più che altro sono preoccupata per te," continuò Deedee. "Hai rotto coi tuoi grandi amici, eh? Ma come fai a tornare nella tua stanza?"
"Appunto. Non posso tornare."
"Meglio che vieni a vivere da me."
L'idea lo sgomentò. Non voleva che la sua vita cambiasse tanto, né essere spinto nelle sue braccia.
"Abiti di fianco a Riaz. Puoi fare qualcos'altro?"
"Lasciami pensare."
"Come vuoi."
Deedee andò in cucina a vedere che cosa combinava Chili. Shahid controllò la finestra. Si rimise a sedere; andò avanti e indietro per la stanza; voleva ridere come un pazzo; voleva suo padre. Poi andò in cucina anche lui.
"Tuo fratello, poverino, si è scolato una bottiglia di vodka," disse Deedee. "Nessun problema, ma dovrò lasciare i soldi a Hyacinth." Chili era appoggiato contro il lavandino con la bottiglia incollata alle labbra. Tra un sorso e l'altro tirava una boccata di sigaretta. "Ha cercato anche di baciarmi. Sulla bocca e sulle tette."
"Mi conosci," disse Chili. "Tentar non nuoce, mai."
"Solo se vuoi disgustare la gente," disse Shahid.
"Cosa parli di disgustare? Mi sentivo disperato, e avevo bisogno di un contatto umano. Di sentire il calore di una pelle. È chiedere troppo?"
Shahid ridacchiò.
"E non pensare di essere meglio di me, tu che scappi invece di combattere." Chili si infilò la bottiglia sotto la giacca e controllò che ci fosse il coltello. "Andiamo o restiamo qua?"
"Deedee?"
"Dobbiamo andarcene."
"Bene," disse Chili. "Un po' d'aria fresca, eh?"

Scendeva del nevischio. La gente sensata se ne stava in casa. La città era fradicia e viscida, come l'interno di un acquario.

Potevano vedere a malapena a dieci metri di distanza. I tre arrancarono nella nebbia come fantasmi, ognuno con un sacchetto del supermercato in mano. Deedee era in mezzo, e teneva Chili per un braccio. Malgrado tutto, Shahid e Deedee si sentivano rassicurati dalla sua presenza. Nei suoi confronti Shahid nutriva ancora un'incomprensibile fiducia da fratello minore, che Deedee sembrava aver avvertito. Alla fine si arrampicarono su un bus.

Chili spinse la porta del Morlock e gli altri due lo seguirono. Il posto si stava affollando. Il brutto tempo non bastava a tenere a casa gli *habitués*. Cos'altro avevano da fare? Il disc-jockey stava sulla sua pedana, circondato di scatole piene di dischi. Una coppia di ragazze stava ballando in mezzo al locale.

L'atmosfera mise Chili di buon umore. Ordinò da bere e chiese di Strapper. Il barista non voleva dirgli niente, "per principio," come spiegava sempre.

"Il principio di essere un bastardo, probabilmente," commentò Deedee.

Chili gli offrì da bere. Allora il barista disse che dei tipi erano venuti a cercarlo.

"Chi?"

"Indiani, pakistani. Gente che lavora e che non beve mai. Mai visti prima."

"È andato via con loro?"

"Sì."

"Di sua volontà?"

L'uomo alzò le spalle.

"E non sono tornati?"

"No."

Finirono in fretta di bere e presero un taxi.

21

Deedee urlò: "Oh Dio mio, cos'è successo?"

"Va tutto bene," disse Shahid.

Deedee pensò che Chad e gli altri fossero entrati in casa sua. Sembrava fosse passata una squadra di demolitori: i mobili erano stati spostati; dappertutto erano sparsi libri, dischi, lattine vuote, ritagli di giornale e cose di Deedee. C'era puzza di birra. Ma il giradischi era stato messo sull'automatico per suonare *Hey Jude*. Era stato solo Brownlow a fare il disastro: aveva buttato per terra ogni cosa, dimenticandosi poi di portare via quello che doveva.

Sapere che Brownlow era la causa del caos non rese Deedee meno furente. Se fosse stato lì l'avrebbe ammazzato, l'errore della sua vita.

"Com'è possibile che l'abbia sposato?"

"Se per questo l'hai anche lasciato, il bastardo."

"Quando mi vedi così a terra, ricordami che almeno una cosa buona l'ho fatta."

Chili, con la bottiglia di vodka in mano, sembrava esausto. "Nulla in contrario se mi sdraio un attimo?"

"Fa' come ti pare."

Con la bottiglia al seguito cominciò a salire le scale.

"Prima controlla che tutte le porte siano chiuse," lo fermò Shahid. "Lo sai che può succedere qualunque cosa."

"Sta' tranquillo," disse Chili.

“Almeno Brownlow se ne è andato fuori dalle palle una volta per tutte,” disse Shahid rientrando in sala.

Andò alla finestra e tirò le tende. Ascoltò la notte. Era felice di essere solo con lei.

Deedee si lasciò crollare in mezzo alla confusione, cercando di trascinare anche Shahid. “Almeno ho te. Toccami. Stringimi forte.”

“Non ora.”

“Cosa?”

“Deedee, non insistere.”

“Tutto quello in cui credevo è andato a pezzi.”

“Anche per me è andato tutto a puttane.”

“Almeno restiamo uniti. È troppo?”

“Lasciami in pace.”

“Come vuoi tu.”

Deedee gli voltò le spalle, sfregandosi nervosamente la fronte, poi si costrinse ad alzarsi in piedi.

“Volevo mangiare con te, stasera. Penso che siamo ancora in tempo. O vuoi andartene?”

“Voglio restare qui,” rispose Shahid.

Deedee andò in cucina, accese la luce e la radio, e cominciò a mettere a posto la spesa. Le attività pratiche la calmarono, e si sentì più sollevata. Aveva una latta di olio d’oliva extravergine e ne versò un po’ in un piattino per Shahid, cui piaceva intingere il pane. Non avevano molta voglia di parlare, ma Deedee si fece aiutare a preparare la cena: sgombro alla griglia in salsa *tikka* con coriandolo fresco, patate, insalata di avocado e menta.

Gli chiese di pulire la tavola e di mettere una tovaglia pulita. Shahid mise tovaglioli di lino, accese le candele e spense il lampadario. Mise il burro su un piattino, prese i bicchieri adatti e aprì una bottiglia di vino. La cucina si era riscaldata e l’odore era invitante. Alla radio c’era una delle loro canzoni preferite.

Deedee prese il pane dal forno e lo mise sulla tavola. Avevano riacquistato abbastanza buon umore da fare un brindisi.

“Buona fortuna.”

“Ne abbiamo proprio bisogno.”

In quel momento entrambi videro una sagoma contro la finestra. Entrambi si bloccarono. Forse avevano le allucinazioni, o era solo un gatto.

Shahid posò il bicchiere e strisciò fuori dalla cucina. Stava per andare a chiamare Chili, quando una voce si fece sentire dalla buca delle lettere: "Sono solo io, Strapper. In visita ufficiale, amico."

Shahid si pentì di aver aperto la porta. Strapper barcollò verso la sala, spostando i piedi con circospezione, come se non fosse sicuro che reggessero il suo peso. Non aveva una bella cera. Aveva uno zigomo scorticato e i vestiti sporchi. Sembrava fosse arrivato lì rotolando per strada.

Shahid non poté fare altro che seguirlo.

"Pensavo fossi col tuo vecchio amico Trevor," gli disse, senza riuscire a mascherare la propria stizza.

Strapper lo guardò sorpreso. "Come fai a saperlo? In ogni caso si è comportato meglio di tanta altra gente. Chad è uno religioso, capisce gli emarginati e ha pietà per la povera gente. Vede ogni cosa dal basso. Tu, invece, vuoi solo essere un bianco e dimenticare la tua gente." All'improvviso si mise a urlare. "Tu e tuo fratello volete sbattervi le troie bianche! È per questo che non è più tuo amico? Un'occasione te l'ha data, no?"

"Fatti gli affari tuoi."

"Cosa gli hai fatto che ti vuole uccidere?"

"È questo che vuole?"

"Ti darà una bella lezione."

"Mi spiace solo di averti fatto entrare."

"Come facevi a tenermi fuori, coglione? Ehi, non provare a toccarmi."

"Fuori di qui."

"Io me ne starei calmino," lo avvertì Strapper, come se avesse in serbo dei segreti che gli garantissero l'impunità. "Il fatto è che il tuo Chili mi deve dei soldi. Dove s'è andato a nascondere?" Intanto era entrata Deedee. "Signora, hai mica visto il mio amico?"

"Stavamo per mangiare."

Strapper si sfregò lo stomaco. "Hai preparato la cenetta al tuo amichetto, eh?" sogghignò. "La cucina di mamma è sempre la migliore."

"Ti posso preparare un panino," gli disse lei, disgustata, "ma poi ti levi dai coglioni e vai in strada a mangiarlo, intesi?"

Strapper, che sembrava interessato a tutte le parti dell'appartamento tranne che alla porta d'ingresso, la mise sul vittimismo. “Come pensi che ci si senta a essere sempre rifiutati? Ficcatelo nel culo il tuo panino.”

“Sei un caso irrecuperabile,” disse Deedee, impassibile.

“Eppure ti piacevo l’altra sera, al Morlock. Ma allora volevi divertirti, signora professoressa. A proposito, come mai tutto questo disordine? Voi intellettuali siete troppo occupati a pensare alla rivoluzione proletaria, o è solo perché non è passata la donna di servizio?”

“Non puoi lasciarci in pace?”

Strapper si ficcò una mano nei capelli e dopo un po’ di lavorio si staccò una crosta, che lasciò cadere per terra.

“Se è per questo posso sempre venire a stare qui,” disse. “Di spazio ce n’è finché si vuole. Una casa da ricchi mi andrebbe proprio bene.”

“Vuoi una casa come questa? Trovati un lavoro, allora,” disse Shahid. “Vai a fare l’archeologo, così ti puoi comprare...”

“Ti ho avvertito, coglione.” Strapper lo guardò con odio. “E voglio che tu mi dia subito un lavoro. Adesso.”

“Via da questa casa, tu e le tue croste!” disse Deedee.

“I fratelli hanno bruciato il libro, giusto?”

Deedee e Shahid ammutolirono.

“E alla professoressa non è piaciuto, così li ha venduti alla pula. Voi e i vostri libri. Buffo che li consideriate più importanti della gente che soffre.”

“Se c’è una che sta soffrendo in questo momento sono io, e per colpa tua.”

“Va bene, me ne vado. Ma mi piace che me lo si chieda gentilmente. Sono io la vittima dell’ingiustizia sociale e degli abusi sessuali, giusto? Ma sono sempre una ‘persona’, vero?”

“Certo, certo,” disse Deedee. E poi, a Shahid: “Preparo il panino, mi faccio una doccia, e poi possiamo mangiare.”

“Va bene.”

Lasciato solo con Shahid, Strapper continuò a esplorare la sala, frugando tra le cose sparse per terra. Una scatoletta indiana che conteneva dell’erba sembrò metterlo di umore migliore. “Una canna e mi levo dalle palle,” mormorò in tono amichevole, come se tutto quanto aveva appena detto non contasse.

Mentre si stava rollando la canna, Shahid andò in cucina per avvertire Deedee. Quando tornò, Strapper stava aprendo la porta d’ingresso con un lampo di gioia feroce negli occhi.

"Via libera! Dentro tutti!"
Sadiq e Hat furono i primi a entrare.
"Bastardo!" gridò Shahid.
Dietro di loro arrivò di corsa Chad, che si piazzò a bloccare l'uscita, esaminando soddisfatto la situazione.
"Visto che non ci abbiamo messo molto?" disse. "Eccolo qua il maiale, rintanato assieme alla sua troia. Non ci voleva molta fantasia, eh? Fratelli, prendete la spia, l'infedele!"
Sadiq prese Shahid per il braccio. Questi tentò di divincolarsi, ma Sadiq affondò le unghie.
"Hat, adesso!" disse Chad.
Hat sembrava intontito. Sapeva di aver ricevuto un ordine e voleva obbedire, ma solo fino a certo punto. Prese la mano di Shahid e la strinse con tutta la sua forza. Chad entrò nell'atrio. Dietro di lui apparvero Tariq e Tahira.
Chad prese Shahid e lo sbatté contro il muro, facendogli picchiare la testa. Poi lo girò, piegandogli le braccia dietro la schiena, e lo mise davanti a Hat.
"Forza!" Chad stava tremando dalla collera. "Cosa aspetti?"
Hat sapeva quello che gli chiedeva di fare Chad, ma era spaventato. Tutto quello che fece fu piagnucolare: "Ma mio padre a quest'ora mi starà già cercando!"
"Tuo padre?" disse Chad. "Che cosa c'entra lui adesso?"
"Non posso stare fuori così tardi."
"Picchialo!" urlò Chad. "Questo idiota odia noi e odia Dio! Dai un pugno a Satana!"
Sadiq vide l'indecisione di Hat e diede uno schiaffo a Shahid col rovescio della mano. "Così!" gridò vedendo sanguinare la bocca di Shahid. Chad gli diede un pugno nelle reni. "Lo spirito del male è sconfitto!"
Mentre Shahid cadeva a terra, Chad gli diede un calcio. Deedee uscì dalla cucina.
"Lasciatelo!"
Chad le sbarrò la strada con le sue grandi braccia. "Lui appartiene a noi, troia. Lasciacelo e non ti faremo nulla."
Shahid, piegato in due dal dolore, stava per perdere i sensi. Sadiq lo trascinò verso la porta dicendo: "La spia la sistemiamo noi. Ci ha tradito e ha sputato sulla sua gente. Ci ha coperti di fango."

Deedee spinse Chad da parte e afferrò l'altro braccio di Shahid, che così veniva strattonato in due direzioni opposte. "Lascialo andare!"

"Il male si paga col male. È così difficile da capire?"

"Come sei religioso, Mr Trevor!"

"Non chiamarmi con quel nome! Non è la mia vera identità!"

Chad alzò la mano per colpirla. Sarebbe stato facile, ma da lì non avrebbe potuto tornare indietro. Deedee lo sapeva: tremò, ma non si mosse. Ma lo sapeva anche Chad.

Neve in testa e cartelletta in mano, entrò di corsa Riaz, accompagnato da un altro fratello. Si guardò attorno sbigottito, come se fosse in ritardo per un appuntamento.

"È lui," disse Chad pleonasticamente, indicando il boccheggiante Shahid. "È marcio, marcio come dicevi tu."

"E adesso ancora di più," disse Sadiq, mentre Shahid aveva dei conati.

"Li abbiamo presi tutt'e due!" Chad era visibilmente orgoglioso di avere reso questo servizio a Riaz.

I compagni di Riaz stavano aspettando. Riaz guardò tutti in faccia. Era come pietrificato; non sbatteva neanche le palpebre, come se temesse che il più piccolo movimento potesse tradire il suo pensiero.

"E adesso, fratello?" gli chiese Chad con insistenza disperata e rispettosa. "Cosa dobbiamo fare?" Riaz parve digrignare i denti. "Cosa preferisci? Che lo portiamo via?"

"O che lo facciamo fuori qui?" disse Sadiq.

"Comunque ci dobbiamo sbrigare!"

Quand'ecco che Hat, a bocca aperta, indicò le scale, come se avesse visto il diavolo.

"Fratelli!"

Lo guardarono tutti.

"C'è qui il pazzo!"

Chili si era appisolato in cima alle scale con la bottiglia in mano, ma il rumore l'aveva disturbato. Non solo stava riprendendo conoscenza, ma stava anche riguadagnando la posizione eretta.

"Ben detto", fu la prima cosa che disse, accettando il complimento di Hat. Si passò una mano fra i capelli, si sistemò il colletto ed estrasse il coltello, facendolo sibilare per prova, come un attore che si prepara a una scena di duello. "Salve a tutti!"

Scese le scale senza fretta, facendo scorrere una mano sulla balaustra, con un sorriso maligno sulle labbra. L'adrenalina cominciava a fare il suo effetto.

"Avete davanti Tony Montana."

"Ha ha ha!" Chad raccolse la sfida, come se avesse una vasta esperienza in fatto di risse. "Siamo qui ad aspettarlo."

"Grandioso." Chili sembrò ringalluzzito dalla prontezza dei suoi nemici.

"Pronti?" disse Chad agli altri.

Sadiq alzò i pugni. Riaz rimase fermo dov'era, senza dire nulla, con gli occhi che dardeggiavano.

Proprio in quel momento Strapper arrivò di corsa dalla sala e si mise a berciare come un invasato:

"Brucia tutto! Vaffanculo tutto! Vaffanculo anche voi!"

"Cos'hai fatto?!" gridò Deedee.

"È finita, coglioni! Non era quello che volevi, Chad?"

"Che cosa succede?" disse finalmente Riaz.

Deedee si precipitò in sala, seguita dagli altri. Strapper aveva dato fuoco a una pila di libri, e le fiamme stavano lambendo le tende.

Deedee le strappò e pestò la stoffa bruciacchiata.

"Bruciate, bastardi!" urlava Strapper.

Nell'atrio era rimasto Sadiq, che continuava a tenere Shahid, senza accorgersi di quanto Chili fosse vicino, e di quanto gli piacesse la violenza. Con un colpo di karaté Chili fece cadere a terra Sadiq; poi lo prese per il bavero, gli diede una ginocchiata nelle palle, aprì la porta e lo scaraventò fuori. Sbatté la porta e si pulì le mani sui pantaloni.

"Chi è il prossimo?"

Mentre Deedee spegneva l'incendio, Chili afferrò Riaz e lo trascinò verso di sé, tenendogli il coltello puntato alla gola.

"Fuori dai coglioni!" ordinò agli altri. "Lasciate stare mio fratello, altrimenti taglio la gola a questo qua."

Il cambiamento nella fisionomia di Riaz era sorprendente: sbatteva le palpebre come se tutto fosse diventato inspiegabilmente buio, e il dolore fosse già iniziato. Per il resto conservava la propria immobilità pur tenendo la testa rovesciata all'indietro, ma solo per paura che a Chili sfuggisse il coltello di mano.

"Andate, andate," mormorò Riaz, muovendo appena le labbra.

"Lascialo o vedrai!" minacciò Chad.
Chili si mise a ridere. Chad fece un passo di sfida. Senza esitare Chili premette il coltello sulla pelle di Riaz, lasciando un segno purpureo. Riaz si portò alla gola l'indice macchiato d'inchiostro, e contemplò il proprio sangue. Con la morte nel cuore, Chad dovette trattenersi.
"E levati questa cazzo di camicia!" Chili ordinò a Riaz. "Non so dove l'hai presa, ma la rivoglio indietro. Osi negare che è mia?"
Riaz guardò Chad. "Ma come?..."
"È sua," borbottò triste Chad.
"Ben detto, Chad," disse Hat a mezza voce.
Riaz dovette togliersi la giacca e darla a Hat. Poi, guardando incredulo i fratelli, cominciò a sbottonarsi la camicia.
"Muoviti!" disse Chili.
Alla fine se la tolse; il suo torace era magro e cereo. Non ebbe altra scelta che mettersi la giacca sul torso nudo.
"Fuori!"
Chad esitava a muoversi.
"Fuori dai coglioni, ciccione!" ordinò Chili. "Prima andate, e poi libero questo!"
"Ce ne sono tanti come noi, migliaia e migliaia!" gridò Chad agitando le braccia, mentre uscivano.
"Portameli qua!" gridò Chili.
Non appena furono usciti, Chili prese Riaz e lo buttò di peso nel giardinetto, scaraventandogli dietro la cartelletta.

22

Chili e Strapper volevano andarsene. Se ne stavano impazienti vicino alla porta, dividendosi la droga di Deedee. Gli occhi di Strapper esaminavano il pavimento, il soffitto e le pareti con insolito interesse, ma evitavano Shahid. Shahid avrebbe voluto dargli una lezione, ma Chili scosse la testa.

"Aspetta fuori, tu," gli disse Shahid.

Strapper fu lieto di andarsene. Shahid abbracciò suo fratello, che lo tenne stretto e gli dette un bacio.

"Grazie per avermi salvato il culo."

"T'è piaciuta? Hai visto che entrata da figo ho fatto sulle scale? Solo che chi mi crederà, adesso? Peccato che non ci fosse qualcuno con la videocamera."

"Sei stato forte col coltello."

"Vero? Avrei dovuto aprirgli il naso in due o inciderci sopra le mie iniziali – lo spazio c'era – così non si sarebbe dimenticato più del sottoscritto. Stai bene ora?"

"Sono tutto ammaccato."

"Passerà."

"Vai da qualche parte?" chiese Shahid.

Chili annuì.

"Con Strapper?"

"Sì."

"Dopo quello che ha fatto?"

Chili alzò le spalle. "Solo per stanotte. Chiami tu mamma da parte mia?"

"Per dirle cosa?"
"Che sto bene, no? Di' che mi sto riprendendo. Saprai tu, no?"
"Lo farò."
"Qua la mano, fratello."

Se n'erano andati tutti. Finalmente Shahid e Deedee erano soli. Non avevano più voglia di mangiare, ma misero in ordine in silenzio, raccogliendo i libri e rimettendoli negli scaffali. Pulirono la stanza e passarono l'aspirapolvere. Ci vollero un paio d'ore perché tornasse una sembianza di ordine, ma la fatica fu salutare. Sguardi e sorrisi bastarono a calmarli.
Prima che finissero, Shahid andò in cucina a prendere una bottiglia d'acqua, e vide Hat che batteva una moneta contro la finestrella sopra il lavandino. Stava per chiamare Deedee, ma pensò che per oggi fosse stanca abbastanza. Mentre stavano pulendo, le si chiudevano gli occhi anche se era in piedi, e poi li spalancava di colpo, guardandosi attorno terrorizzata.
Shahid tirò fuori un coltellaccio da un cassetto della credenza, si arrampicò sullo scolatoio e aprì la finestra di un paio di centimetri. Hat saltellava, tentando di parlare attraverso la fessura.
"Posso dirti una cosa, Shahid?"
"Cosa?"
"Te lo chiedo per favore."
Shahid andò a chiudere la porta della cucina, così che Deedee non sentisse.
"Perché dovrei fidarmi di te?" disse a Hat.
"Mi spiace. Sto cercando di dirti quanto mi spiace per quello che è successo."
"Ah sì?" Shahid fece per richiudere lo spiraglio.
"Ma sì, credimi!" gridò Hat. "Dammi retta un secondo! Sono solo." Shahid non voleva cedere. Aprì di più la finestra, ma gli puntò il coltello. Hat disse: "Allah è clemente e misericordioso, e io voglio amare e rispettare il mio prossimo. Mi vergogno di quello che hanno fatto."
"Perché?"
"Qualunque cosa tu abbia fatto, non spetta a me condannare un'altra persona. Lo può fare solo Dio. Ho sbagliato a com-

portarmi come se io non avessi mai peccato. Spero solo che non ti allontanerai da Dio."
"Hat, a essere sincero..."
"Sì?"
"Sono stufo di avere padroni, che siano Riaz, Chad o Dio in persona. Non accetto limiti quando c'è tutto un mondo da imparare, leggere e scoprire. Quanto a te..."
"Cosa?"
"I tuoi studi da ragioniere. Te ne pentirai, se molli tutto." Shahid sentiva di avere toccato nel segno. "Fratello, non pensi che nella vita ci debba essere qualcosa di meglio che prendere sul serio un vecchio libro? Quello che possiamo fare noi uomini non è più interessante di qualunque cosa venga attribuita a Dio?"
"Non sono d'accordo," disse Hat, "ma ho capito. Quello che dovevo dire l'ho detto." Smise di saltellare e si ritirò fra i cespugli.
"Dove stai andando?" gli gridò Shahid.
"In paradiso."
"Stanotte?"
"Ci sono altre cose da sistemare."
"Di che cosa parli?"
Hat alzò le spalle.
"C'è una cosa che voglio darti," disse Shahid. "Puoi rimanere lì?"
Shahid tirò fuori la melanzana dalla tasca del cappotto, spiegò dove l'aveva trovata, l'avvolse in un foglio di giornale e la porse a Hat attraverso la finestra.
"Posso venire a trovarti al ristorante? Potremmo parlare. Ti va bene?"
"Quando vuoi. Ti prego di perdonarmi," disse Hat, ormai in strada. "Perdonaci! L'unica cosa che conta è la misericordia!"
"D'accordo!" gridò Shahid, vedendolo allontanarsi.

Shahid e Deedee si sedettero e mangiarono della pasta. Bevvero due bottiglie di vino e decisero di andare a dormire. Shahid sentiva un senso di sollievo e di vittoria; malgrado tutto se l'era cavata, e non aveva mai imparato tante cose in una volta sola. Ma Deedee sembrava turbata e non riusciva a stare ferma. Era il suo corpo e non la mente, disse, a essere isterico. Dopo un po' di televisione, Shahid le propose di scaricare la tensione con una passeggiata. Forse, fuori, sarebbero riusciti anche a parlare.

Era tardi, e tirava un vento gelido. Si erano imbacuccati, e si tenevano a braccetto come una coppia di vecchietti. Volevano entrare nel parco scavalcando i cancelli, ma quando furono vicini sentirono delle sirene. In fondo alla strada videro un'ambulanza che passava col rosso a tutta velocità, seguita dai vigili del fuoco e dalla polizia. In cielo si era alzata una nuvola di fumo.

Fecero il giro del parco, cercando un punto dove scavalcare, ma la gente cominciò a scendere in strada a vedere cos'era successo. Con un brutto presentimento, Shahid e Deedee andarono verso il luogo dell'incidente.

C'erano un cordone di poliziotti e tre autopompe. I vigili del fuoco dirigevano i getti d'acqua conto una vetrina devastata. Era una libreria in cui erano stati di recente. Era arrivato il proprietario, che discuteva coi poliziotti che non volevano permettergli di avvicinarsi. Era già arrivata la scientifica, stava dicendo un poliziotto, e tutto doveva essere lasciato com'era.

Deedee, tremando, chiese a un vecchio se sapeva che cosa fosse successo. Disse che era stata una molotov. Doveva essere un attentato di fanatici integralisti. Infatti non avevano rubato nulla – cosa se ne fa uno di un mucchio di libri? – ma solo tentato di distruggere il negozio.

"Ho sentito anche delle grida terribili," aggiunse il vecchio.

"Come?" chiese Shahid. "C'era qualcuno dentro il negozio?"

L'uomo scosse il capo. "Il vento tirava forte, stanotte. La prima molotov ha spaccato la vetrina. Ma la seconda gli è esplosa in faccia. Gli altri hanno cercato di spegnere il fuoco, ma ormai aveva faccia e mani in fiamme. Che cosa potevano fare? Quando è arrivata la polizia, sono scappati. Non penso che ce la farà, il ragazzo, con quelle ustioni."

Deedee si tirò la sciarpa sulla bocca e sul naso, così da lasciare scoperti solo gli occhi. Rimasero lì ancora un po', ma ormai non c'era più nulla da vedere.

Sarebbero partiti.

Shahid si svegliò prima dell'ora stabilita. Fuori era ancora buio. Si costrinse a lasciare il letto caldo, e si vestì in fretta.

Era come se sentisse la mancanza di qualcosa d'importante. Erano molte le cose che voleva fare quella mattina.

Andò in cucina a farsi un caffè. Voleva restare a guardare l'alba, ma dopo pochi minuti tornò in camera da letto e accese la lampada sulla scrivania. Se Deedee si fosse svegliata, se ne sarebbe andato in un'altra stanza. Tra relazioni in attesa di essere corrette, lettere e ritagli di giornali trovò una stilografica che funzionava, e cominciò a scrivere con furia e concentrazione. Doveva trovare un significato nelle sue recenti esperienze; voleva sapere e capire. Com'era possibile che alcuni si costringessero entro i limiti di un solo sistema, di un solo credo? Perché si sentivano obbligati a farlo? Non esisteva un io stabilito; non era vero che le nostre numerose identità si dissolvevano e si trasformavano ogni giorno? I modi di stare al mondo dovevano essere infiniti. Nel lavoro e nell'amore Shahid voleva abbracciarli tutti, seguendo la propria curiosità.

Deedee si svegliò, lieta di vedere che Shahid era già in piedi. Mentre si lavava i capelli e si vestiva, Shahid andò al supermercato. A colazione mangiarono aringhe affumicate, funghi alla griglia e pomodori.

Shahid l'aiutò a preparare le valigie per il fine-settimana. Fecero la scorta di libri e di cassette, bisticciando su cosa prendere. Quando si decisero a uscire, Deedee indossava un soprabito rosso lungo fino alle caviglie con un colletto di velluto nero, una minigonna nera e un basco scozzese. Comprarono tre giornali all'edicola all'angolo, due seri e un *tabloid*, e presero un taxi per andare al pensionato, visto che non era giornata da aspettare i bus.

Salirono le scale preoccupati, ma non c'era segno di Riaz o degli altri. Shahid si cambiò, e mise in borsa vestiti, quaderni e libri. Non si sentiva al sicuro nella stanza, avrebbe dovuto cambiare sistemazione, ma per il momento non ci voleva pensare. Quando uscirono appoggiò l'orecchio alla porta di Riaz. Non si sentiva nulla.

Andarono a Victoria Station con la metro e comprarono i biglietti. In treno trovarono posto vicino al finestrino, l'uno di fronte all'altra. Presto passarono il ponte sul Tamigi, con la centrale elettrica da una a parte e Battersea Park con la pagoda dorata della pace dall'altra. Shahid aprì i giornali. Due riportavano la notizia dell'attentato incendiario, in cui Chad era stato gravemente ferito. La notizia gli fece passare la voglia di leggere; Deedee mise via i giornali, e si guardarono negli occhi.

Shahid non sapeva che cosa ne sarebbe stato di loro; ma per conto suo voleva restare con lei. Avrebbe preso quello che gli offriva Deedee, e le avrebbe dato quello che poteva. Era la prima volta che decideva di avere fiducia in una persona.

Il fine-settimana l'avrebbero passato al mare, in un alberghetto senza pretese; avrebbero passeggiato sulla spiaggia umida, avrebbero preso il sole sulle sdraio lungo il molo, avvolti nelle coperte come pensionati, ingozzandosi di sandwich di granchio, ostriche e canditi, e riparandosi dalla pioggia nei pub. Non si sarebbero persi nessun museo delle cere vittoriano. Il pomeriggio l'avrebbero passato a letto, e si sarebbero alzati per bere qualcosa alle cinque, facendo il bis alle cinque e mezzo. Avrebbero parlato di tutti gli argomenti possibili fino a non poterne più.

Lunedì avrebbero preso il treno e sarebbero andati a trovare la madre di Shahid. Potevano prendere la macchina di Deedee, così le avrebbe mostrato i posti in cui era cresciuto. Doveva spiegare alla madre che Chili aveva dei grossi problemi, e che per un po' non si poteva contare su di lui per l'agenzia, ma che forse sarebbe tornato. In serata sarebbero rientrati a Londra.

Come programma era più che sufficiente, ma non era finita, perché per lunedì sera Deedee aveva trovato due biglietti per il concerto di Prince. Dopo sarebbero andati a una festa in un grande magazzino di King's Cross, per cui aveva ottenuto gli inviti da uno della compagnia discografica.

Deedee estrasse una bottiglia di vino dalla borsa, la stappò e prese due bicchieri. Li riempì, sorrisero e fecero un brindisi. Deedee bevve il suo e lo riempì di nuovo. Lo stesso fece Shahid.

Guardò fuori dal finestrino; il tempo sembrava essersi schiarito. Fra non molto avrebbero passeggiato sulla spiaggia. Deedee sapeva già cosa voleva mangiare a pranzo. Shahid non doveva pensare a nulla. Si scambiarono uno sguardo come per chiedersi: "In che avventura ci stiamo buttando, ora?"

"Fin quando smetteremo di divertirci," disse Deedee.

"Fin quando dura," disse Shahid.

I GRANDI Tascabili Bompiani
Periodico settimanale anno XVII numero 534
Registr. Tribunale di Milano n. 269 del 10/7/1981
Direttore responsabile: Giovanni Giovannini
Finito di stampare nel marzo 1997 presso
lo stabilimento Grafica Pioltello s.r.l.
Seggiano di Pioltello (MI)
Printed in Italy

ISBN 88-452-2993-9